· 劳动论全集 ·

劳动价值论

On the Value of Labour

《劳动论》续集

钱津／著

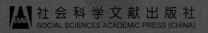
社会科学文献出版社
SOCIAL SCIENCES ACADEMIC PRESS (CHINA)

会当凌绝顶，一览众山小。

——杜 甫

目　录

第三篇　价值规律与市场波动

第四篇　价值存在与社会发展

导　言

劳动价值论是马克思主义政治经济学的基石。在 20 世纪末，从人类进步的意义上讲，经济学各个学派的认识将逐步走到一起，越来越缩小相互间的距离。科学地发展劳动价值论，使之成为经济学共同的基础理论，将是马克思主义政治经济学研究在当代做出的重大贡献。不论哪一个学派，其经济研究都是追求科学性的。科学就是求真，不容虚假与臆造。自然科学研究的求真是有目共睹的，社会科学的研究也同样要求真，不能以主观推断代替客观事实，以社会的名义混淆认知逻辑，以权力抗衡真理。不可否认，近几十年来，马克思主义政治经济学受到严峻的挑战，包括劳动价值论在内的一些基本理论被质疑，几乎失去其应有的应用领域，这其中并非没有传统理论存在认识不够科学的原因，不承认自身曾有过认识迷途不是马克思主义政治经济学接受挑战的积极态度，相反，透过历史的空间，回顾理论创建的历程，审视实践的经验与教训，承认长期存在的不科学的认识，主动地进行理论的再探讨，深刻地反省曾不自觉地出现的主观的盲目性，重新以科学求实的态度，完善自身的理论体系，才能战胜挑战，迎来马克思主义政治经济学充满活力发展的新阶段。

历史必将证明，如何认识和发展劳动价值论，是一个科学立场问题。只有坚持科学的认识态度，研究劳动价值论才具实际意义。只有高举科学的旗帜，才能在经济学学科建设现代化的基础上发展劳动价值论。众所周知，在政治经济学创立初期，经济学家们就分为两大派，一派坚持劳动价值论，另一派反对劳动价值论，这种情况一直延续到 20 世纪末，且隔阂愈见加深。若这两大派之中有一方的认识是完全科学的，无论如何检验都寻不到疵漏，所有的解释都符合逻辑并与市场实际一致，那么历史上的两派对立就不会出现了。因为科学认识是对事实的概括与升华，就经济生活中的事实而言，不是神秘与虚缈的，如果价值理论认识真正符合事实，是没有人会与事实作对的。所以，问题就在于，不论是劳动价值论派，还是非劳动价值论派，在过去的研究中，都未能贴切地做出与事实基本相符的判断。长期存在关于劳动价值论的两大派之争，这本身就说明无论哪一派关于价值的认识都存在基本的违背事实之处。这就是说，不仅非劳动价值论的理论观点不科学，非马克思主义的劳动价值论存在认识的误差，马克思主义政治经济学关于价值的传统理论认识也有不可回避的缺陷。这种状况表明，价值理论的研究必须取得突破，在这一基础问题上不能再存在争执，任何不符合科学的认识，不论是过去哪一派提出的，都要抛弃。这种学术上的开拓，并不意味着马克思主义政治经济学的基础将由劳动价值论转为非劳动价值论。今天的科学研究的进展表明，在经济学界中，关于价值的认识必须取得共识，劳动将成为经济学的最基础范畴，有力地解释价值理论，使劳动价值论成为经济学的共性理论，以科学的内涵驱除以往的迷误。由此，也将使长期以来的经济学基础理论研究滞后的问题得到基本解决。毫无疑问，这一转变必须以分析原先劳动价值论中的不科学认识为前提，必须使经济学关于价值的认识牢固地建立在 20 世纪末人类科学地认识劳动范畴之上。

诸贝尔经济学奖获得者、美国经济学家保罗·A.萨缪尔森在其著名的著作中曾表述："已故的 O.朗格曾经在 1934 年到 1944 年间寄居美国，是著名的马克思主义和非马克思主义经济学教授。他以后回到他的故乡波兰，成为该国驻联合国常任代表，后来又担任波兰国务委员会副主席和教授。按照他那个时期的观点，马克思想用'对劳动的剥削'的概念得到的结果可以不用'劳动价值论'（该理论似乎否认稀缺的土地和时间因素也是竞争成本和真正的社会成本）这一装饰品而得到。"[①] 这就是说，他们认为马克思的劳动价值论与马克思对资本主义剥削的批判之间不存在必然的联系。可以说，马克思主义政治经济学受到挑战，在当代是集中在这一点上的。这实质是说，马克思的理论创建在逻辑上有问题，关于剥削和关于价值的认识无法使人信服。因此，保罗·A.萨缪尔森断言劳动价值论终结了，他说："简单的劳动价值论认为物品的价格比例可以单独根据劳动成本得以决定，而与导致对物品需求的效用无关。由于必须照顾到土地稀缺性这一事实，这一价值论必然要被放弃。"[②] 并且，他还认为："有人说劳动者应该得到全部产品，这种说法怎么样呢？劳动是惟一的属于人类的生产要素并且能够流汗、欢笑、啼哭和祈祷。确实如此。然而，即使泥土不能出汗或啼哭，它还是有助于马铃薯的生长，而当它处于稀缺状态时，良好的社会必须以最经济的方式利用它。"[③] 固然传统的劳动价值论对劳动的认识是有缺陷的，因而对价值缺乏解释力，但是，这位在当代颇有代表性的经济学家对于马克思的劳动价值论的批判其实是毫无力量的。他在

---

① 萨缪尔森：《经济学》（中），商务印书馆，1988，第 232 页。
② 萨缪尔森：《经济学》（下），商务印书馆，1988，第 132、133 页。
③ 同注②。

指责马克思的同时，并没有意识到自己将人与物的基本关系混淆了，土地是物的存在，不能有像人一样的社会要求，显然，人作为劳动者应该得到其劳动产品，人不作为劳动者也可以得到或享受劳动产品，而土地不论怎样稀缺，不论怎样对马铃薯的生长有作用，社会决不会将劳动产品的任何部分的所有权留给土地的，土地没有获取马铃薯的需要，尽管没有土地是绝对长不出马铃薯的，所以，从自然的逻辑来讲，以土地的稀缺和对农作物生长起作用为理由，反对将劳动产品全部归劳动者所有的论断是站不住的，有悖社会常识，根本没有在价值理论的基础上讲清楚问题。这表明，反对马克思劳动价值论的非劳动价值论，自始至今，对于价值运动的认识也是缺乏说服力的。由此可见，经济学关于价值理论的研究，不论是劳动价值论，还是非劳动价值论，再不能沿着原先对立性的论争走下去。

我们认为，在当今时代，坚持和发展劳动价值论，其前提是认识和坚持常态劳动观和常态社会观。自人类起源以来，作为人的本质存在的劳动只是常态劳动，常态劳动是包含正态劳动和变态劳动的劳动，其中只有正态劳动是表现不同于动物的人与自然有直接的生产意义交流的劳动，变态劳动则是动物的求生方式在人类社会的延续，变态劳动分为军事劳动变态和剥削劳动变态。正确认识常态劳动和由常态劳动决定的常态社会，才能辩证而真实地认识常态下的劳动与价值的关系。这就是说，在常态劳动存在的社会条件下，经济学不能用纯正态的劳动解释现实的市场的价值运动，也不能按变态劳动的眼光去认识价值问题，理论的概括必须是符合常态劳动构成实际的，即要以对常态劳动的基础——正态劳动的分析为基础，再结合变态劳动的存在做出解释，才能科学地认识劳动价值论。虽然这是就劳动谈价值，但实质是经济学研究的基本思想方法要转变的一般性问题。也就是

说，是从正态劳动关系看社会，还是以常态的观念分析问题，这
是研究劳动价值论的思想方法分歧，也是经济学基础研究的不同
的出发点。所以，摒弃不科学的认识，我们说在常态社会条件
下，劳动价值论的科学解释只能是常态劳动价值论。常态代表的
是劳动的历史约束和现实规制，舍此之外，在科学的意义上决不
可能存在脱离常态的纯粹或理想的劳动价值论，因为我们不可能
将关于劳动价值的理论建立在超越历史与现实的社会条件之上。
只有以历史的和现实的常态劳动为认识基础，政治经济学关于价
值理论的研究才能走上科学之路。过去劳动价值论的认识未能抵
达这一点，应该说不是历史的客观局限，而是经济学家的主观努
力不够。这就是说，科学地认识劳动价值论，使之成为经济学的
共同的认识基础，在政治经济学创建时期，不是没有条件做出
来，而是没有能够做出来。历史只能这样遗憾。当然，形成这样
一种结果，并不能由哪一位经济学家个人负责，这是以往一代又
一代献身于经济学研究的学者们的共同责任，有着深刻的教训。
我们说，常态劳动与常态社会是历史的和现实的存在，承认这一
事实并不复杂与艰难，只是当对事实的认识被误导时，一代又一
代人才迷惘与困惑，使学术界出现无意义的争论。所以，从今天
来看，科学论证劳动价值论，解决经济学研究的共同基础问题，
并不是多么困难和遥远的事情，只要去掉误导，尊重事实，希望
的曙光就会呈现在我们这一代经济学人的面前。

就科学研究的程序而言，坚持和发展劳动价值论，需要先研
究劳动，后研究价值。上述强调价值理论研究必须以建立常态劳
动观和常态社会观为前提，意蕴的就是这一程序。但长期以来，
政治经济学的研究对此没有给予应有的重视。其实，这只是一个
简单的逻辑关系，漠视这一点，任何讨论都难以理清头绪。现
在，我们要进行的价值理论研究是对劳动研究的继续，或者说这

本身就是劳动研究的组成部分，比起以前不做劳动研究的价值研究，这是学术上的进步，理论的突破是合乎逻辑地在这一进步中产生的。而退一步讲，不管人们怎样认识劳动价值论，坚持科学的程序都是必要的。

价值理论研究的滞后，对于经济学发展的影响是不可忽视的。如果经济学家们对于基础问题采取避而远之的态度，那么可想整个学科的建设将会是多么地艰难。任何一门科学，在它的基础理论问题未能解决之前，求得体系的完善都是不可能的，更不用说能有贯通的完整的理论解释力了。因此，基础问题实质上就是学科发展的关键问题，基础问题解决到什么程度，学科就只能发展到什么程度。没有基础推进的发展，就不会有理论上实质性的突破。在应用理论研究与基础理论研究的关系上，社会科学与自然科学是一样的，两者都要重视，而相比之下，最需要受到重视的是基础理论研究，因为应用理论的研究从来就不存在被冷落的问题，而且基础理论的提高是推进应用理论研究最强大的动力。在价值理论未能得到科学的解决之前，经济学各个学派在这一问题上各行其是，各自以其自己的认定构造理论体系，分析社会经济生活，相互间的认识矛盾是不可避免的，这对于各学派之间相互吸收认识成果很困难，对于准确把握认识社会经济运行的机理也是难以集中力量的障碍。至少，各行其是的经济研究，缺少共同基础，造成学科发展中的很大浪费，这一点对于饱学之士是不言而喻的。因而，从科学的角度来认识问题，当前的经济学研究最重要的是抓好共同基础的建造，而不是各处分支边角问题的争纷解决。作为马克思主义政治经济学工作者，一定要以科学的态度坚持和发展劳动价值论，以此带动其他基础理论研究的进展，决不能教条地坚守传统的认识阵地，将前人的关于价值的认识神化，自己制造理论禁区，丧失求实精神和开拓勇气。马克思主义政治经济学的生命力不在于它从开创时就不存在认识上的错误，就没有不符合科学的推理，而在于它有一代接一代的努力，并在努力之中能够积极地改正已经发现的错误，能够以科学的态度自觉改变自身理论中不科学的成分，以理论的不断探索和修正来诚实地维护科学研究的严肃性。只有做这样的理论推进，才能发挥马克思主义政治经济学在当代经济学发展史上的巨大作用。

我们将要展开的劳动价值论研究，关注的是如何使价值范畴在经济学中得到统一。价值不是人们可以随便主观构想的概念，它是一种客观的存在，正如经济学研究有客观基础一样，价值范畴的客观性是不容置疑的。科学研究的任务就是将价值范畴这种客观性揭示出来。现实地讲，我们在价值方面的研究与以往的研究的主要不同之处，并不在于逻辑的推理方面，当然这不是说先后之研究的差别在推理上没有重大分歧表现，而是说更重要的分歧是在对基本事实的认定上。到底怎样认识价值，怎样凝塑这一共同基础，关键是必须统一对经济生活中的基本事实的认识，只有对事实的认识统一了，价值问题的讨论才能在理论上取得共识。价值是抽象的，事实是具体的，先有具体的认识统一，才能在抽象的层次上达到认识的一致，所以，在某种意义上，能不能认清事实，比之理论的宏伟抽象，更为重要。当我们已经蕴育了足够的理论创新的勇气之时，摆在我们面前的问题就是如何统一人们对事实的认识。这恐怕同样需要我们付出艰辛的努力。

"惟有创造才是欢乐，惟有创造的生灵才是生灵。"① 为成就科学的劳动价值论，我们这一代人当有此胸怀。

---

① 法国思想家罗曼·罗兰语。

第一篇

价值创造与价值归属

第一章　研究价值理论的意义

在 20 世纪末，仍要从基础上研究价值理论，寻找认识的共同点，并不是政治经济学的荣誉，而是一种极致的无奈。在逝去的岁月里，有多少经济学家倾注于这方面研究，恐难以数清，但至今这还是不解之谜，却清清楚楚。如果说政治经济学是经济学的王冠，那么价值理论就是这顶王冠之颠上的宝石，直到现在，这块耀目的宝石还代表着深邃的奥秘。然而，不管这一问题的解决是难还是易，政治经济学对价值理论的研究总要恒久地持续下去。事实上，不破解这块宝石的奥秘，整个王冠都是充满疑惑的。或许，不需要这顶王冠的任何人都可以贬低这种研究的必要性，但是，在经济理论界，却从未有人敢发出这样的狂妄之语。

历史文献表明，最初的政治经济学是贵族研究的学问。正因此，价值理论亦是贵族学者首创的。当年，睿智敏思的贵族学者最先提出劳动价值论，并以此构建古典政治经济学的理论基础。英国的这门学科创始人威廉·配弟于1662年在《赋税论》一书中第一次提出劳动时间决定商品价值这一基本命题。稍后，法国古典政治经济学创始人比埃尔·布阿吉尔贝尔也在自己的著作中明确提出了劳动价值论的初步认识。在后人看来，当初威廉·配弟和比埃尔·布阿吉尔贝尔的劳动价值观是比较含混的，威廉·配弟将价值称做"自然价格"，将价格的市场体现说成是"政治价格"，比埃尔·布阿吉尔贝尔将交换价值当做了"真正的价值"。但这些并不重要，重要的是他们能够起始从政治经济学角度研究价值范畴的存在及其作用了，重要的是他们看到了价值研究是政治经济学的理论基础，是经济学研究必不可少的出发点。由于政治经济学的创立主要是在英国和法国，就威廉·配弟和比埃尔·布阿吉尔贝尔的研究可以做出概括，说明劳动价值论的研究与这门学科是同时起步的。由于当时生产的规模和水平有限，遮挡了政治经济学研究的视野，学科初创时的学者们还正处在小商品生产即手工业生产向机器大工业生产过渡的社会环境之中，基本上对资本主义的社会化大生产还没有感知，生产的手工性导致了他们认识的直观性，这使价值理论研究的开端即最初的劳动价值论的提出具有简单而粗疏的特点。但生产的狭隘并不是他们认识浮浅的必然因素，因为远在公元前，亚里士多德对价值就有比他们更深刻的认识。① 然而，政治经济学一经建立，影响源远流长，并且思想表现比较简单又带有直观概括特点的认识似乎更容易为社会接受，因而亚里士多德被淹没了，最初的劳动价值论认识对于政治经济学基本理论的形成发挥了巨大的浸透力和制约力，使后来的学者亦不自觉地沿着他们的思维轨迹走了下去。价值理论在政治经济学研究中的重要性及其与自身的初始的片面性的结合就是这样历史地凝固了。

大约又过了一个世纪，英国古典政治经济学的集大成者亚当·斯密系统地发展了初期的劳动价值论。在举世闻名的《国富论》中，亚当·斯密将其对价值的研究集中在3个方面："第一，什么是交换价值的真实尺度，换言之，构成一切商品真实价格的，究竟是什么？第二，构成真实价格的各部分，究竟是什么？第三，什么情况使上述价格的某些部分或全部，有时高于其自然价格或普通价格，有时又低于其自然价格或普通价格？换言之，使商品市场价格或实际价格，有时不能与其自然价格恰相一致的原因何在？"② 亚当·斯密概括的这3个方面问题是系统的，有其逻辑上的先后联系和本身的完整性，但这只是对他自己的思想而言，实际相比上一世纪的价值理论，他并没有消除认识的浮浅与粗疏。只不过，亚当·斯密对于价值理论的研究的重视程度，是超过他的老前辈的。他在自己的著作中用了较大的篇幅详细地回答了自己提出的3个方面问题。第一，他认为："只有劳动才是

---

① "这位研究家最早分析了许多思维形式、社会形式和自然形式，也最早分析了价值形式。"（参见马克思：《资本论》第1卷，人民出版社，1975，第73页。）

② 亚当·斯密：《国民财富的性质和原因的研究》，上卷，商务印书馆，1988，第25页。

价值的普遍尺度和正确尺度，换言之，只有用劳动做标准，才能在一切时代和一切地方比较商品的价值。"① 即 "劳动是衡量一切商品交换价值的真实尺度。"② 第二，他认为："在商品价格中，除去土地的地租以及商品生产、制造乃至搬运所需要的全部劳动的价格外，剩余的部分必然归做利润。分开来说，每一种商品的价格或交换价值，都是由那三个部分全数或其中之一构成；合起来说，构成一国全部劳动年产物的一切商品价格，必然由那三个部分构成，而且作为劳动工资、土地地租或资本利润，在国内不同居民间分配。"③ 他特别强调："这三个组成部分各自的真实价值，由各自所能购买或所能支配的劳动量来衡量。劳动不仅衡量价格中分解成为劳动的那一部分的价值，而且衡量价格中分解成为地租和利润的那些部分的价值。"④ 第三，是 "每一个商品的市场价格，都受支配于它的实际供售量，和愿支付它的自然价格（或者说愿支付它出售前所必须支付的地租、劳动工资和利润的全部价值）的人的需要量，这二者的比例。"⑤ 关于这 3 个方面问题的分析是否得当，在此不必研究，我们要阐明的主要是这位大师对价值理论的重视程度。正是由于有他的研究存在，在他之后，有关劳动价值论的认识，无不受其影响，直到今日。

英国另一位古典政治经济学的代表人物大卫·李嘉图，同样重视价值理论研究。他进一步发展了亚当·斯密的劳动价值论，在使用价值与交换价值的区分，价值量的确定，复杂劳动与简单

① 亚当·斯密：《国民财富的性质和原因的研究》，上卷，商务印书馆，1988，第 32、26、46、44 页。
② 同注①。
③ 同注①。
④ 同注①。
⑤ 同注①，第 50 页。

劳动的关系方面，都提出了新的理论见解。但总的说，他们走的是同一条路，大卫·李嘉图的价值理论并没有改变亚当·斯密的原有思想。所以，通常人们将这二人的价值观看成相连一体的。

在亚当·斯密的《国富论》出版91年之后，马克思出版了《资本论》第1卷，形成了马克思的劳动价值论。此时，劳动价值学说发展达到了一个高点。在马克思关于政治经济学的著述中，劳动价值论占绝对第一的地位。马克思在对价值创造源泉的认识中，将劳动与劳动力加以区分，由此创建了剩余价值论，这可以说明马克思的价值理论在其思想体系中的重要程度。

从威廉·配弟的价值理论到马克思的价值理论，前后历经200多年，存在着复杂的流传与继承的关系，肯定劳动决定价值是这种理论继承的核心。但无一例外，在这期间，凡是承认劳动价值论的经济学家都是将价值的实体归结为活劳动即劳动者主体的活动，而不是具有整体性的劳动。对此，我们要展开详细的分析。但在这里，我们还是要讨论截止马克思的所有劳动价值论者对劳动的共同性认识。将劳动只归结为活劳动是一种价值明确，一种展示其实体的明确。自政治经济学创建以来，在数百年的历史跨度内，前前后后的劳动价值论者都维护着这种明确，统一在这种明确的旗帜下，虽然他们之间的认识还是有分歧的，但在对于劳动认定这一点上是无差异的。

在亚当·斯密和大卫·李嘉图之后，马克思之前，政治经济学的价值理论研究并非单线进行，这期间还出现了萨伊的效用价值论、马尔萨斯的供求价值论、西尼尔的节欲价值论、巴师夏的服务价值论和凯里的再生产费用价值论等价值理论。法国经济学家让·巴蒂斯特·萨伊对政治经济学有自己的独到见解，他提出"三分法"，将政治经济学的研究划分为生产、分配和消费3个部分，否认经济危机，确定劳动、资本、自然力为生产的三要素。在价值问题上，他认为效用决定价值，但他的认识不能保持逻辑上的前后一致，也是存在明显缺陷的。英国经济学家托马斯·罗伯特·马尔萨斯以其人口理论著名于天下，而其价值理论亦有特色，他同大卫·李嘉图曾展开过激烈的辩论，他反复强调的是市场供求状况对价值的决定作用，力图证明价值不是劳动创造的，虽然他承认劳动的交换量表现价值量，但他说价值量的大小要取决于供求关系，他始终坚持这一价值观直到告别人间。另一位英国经济学家纳骚·威廉·西尼耳的经济理论在19世纪初也曾名燥一时，他关注价值理论研究，并不反对劳动价值论，但他认为资本的存在是节欲的结果，这一结果与劳动共同决定价值，并由此做出节欲的报酬是利润的结论。他的这种价值观亦被称为综合价值论。法国经济学家弗雷法里克·巴师夏在其著作《经济和谐》中提出服务价值论，他认为经济和谐的立足点是交换，而交换就是交换服务，由此服务决定价值。所以，他的价值观被称之为服务价值论。美国经济学家亨利·查理·凯里对政治经济学也有一整套自己的看法，其中对于价值的认识是讲全部生产要素都创造价值，而价值的体现是再生产费用。此外，在那一时期，还有一些类似的非劳动价值论观点。这方面的价值理论研究表现出了思维的发散性，与众多的劳动价值论者不同，他们没有将对价值的认识局限在亚当·斯密和大卫·李嘉图限定的框框里，而是各有各的理论创新。而马克思认为，所有这些价值理论都是庸俗的。

有关各种非劳动价值论认识的功过是非，或许是经济学史研究的长久不衰的问题。但确定无疑的是，每一种价值理论都是与其政治经济学的构架一致的，就像是上了一层底色，在此基础上的理论认识怎么也脱不开这种色彩的浸染。这五彩缤纷的色调与理论的推进是不协调的。理论应是单色的，它反映的是具有惟一性的事实，反映越准确，色调越单纯，决无繁杂之意。若色彩不纯，则说明认识还未能掌握本质。这与文学对于色彩的要求是不一样的。在那历史的特定时代，五花八门的价值观表现出的是认识的混乱，其实仍还包括着浮浅。当学科发展的大势是这样的时候，即使有深刻的思想萌芽出现也会被强盛的潮流摧毁，甚至这种大势会将人们的认识引入更为偏激的歧途。尽管如此，这些色彩不同的研究还是可以表明价值理论研究的重要性。只不过，他们没有能解决这一理论问题，而是将这一重要的科学认识工作留给了后人。

在马克思建立自己的劳动价值论之后，在价值理论研究中又出现了边际效用价值论。这一派理论的核心，是主张用对商品效用的主观评价说明商品的价值。边际效用价值论的基本依据是戈森定律，即德国经济学家赭尔曼·戈森提出的支配经济人的活动的两条基本定律。其一是说人类的享受虽有赖于增加享受次数，但同一享受，如果持续下去，就会不断地递减效用，直至出现享受的饱和状态，若再增加，享受就会变为负值，即成为痛苦。例如：第二个面包对于一个饥饿的人来说不如第一个面包更有味道，第三个、第四个则可能使他感到厌恶，从而达到享受的饱和状态，若让他再吃下去，面包就会对他的身体造成危害。其二，人们虽有选择多种享受的自由，但却没有足够的时间来完全享受它们，因此，不管各种享受的绝对值如何不同，为了使他所享受的总量达到最高限度，他就必须在把最大的享受充分利用以前，先把所有的享受一部分一部分加以利用，而且是以这样一种比例来享受，即任何一种享受在终止享受它的一刹那，其大小仍然和原来一样。边际效用价值论的影响是巨大的，在它产生之后，几乎获得了所有的非劳动价值论者的认同，因而可以经久不息地在社会教育的领域内流传。就此而言，不管这种价值理论是否正确，对其产生的社会影响是必须给予重视的。也许，我们可以说在这种非劳动价值论中，同其他非劳动价值论的观点一样，也包含有一定的认识合理的成分。

到19世纪末期，除马克思主义政治经济学外，价值理论研究成为了一个寂寞的领域，其他学派的研究重心都已由价值转向价格了。这种情况至今已持续一个多世纪了。在这期间，英国经济学家阿弗里德·马歇尔首创均衡价格论。这位很务实的学者直接从市场供求的变化研究价格变化，由此带动了单纯的价格研究盛行，开启又一种学术风气。以至此后许多经济学者在大大小小的著述中，基本不提价值二字，只讲价格。但应该说，价值研究是比价格研究更基础的研究，经济学家致力于价格研究是无可厚非的，学者能在哪一领域做出贡献都是可贵的，经济学却不能没有价值研究，不能以价格研究取代价值研究。然而，与沉闷的价值研究相比，活跃的价格研究是20世纪政治经济学基础理论研究的一大特色，并且已形成相当完整的体系，探测到上一世纪认识远未达到的深度。本来价格研究的推进对于深入探讨价值理论是十分有益的，只是历史并未形成这种联动关系，由于价值问题中存在严重的冲突与混乱，事实上价值研究的滞后还是阻碍了学科的发展，包括影响价格研究的进展。所以，今天当我们要再度深入探讨价值理论时，正确对待20世纪价格理论的成就与不足是必要的，既要肯定各种学派研究价格的积极意义，又要明确截止目前所有的对价格的认识都受制于价值范畴的不规范。

就对价值的认识而言，本可历史地走出来的路未能历史地走出来，是十分遗憾的。但前人留下的憾缺，正是今天我们研究价值理论的意义。一个世纪以来，很少有人做价值研究，同时也没有人否认价值研究的重要性。而且，不管是否明确，这些年来，没有哪一个学派不是以其对价值的基本认识决定自身理论体系构成的。因而，现在返回来补上这一课，补上共同承认重要性的这一课，以新的世纪认识转换上一世纪先哲们对价值的概括，澄清基本的认识混乱，贴近现代市场经济跳动的真实脉搏，平心静气地从学术角度来讨论问题，无疑是具有现实意义的。

更确切地讲，在这一领域，以往的传统研究甚至没有能够科学地界定价值范畴的基本性质。在马克思主义政治经济学中，似乎是将价值摆在了贬义的位置上，① 虽然肯定价值是劳动创造的，对劳动给予褒义，但到了由劳动凝结的价值，就走向其反了。在其他学派，或许有的是对性质不明确，但也有隐含将价值推崇备至的倾向。其实，不论褒义还是贬义，对价值范畴都是不适宜的。从劳动价值论的立场看，价值是无差别的劳动凝结，既然是无差别的，怎么可能出现褒贬呢？再有，价值是一种交换尺度，仅作尺度来讲，它也没有可能使自身带上浓重的褒贬色彩。所以，价值这一范畴是中性的，没有特殊的褒贬规定性，它只能作为一个一般范畴存在。但要明确，这里讲的是经济学的价值范畴中性，与哲学的价值范畴含义和一般生活中表示评价的价值意义是不能混淆的。更进一步讲，价值的中性，就劳动价值论来说是由劳动范畴的中性决定的。对具体劳动，可以分褒贬，而对劳动一般，就没有这种区分，所以，凝结为价值的劳动是一般性的，必然也只能界定为中性。一般劳动中性，抽象价值中性，这在逻辑上是贯通的。明确价值中性，对于现时代的政治经济学基础理论研究非常重要。若基础理论研究把握不住这一点，做不到从中性范畴出发，那么整个体系的构建必定是倾斜的，会表现出强烈的片面性。

在对中性的价值进行新的理论探讨中，需要确定3个研究层次。第一层次是坚持劳动价值论基础，完整地论证是劳动创造价

---

① 一种极端的认识是只承认价值的历史作用，而将其列为将来要取消的范畴。

值，批判各种各样的非劳动价值论。这种论证需要坚持辩证唯物史观，从常态劳动观出发认识价值问题。这比之传统的价值论基础更复杂，但不认识这种复杂，或是说不以这种复杂为认识对象，就不能做到科学地认识价值与劳动的关系。将价值创造归为劳动，并不是由马克思开始的，但到了现时代，却一定要由马克思主义政治经济学完成其科学的论证工作。新的论证将以常态劳动的历史与现实来阐明劳动创造价值的惟一性，并将以此作为经济学研究的共同基础。第二层次是分析什么劳动创造价值。在确定劳动创造价值的基础上，要进一步说明并非所有劳动都创造价值，即创造价值的必定是劳动，而有的劳动却不能创造出价值来。首先，要解释非商品劳动是否创造价值。在传统中，是只讲商品劳动创造价值的，对非商品劳动创造价值持否定态度。而事实上，商品劳动与非商品劳动的区别仅在于劳动产品是否交换上。所以，问题很明显，如果排斥非商品劳动创造价值，那么价值的创造就不在于劳动而在于交换了。这是价值理论研究必须分清的一点。其次，需要分析非生产劳动是否创造价值。生产劳动与非生产劳动的区别在于社会作用不同，生产劳动起有益作用，非生产劳动起无益作用。无益并不等于无价值，无益只是指价值本身是无益的。价值是中性的，不涉及排斥无益的问题，所以，从逻辑上说，生产劳动与非生产劳动都有资格成为创造价值的劳动。传统理论将非生产劳动排除在创造价值的劳动之外，是本身理论有缺陷的表现。再次，需要分析非物质劳动即精神劳动是否创造价值。这一问题也是传统理论未解决的。现在，精神劳动的作用在社会生活中越来越显著，尤其是高智力复杂精神劳动的发展水平制约着整个社会经济的发展水平。若从社会现实出发，不承认精神劳动创造价值，已经是不可思议的了。所以，对此认识的局限性只能停留在以前的历史中。最后，需要确定是有用劳动创造价值。不论是商品劳动，还是非商品劳动；也不论是生产劳动，还是非生产劳动；更不用提物质劳动与非物质劳动的区分；在这所有的劳动中，对于创造价值来讲，是分为有用劳动与无用劳动的。无用劳动是没有劳动成果的劳动或在商品经济条件下不能实现交换的劳动。在历史与现实中，人类还不能完全避免无用劳动，总是要或多或少地存在一定的无用劳动。价值理论的研究要分析无用劳动的产生及存在，说明为何无用劳动不能成为有价值创造的劳动，即也就是说确定在人类劳动中只有能真实地起到作用的有用劳动才是创造价值的劳动。第三层次研究劳动即有用劳动是怎样创造价值的。这是展开的分析，既涉及生产领域，又牵扯到了交换问题。在这种复杂性的研究中，价值的运动才能完完全全地展示在人们的理论概括中。

几个世纪以来，价值理论研究始终未脱离初创的徘徊阶段。现在的情况是，由于这方面研究没有推进，政治经济学的理论特显基础薄弱。因而，解决这一问题的迫切性是十分突出的。如果有人认为现代的学者不如几世纪前的大师，对价值的认识也不会有新的建树，那么，这是完全没有看到时代的作用。的确，与先哲们相比，我们这一代人的个人品格并不突出，但归根结底不是个别学者能不能进步的问题，而是整个时代前进了，远远超越了政治经济学的创立时期，所以，在价值理论的研究中是能够超过前人完成科学论证的。这一理论的研究意义要直接通过我们的信心和行动体现出来。回顾历史，我们看到的是对价值认识的坎坷历程。正视现实，价值理论的科学论证必将推动政治经济学的基础研究进深一步，开创与时代前进的步伐相吻合的新阶段。

第二章　劳动整体创造价值

如果说劳动二重性的提出，是"理解政治经济学的枢纽"，[①]那么，劳动整体性的确定，就是发展劳动价值论的关键。对于劳动范畴，整体性的涵义有两方面的表示：一是指一定时间阶段的人类劳动是一个整体，即全人类劳动是抽象的统一体；二是指任何具体的劳动乃至由其决定的抽象劳动都包含有劳动主体与劳动客体，整体即为主体与客体的统一。在探究人类社会经济发展的基本规律的认识过程中，我们侧重于分析历史的和现实的作为全人类劳动存在的整体性，强调常态劳动整体中的正态劳动与变态劳动的辩证关系，以整体为前提区分生产劳动与非生产劳动、简单劳动与复杂劳动、物质劳动与精神劳动等范畴的差别，同时进深到劳动内部，阐释了劳动主体与劳动客体之间的矛盾发展对于人类社会历史发展的决定性作用。而现在研究价值理论，我们对于整体性的强调，则主要是指劳动的主体与劳动客体的统一关系。对于这种统一，我们应明确，这如同磁石的两极互为存在条件一样，既不存在没有劳动主体的劳动，也不存在没有劳动客体的劳动，在任何地点、任何时间、任何条件下存在的劳动都必定

---

① 马克思：《资本论》，第 1 卷，人民出版社，1975，第 55 页。

是劳动主体与劳动客体合为整体的统一。正是以这种客观的整体性为依据，由此出发，我们才能切实地向前推进当代经济学对劳动价值论的认识。

一　劳动产品与商品

不管各个学派是如何认识价值范畴的，其认识对象都是一致的，即都是针对劳动产品作抽象的。经济学作为一门学科，并不研究劳动创造之外的物品的存在与使用问题。即便是对于土地等自然资源进行研究，也是只有当它们成为劳动客体的组成部分，才进入经济学的视野。

劳动产品是随着人类劳动技能水平的提高和劳动范围的扩大而越来越丰富与复杂的。在已经逝去的历史的每一个特定的时代，都相应有其特定的劳动产品。新旧石器时代，原始人最初的石制劳动工具也就是人类劳动最初的产品。而当时用这些原始工具捕获的猎物和采集的野果，也是原始人类的劳动产品。随着时间的推移，后来原始人又渐渐地懂得了种植，形成了农业劳动，有了农产品。到了奴隶社会，手工业产品逐渐增多，青铜冶炼技术、制陶技术的普及和进步向社会提供了相当可观和令人惊叹的各种工艺制品，现已成为稀世之宝的文物仍闪烁着当年劳动的光彩，折射出那一时代劳动产品的特征。封建社会将农业劳动的发展推向了一个广阔的高点。农产品的丰富和精美是漫长的封建时代劳动的贡献。到了近代，大工业的蓬勃兴起奠定了这几个世纪以来人类物质文明享受的基础。从古代的历史看，长期以来，劳动产品表现为实物型产品为主。所以早期的经济学家对于劳动产品的认识，主要是指实物型产品，甚至有些人干脆将某些非实物型产品排斥在劳动产品之外，由此认识价值，也只是认识实物型产品的价值。不能不说这一倾向对于学术界讨论劳动价值的影响是很深刻的。包括马克思在内，其对劳动价值的界定，基本上只限于实物型产品。

直到近些年，经济学界对于非实物型劳动产品的讨论才渐渐地多起来。但我们要明确，非实物型劳动产品并不是现在才有的，这一类产品在古代甚至远古就存在，只不过数量有限，不像今天这样多。早期的或者说传统的政治经济学研究，或是在对价值的本质探讨中舍弃乃至无视非实物型劳动产品问题，或是将价值的创造直接归于生产实物型产品的劳动，将这种劳动称之为生产劳动，将劳动价值论限定为生产劳动价值论。显然，这种早期的思想概括与眼下普遍存在的现实是格格不入的，在非实物型产品已经充斥商品经济的时代，再不讲非实物型产品的价值性，对于一个讲求逻辑严谨的学科是无论如何也说不过去的。

就最普遍的商业劳动而言，马克思曾认为，纯商业劳动不创造价值，但商业劳动者还从事运输、分类、包装、保管等工作，这些工作是生产过程在流通领域的继续，或者说是创造价值的劳动在商业工作中的继续。现在看来，马克思的这种看法与其对价值的涵义确定是不一致的。马克思是以无差别的人类劳动的抽象凝结确认价值的，可在具体的认识中，将商业劳动排除在无差别的劳动之外，或是对价值的认定有问题，或是对商业劳动的认识有问题。目前，关于商业劳动的价值创造，关于其他所有非实物型劳动产品的价值问题，在马克思主义政治经济学界，已经取得基本一致的意见，认为需要改变传统的认识观念，从事实出发，承认非实物型产品的价值存在，承认生产非实物型产品的劳动也是创造价值的劳动。

总之，在劳动产品的层次上，不论是何种劳动生产出的产品，都应有价值存在。抽象地讲，这是限定于没有交换的经济状态的，即只有生产和使用是与产品相关的。从认识的需要讲，一旦要求产品向商品转化，即要反映出自然经济向商品经济的发展，情况就复杂了。单纯的劳动产品不一定具有价值，有价值的是产品能进行交换的，由产品的交换决定劳动成为有用劳动，而这种有用劳动才是价值的物质承担者。商品与劳动产品的不同在于是否用于交换，不用于交换的劳动产品不是商品，这不分实物型与非实物型，只要不交换就不是商品，只要交换就是商品，二者的共同点是劳动的成果，商品必须是劳动成果，商品排斥一切非劳动的因素进入自身范畴，商品同劳动产品一样，取决于劳动的创造。

人类社会的发展早已进入商品经济时代，市场经济就是商品经济的高级发展形态，非商品经济的活动范围已经很小，只存在于相对落后地区和个别产品领域。所以，现时代对于价值的研究，主要是以商品的价值研究为基础。但是，要明确价值概括的范围决不仅是商品，凡劳动产品都与价值有关，只不过现实的劳动产品大多表现为商品。

二　劳动客体作用

科学地界定劳动，必然是指具有主客体统一的整体性的劳动。将劳动只归于劳动主体活动，即只归为活劳动，是政治经济学传统理论的认识偏差。由此可说，传统的劳动价值论，除了有生产劳动价值论的局限外，还表现为是一种活劳动价值论，即劳动主体价值论。其实，劳动具有整体性，是一个任何人都不可否认的基本事实。凡劳动产品或者说凡商品，都必定是具有整体性的劳动统一体的产物，不可能只是劳动主体活动的结果，包括非实物型的劳动产品也同样，即一些劳动提供的服务同样是有劳动客体的作用在内的，根本不可能出现纯活劳动产品。然而，在较长的历史时期内，讲劳动主体对于劳动产品的创造作用，尤其是在非实物型产品方面，人们无可怀疑；而讲到劳动客体对于劳动产品的创造作用，尤其是讲到非实物型产品方面，讲到产品的价值方面，学术界的认识就产生了分歧，有的只是一般性承认，到具体分析价值源泉时又否认，有的干脆直接就否认。劳动客体是指进入劳动过程的自然条件和资产条件，劳动客体的作用分为自然条件作用与资产条件作用，但长期以来，研究价值问题的学者们将劳动主体的作用称为人的作用即活劳动作用，将劳动客体的作用称为物的作用，或将劳动主体与劳动客体的作用统称为生产要素作用，缺乏劳动整体范畴为基础的概括。因而，在以往经济理论界是游离了劳动客体范畴认识自然条件作用和资产条件作用的，没有将这两种生产中必不可少的作用概括到劳动的作用之中。这样就形成了一种理论认识的扭曲，即将劳动的作用概括为没有物的作用的作用，将物的作用与人的作用或是说将人的作用与物的作用割裂开来，不能把握劳动的整体性，不能从劳动整体性出发认识劳动价值论。可以这样说，传统的劳动价值论和传统的非劳动价值论就是在如此欠缺对劳动整体性认识的前提下进行研究的，结果是相互间产生长久的不解决问题的争执，将原本并不复杂的问题搞得人人迷惑不解，处处扑朔迷离。所以，能不能将自然条件作用与资产条件作用概括为劳动客体作用，能不能将劳动客体作用与劳动整体作用连结起来，对于科学地认识价值理论，是一个很重要的问题。

在劳动的过程中，或是说对于创造劳动产品，劳动客体的作用是不同于劳动主体作用的。劳动主体的作用是主动性的，劳动客体的作用是受动性的，劳动客体以怎样的条件出现来发挥作用，要由劳动主体的能力决定。自然条件包括土地、矿藏、空气、水源、日光等等，在什么时间、什么情况下成为劳动客体和发挥劳动客体作用，取决于劳动主体。资产条件实际是物化劳动，是已有的劳动产品作为劳动要素再投入，其发展水平和实际作用，当然更直接决定于劳动主体的能力。对于自然条件的利用，是劳动主体选择和开发的。在远古，狩猎是人类赖以生存的主要劳动，因而猎场作为自然条件对于劳动成果的影响是很重要的。于是，我们现在完全可以推断，那时原始人对优良猎场的争夺可能甚于对猎物的争夺。在中世纪，农业劳动是人类的主要劳动，而土地是农业劳动中主要的自然条件，于是土地成为人们的重要的生存依靠条件，往往被农民看得比自己的生命更贵重。土地的这种作用影响，至今在以农业为主的地区留存着。进入现代以后，是更多的自然条件成为了劳动因素，发挥出劳动客体作用。电磁波、硅、铀、天然气等自然条件的开发利用，使得今日的高科技劳动倍加神奇。由生存的要求决定，在过去的年代里和在今天一样，劳动主体总是要将成为劳动客体的自然条件控制在自己的权力之下，为此不惜付出鲜血与生命，动用武力来维护自己已有的权力。[①] 因此，许多自然条件，包括土地、矿山、河流等，都不再是自然的存在物，而被标明了所有者，只是一些人们尚难控制的领域，还没有出现所有权。而对于资产条件，作为劳动客体，因已是劳动产品，所以自其成为劳动产品时起，就已是有所有权赋于之上了，即资产条件是既定的有社会权力束缚的劳动客体条件。

不论是自然条件，还是资产条件，作为劳动客体存在，实质都包含有劳动主体在其中的转化作用。就土地讲，从未有劳动主体介入的土地则不属于劳动客体。而有劳动主体介入的土地，是人化的自然，蕴有劳动主体赋予它的社会属性。所以，土地作为劳动客体起作用，实质是融于劳动整体作用之中的。就机器而

---

① 在 20 世纪，人类于此争斗的惨烈程度超过历史上的任何时期。

言，作为物化劳动，本身是含有主体作用转化的沉积的，即在没有主体作用下，它是不可能成为劳动的产品和新的劳动客体的。但我们要注意的是，一方面承认主体对客体作用的存在，客体对主体作用的包含，另一方面更要分清主体作用与客体作用的不同，尤其是不能将客体作用也误解为主体作用。①

从劳动整体的存在讲，劳动客体在不同的劳动过程中有不同的作用和影响。在采掘煤炭的劳动中，矿工起劳动主体作用，工具和煤层起劳动客体作用。如果采煤工作面的煤层厚 10 米，那么不论是分层开采，还是不分层开采，工人们都能在较宽敞的空间作业，且劳动效率相对较高。如果煤层只有 1 米厚，那么，在同样的时间内，矿工的生产效率会大大低于厚煤层工作面的，且工作的艰难程度加倍。在这两种采煤工作面劳动的对比中，人们可以看出煤层对劳动成果的直接的不同影响。若换一种比较，道理也是同样的。假定煤层厚度相同，但一个工作面的煤是发热量 8000 大卡的，一个工作面的煤是发热量 4000 大卡的，那么这等量的煤实际是不等值的，其中值的差异并不来自于劳动主体，而只是源于作为劳动客体存在的煤层的自然条件。这就是说，自然条件的差异，作为劳动客体作用的存在，对于劳动整体的作用是有重要影响的。面对这一客观事实，经济学家只能承认，决不能做出别的选择。问题在于以前一些经济学家似乎对此采取了回避的态度，为了支持活劳动价值论，而不愿深入地分析这一事实。在《资本论》中，讲取中等条件做价值衡量，但那只是指均化劳动主体作用，并不能解释自然条件作为劳动客体条件所起作用不同的影响。② 仅就生产煤炭的劳动讲，产品的发热量多少，是煤

① 人化的自然与人的自然化在人与自然对立的范畴中仍属于自然。
② 参见马克思：《资本论》，第 1 卷，人民出版社，1975，第 52 页。

层固有的，是任何主体作用无法调整的。即使人们将发热量低的煤掺在发热量高的煤中一起烧，煤本身的各自发热量还是不变的。

在农业劳动中，由劳动客体作用的不同导致劳动结果不同的情况是更为普遍的。肥沃的土地与贫瘠的土地相比，农产品的产量可能有数倍的差距。在这种客体条件的悬殊之下，劳动主体的勤奋努力是不会从根本上改变劳动结果的。今后科技的发展，肯定会淡化土地的作用，会使土地的差别影响减少到最低的程度，但那是将来的事情，还需要经过漫长的岁月才能实现，在今天否认这种差别的影响还是做不到的。如果有人不承认这种现实，或进一步认为没有土地照样可以创造价值，至少农民会将其看成是白痴。相反，由于土地的肥力直接影响农作物产量，历代农民都将能得到好地视为人生的最大幸福。

威廉·配弟说：“劳动是产品的父亲，土地是产品的母亲。”[①] 他对于劳动的理解是错误的，没有认识到劳动整体性，没有将土地的作用归纳为劳动客体作用。正确的表述应是：产品是由劳动整体作用创造的，其中既有人的即劳动主体的作用，又有物的包括土地在内的劳动客体的作用。

三　劳动整体作用

从整体性意义讲，劳动创造了人类的一切。所有对于劳动结果起作用的自然条件和资产条件都是先作为劳动客体存在，然后才成为劳动产品的构成物的。这也就是说，人类享受自然的恩惠，必须以劳动整体为基础，失去这个基础，就没有享受的存在，也没有人类的存在。明确劳动具有整体性，不单纯是人的主

---

① 转引自萨缪尔森：《经济学》，中册，商务印书馆，1988，第218页。

体活动，劳动是由主体与客体对立而形成的统一，与确认劳动是人的本质，具有同等重要的意义。界定这一整体性，以劳动的这一性质存在为基础认识劳动的价值创造，是政治经济学基本观念的更新与推进。

在科学的研究中，认识劳动的作用必须是认识劳动整体的作用。这一点，以前的理论工作者忽视了，但实际从事经济活动的人是从未搞错的。不论是农业经营者、商业经营者，还是制造业经营者，乃至金融业经营者，从工作的那天起，无不要考虑自身劳动的整体作用。所有这些经营者，追求的都是劳动整体作用的结果，而不仅仅是劳动主体活动的结果。具有一定理性的经济人，不仅会看到劳动整体作用中劳动的主体作用与劳动客体作用的统一性，看到这两种作用各自存在的必要性，而且还会看到在劳动的整体作用中劳动主体作用与劳动客体作用之间存在着一定的相互替代性。这种有程度限制的替代性也许不是任何一种劳动都具备的，但对许多劳动是能实现的，尤其是技能水平较低的劳动，发生率相对较高。因此，实际经营者，在实现同样结果的前提下，可以选择不同的劳动主体作用与劳动客体作用的组合，利用两种作用的替代关系实现经营目的。这其中可变的是两种作用的比例，不变的是两种作用必然都存在。政治经济学今天讨论劳动的整体性及其主客体作用的替代性，意义是非常重大的，但这在普通的经营者看来，其讨论的是极其平常的事，几乎没有耗费时间和精力的必要。

劳动主体与劳动客体构成劳动整体，因而，加大其中任何一方的作用，都是加大劳动整体的作用。固然，在某些条件下，任意加大主体或任意加大客体是不允许的。但在没有达到既定的组合要求的情况下，是可以有主客体作用量的调整的。这样以劳动主体与劳动客体的统一来认识劳动整体作用是客观的，作为一种比较，我们可以看一看这与传统认识的不同。在以往，劳动客体只是被作为劳动对象看待，而不是作为劳动本身的要素看待。这就使本来内在的关系被外在地割裂了，使人对劳动的真实性作用模糊不清。现在，我们分析价值理论，需要对传统的认识有一个根本的转换，在认识对象同一的前提下，从整体性出发，对劳动做出不同的认识。在《资本论》中，马克思讲："在劳动过程中，人的活动借助劳动资料使劳动对象发生预定变化。过程消失在产品中。它的产品是使用价值，是经过形式变化而适合人的需要的自然物质。劳动与劳动对象结合在一起。劳动物化了，而对象被加工了，在劳动者方面曾以动的形式表现出来的东西，现在在产品方面作为静的属性，以存在的形式表现出来。"[1] 虽然这里也讲到人与物的结合，讲到同样的结果，但是这对于物的作用是没有概括在劳动整体作用之内的，我们对于劳动整体作用的强调正是要转变这种对劳动内在关系缺乏准确把握的认识。

四　价值抽象

价值是对劳动产品的抽象，是人类无差别有用劳动的凝结，劳动创造劳动产品对任何人都是不可辩驳的事实，同样，劳动创造价值也是任何人不可否认的客观存在，而不是由哪一位经济学家主观认定的。如果不存在劳动产品，那么也就不存在价值。讲劳动产品，这本身就是一种概括，而讲到价值，就是更一般的概括了。在有用劳动的范畴内，在劳动产品的范畴内，价值范畴是通用的，或是说，价值范畴与有用劳动范畴，与劳动产品范畴，与某种意义上，是同义语。劳动创造了劳动产品，成为了有用劳动，就创造了价值。价值是一个抽象范畴，并不是虚无的，它的

---

① 马克思：《资本论》，第 1 卷，人民出版社，1975，第 205 页。

实在性是由劳动产品体现的。具体的劳动产品的存在与抽象的价值存在，两种范畴的描述只有方式的不同，没有对象的差别。如果人们不能说供求创造劳动产品，那么显然也就不能说供求创造价值，供求决定价值。同样道理，效用也不能创造劳动产品，效用只是劳动产品的有用属性，讲效用创造价值，效用决定价值，也是毫无逻辑的。在理论的认识上，对于价值的创造者，与影响价值创造的其他因素，一定要严格地区分。对于抽象体现的价值范畴，似乎特别容易混淆创造者与影响创造因素的作用，但是，若从劳动产品的角度看，这一点是绝对不会混淆的。所以，明确劳动产品与价值之间的关系，对于认识价值有重要意义。在此，只是局限于劳动产品的一般性讲价值，并未讲到劳动产品的交换，但这已经表明劳动价值论在劳动整体性的基础上向前跨进了一大步。

无论是具体的劳动产品，还是抽象的价值，都是以其蕴涵的有用性为实质内容的。对劳动产品的概括，是不包括废品的。出废品的劳动不属于有用劳动，废品也不具有价值。作为价值抽象，不仅是对劳动产品的抽象，也是对劳动产品的有用性抽象。价值与劳动及劳动产品的有用性并不矛盾，并不是说有用性只是具体的，与抽象的价值范畴不搭边。价值含有的有用性是抽象的有用性，是有用劳动的抽象性质。值得注意的是，有用劳动是劳动，无用劳动也是劳动，① 有用劳动具有价值，无用劳动虽也是劳动但与价值就无关了，这也就是说，不具有劳动的有用性，就不具有价值，讲价值不可排除有用性。

---

① 马克思说："如果物没有用，那末其中包含的劳动也就没有用，不能算作劳动，因此不形成价值"（参见《资本论》，第 1 卷，人民出版社，1975，第54 页。）。我们认为，虽然无用劳动不形成价值，但还是要算为劳动的。

在商品经济中，不出废品的劳动未必就是有用劳动。能否成为生产商品的有用劳动，关键在交换，有劳动产品，但劳动产品未能交换出去，仍不是有用劳动，即不具有劳动的有用性，此时，对这样的劳动，对这样的劳动产品，都要视为无价值。

进一步说，价值的抽象是对劳动整体性的抽象，即是对有用劳动的整体性抽象，是对劳动整体作用创造的劳动产品抽象。承认劳动产品是劳动整体作用创造的与承认价值是劳动整体作用创造的，具有一致性。在确定劳动整体性的前提下，价值就不能再错误地概括为只是劳动主体作用的抽象。若一方面承认劳动产品是劳动整体创造的，劳动客体在这一创造中发挥了必不可少的作用，另一方面又不承认劳动客体对价值创造起作用，不承认创造价值的是劳动整体，是违背基本逻辑的。长期以来，政治经济学的各个学派在这一问题上争论不休，其实是毫无意义的。因为这本身并不是一个理论研究探讨的问题，而是一个对基本事实的认定问题。只要面对实际，实事求是，任何人都会承认劳动整体创造价值这一事实的。这种承认并不意味着劳动客体可以单独创造价值，而只是说在劳动整体创造价值中，包含有劳动客体的作用。劳动的存在，必有客体作用，劳动成为有用劳动，亦同样不可少客体作用。劳动价值论的推进就是要从劳动主体价值论即活劳动价值论，提升到劳动整体价值论。如果将创造价值的前提定为有用劳动，那么从根本上说，我们所发展的劳动价值论实质是有用劳动整体价值论。

法国经济学家巴·萨伊曾这样讲过："事实已经证明，所生产出来的价值，都归因于劳动、资本和自然力这三者的作用和协力。"[①] 在他的看法中，除去将劳动界定为是劳动主体活动不科

---

① 巴·萨伊：《政治经济学概论》，商务印书馆，1963，第75页。

学以外，基本认识没有错，即对价值创造源泉的认识没有错，因为这只不过是说出了一种客观存在的普遍的事实，不仅是事实的现象，而且是事实的本质，是任何人在任何时候也无法改变的事实。巴·萨伊的表述不对，只在于未能从劳动整体性的高度来认识问题，对价值的创造没有用劳动主体作用与劳动客体作用的统一来做概括。由于以后的人们从社会生活的基本经济事实中也不断地认识到劳动客体对价值创造的作用，而又如同巴·萨伊一样未能从劳动整体性的高度来认识问题，所以几乎是同样的表述后来并不罕见。中国学者在国家经济体制改革之后，思想解放，也将"劳动、资本、土地等要素在价值形成中都发挥着各自的作用"① 这样的论断写入经济学专著。现在分析这种认识，只能说用词不准确，不能说观点是庸俗的，更不能说观点是错误的。相反，错误的产生在于对这种认识的主观武断的盲目性批判。长期以来，在社会主义国家的经济理论界，人们依据《资本论》的阐释，始终将批判的矛头指向这种认识，直到今天，还没有看到这种认识其实只是一种对客观事实的认定，没有看到这种认识的不足只在于漠视了劳动的整体性。这种批判的结果，是使价值理论研究背离科学越来越远。这种批判产生的错误，使科学地认识价值遇到严重的人为设置的障碍。

在马克思的经济理论研究中，原本对劳动的整体性有相当深刻的认识。马克思指出："劳动首先是人和自然之间的过程，是人以自身的活动来引起、调整和控制人和自然之间的物质变换的过程。"② 这深刻地揭示了劳动是人与自然交流的关系，人是这种交流中的主导因素，自然是劳动过程中不可缺少的因素，而劳

---

① 谷书堂主编：《社会主义经济学通论》，上海人民出版社，1989，第112页。
② 马克思：《资本论》，第1卷，人民出版社，1975，第201页。

动就是劳动过程，劳动必然表现为一种过程，在人与自然的交流之间是具有不可分的整体性的。但是，历史表明，马克思认识到了劳动的整体性，却没有在劳动价值论的研究中坚持劳动的整体性。马克思在批判地接受亚当·斯密的价值理论时，自开始就将自己的劳动价值论定位于劳动主体价值论，只承认活劳动创造价值，否认包括自然条件和资产条件的劳动客体在价值创造中的作用。从有限的逻辑关系讲，马克思对价值的界定与他对劳动客体创造价值作用的否定是一致的，凡是在涉及价值的地方，马克思所讲的劳动均为劳动主体活动，即均为活劳动，从来没有将劳动客体作用纳入劳动作用之中。但这是马克思的自身认识逻辑，而非客观逻辑，客观逻辑是反映劳动整体性的。然则，马克思的这种不提劳动整体性的价值界定，又是他的剩余价值理论建立的前提与基础。因此，就其自身理论的联接关系讲，马克思做到了逻辑的一致。而问题却在于，在价值方面马克思对劳动的界定与他在更广阔的视野中即在对整个经济生活的考察中对劳动的界定不相一致。劳动整体性未能成为劳动价值论的基础，劳动的定义在价值理论中缺乏科学性，这对马克思以及对马克思之前和之后的众多的经济学家来说，是对劳动的认识尚未达到自觉阶段，客观的认识逻辑被朦胧在习惯的成见之中。如果当时能将这种逻辑的模糊讲明，那么就不是在今天，而是要在一个多世纪以前，理论家们就会认真地再思考这个问题，不会长久地对劳动的整体性与价值抽象之间的关系做有意的掩盖。

在马克思的价值理论中，还有一个自身逻辑冲突的问题。马克思提出商品二重性，认为商品是价值与使用价值的统一。按照这一前提，对商品使用价值创造起作用，就同样对商品价值创造起作用，才是合乎逻辑的，否则就不合逻辑，就做不到统一。但从马克思的劳动主体价值论看，马克思只承认劳动客体对创造使用价值起作用，不承认劳动客体对创造价值起作用，同时却认为劳动主体对创造价值与使用价值都起作用，即抽象的劳动主体作用创造价值，具体的劳动主体作用创造使用价值，以其对劳动主体作用的抽象与具体的划分模糊了对创造价值与使用价值的作用的不可分割的统一。这对于马克思的自身逻辑，也是无法做出解释的。也就是说，只承认劳动客体对使用价值创造起作用，不承认劳动客体对价值创造起作用，不能从劳动整体性的高度认识价值创造问题，与商品二重性理论的逻辑是不相符的。可以这样讲，只要与客观逻辑不相符，其认识肯定与事实不相符，劳动主体价值论不成立，既是一个不符合事实的问题，也是一个不符合逻辑的问题。

以劳动产品为认识起点顺理成章地推论劳动整体创造价值，是发展劳动价值论的重要体现。这种涵盖劳动客体作用的价值论与以往的和现在的各种非劳动价值论的理论认识并不一样。我们是强调劳动整体创造价值，在劳动整体性确认的前提和基础上，将劳动的有用性、劳动产品的有用性、价值抽象的有用性联接在一起，并未将对价值的概括游离于劳动范畴之外，也未以劳动客体作用的强调否认劳动主体作用的主导性。我们论证的价值创造源泉只是对基本的事实的认定，而在这之前是存在各种形式的认定的，我们的理论推进只是将这种认定概括于劳动整体作用。我们认为，当经济学的研究能够符合并解释客观事实时，其理论才是科学的，违背基本事实又不合客观逻辑的认识与科学的理论南辕北辙。在政治经济学理论界，有关价值创造源泉的问题，已经争执了几个世纪，如果各方仍坚持自己原有的认识继续讨论，那么这种争执就永远不会结束，但是，只要回归事实，各方都从重新认定事实出发，确认劳动的整体性；那么任何人都会认为价值创造的源泉是一个非常简单而明确的问题，是任何人都能回答且任何人的回答都会与其他人的回答相一致的问题。价值理论作为经济学研究的基础理论，不能存在与事实不符的论断，只要有些微的认识出现偏差，在此基础上构建的理论体系就无法做到逻辑严谨和论证科学。传统的劳动价值论存在严重的逻辑矛盾，与客观逻辑不符，自身逻辑也有问题，而发现这些矛盾，解决这些矛盾，就是发展劳动价值论。在过去看是很难解决的认识问题，在今天看来并不费解，这得益于时代进步形成的开阔的视野，并不是今天的某个人比前人有高明之处，而确实是一代又一代的努力延续，才使得我们今天的认识能够打破传统观念的束缚。然而，需要指出的是，确认劳动整体创造价值，仅仅是创新劳动价值理论的重要一步，而不是理论创新的全部或结束。从基础来认识，价值的问题并不复杂，复杂的问题是劳动，研究劳动价值论，其实就是研究复杂的劳动整体关系在价值范畴中的内在与外在的联系。这种关系的复杂性并不只存在于或体现在价值创造上，在认识价值创造之后，就价值理论来说，还要分析更复杂的劳动关系。

第三章　自然使用价值与价值

劳动产品具有自然使用价值。而具有自然使用价值的不限于劳动产品，在有非劳动产品即自然物的存在下，单纯讲物的有用性，讲使用价值或使用，不足以揭示自然使用价值范畴运用的复杂性。从劳动产品与自然物的划分界限而言，使用价值与价值有联系构成劳动产品的本质特征，使用价值不与价值发生关系或者说在使用价值中不体现劳动的作用，属于自然物。由于自然物不存在与价值的关系，所以自然物的使用价值无须区分自然属性与社会属性，其使用价值均为自然使用价值。自然物转为劳动产品，要经过劳动过程，实现这一过程，就产生了性质的变化，虽然劳动产品还保留着自然使用价值，但这种自然使用价值之中已蕴涵有劳动的作用了，而且在有用劳动的意义上，劳动产品必然还具有社会使用价值的属性。对此，我们要强调的是，不能混同自然物的自然使用价值与劳动产品的自然使用价值，否则会对价值创造的源泉产生误解。

按照效用价值论的推断，价值产生于效用，而不是劳动。[①]

---

① "价值本来源于效用而非源于劳动。"（参见弗·冯·维塞尔：《自然价值》，商务印书馆，1995，第 114 页。）

坚持这种价值理论的学者所讲的效用就是自然使用价值。需要明确的是，自然物的自然使用价值是天生的，即取自于自然，而劳动产品的自然使用价值却是劳动创造的。所以，就劳动产品或商品来说，价值不能产生于效用，不能产生于自然使用价值，而只能产生于生产出效用即自然的和社会的使用价值的劳动。就此而言，确认自然使用价值的不同是重要的，明确劳动产品的效用不是天生的，这才能从效用的劳动产生与非劳动产生上，从劳动产品效用的可追溯渊源上，准确地认识价值的本质，驳斥效用价值论。从直接的逻辑制约关系讲，如果承认劳动产品的效用是劳动创造的，劳动是劳动产品效用产生的惟一源泉，那么显然将价值的来源归于效用是概括不到位的。我们已经指出，在劳动产品层次上，效用的自然属性即自然使用价值，高于自然物的效用，并且，劳动产品的效用还具有自然物效用所没有的社会属性。倡导效用价值论的学者没有看到劳动产品的自然使用价值与自然物的自然使用价值的实质差异，竟以效用的自然展现取代效用的劳动得取，混淆自然物与劳动产品，并且缺乏对劳动整体性的认识，必然要将对于价值理论的认识引向歧途。

　　需要明确的是，劳动产品作为有用劳动的成果，既有自然使用价值，又有社会使用价值，不能将其自然使用价值等同于社会使用价值。这就是说，劳动产品的自然使用价值既不同于自然物的自然使用价值，也不同于自身的社会使用价值。我们只有搞清楚劳动产品的自然使用价值与其相关范畴的区别与联系，不使这些范畴相混，才能在对自然使用价值的分析中，准确地把握价值范畴与其之间的联系。

　　劳动产品的价值与使用价值的统一，表现为价值与使用价值都是劳动创造的。在这样的认识前提下，劳动产品的价值不过是对其自然使用价值的另一角度的认识。因而，劳动产品的自然使用价值与价值的关系，如同具体的创造产品的劳动与劳动一般的关系。劳动产品的价值，不必通过交换体现，它依靠自然使用价值就能够体现。认识这一点的重要性在于，这将明确，价值并不是通过交换才形成的，在没有交换产生之前，在没有交换的情况下，劳动抽象的无差别以及由此凝结的价值就存在了。这就是说，人类劳动的等同性或同质性是在商品经济之前确立的，是人类劳动自起源时就具有的品性，不是因为有了交换，人类劳动才有了共同的基础。从自然使用价值产生的角度来认识，价值的抽象，人类劳动的无差别并不是指劳动的具体无差别，而是指任何时期的劳动产品创造都是当时劳动主体承受的，人类的生理基础在从事劳动方面是无差别的，某些人对某些劳动不适应并不等于别的人不能适应这些劳动。

在传统的理论概括中，讲到价值的抽象是因为劳动无差别，并未解释劳动为何无差别。显然，从内容讲，任何劳动都是有差别的，但这些有差别的劳动在性质上又是无差别的，惟一的解释只能是生理基础一致。由这一基础相同决定劳动的性质等同或者说是同等性质的，交换的可通约性也是以此为基础的，至于人的生理基础为什么一致，这就不是经济学研究探讨的问题了。我们可以概括认识的只是，对于劳动产品的创造，劳动内容的有差别与劳动性质的无差别并存，劳动者能力的有差别与劳动者生理基础的无差别并存。也许我们能够这样说，与自然使用价值的存在相对应的是劳动内容的有差别和劳动者能力的有差别，与价值的存在相对应的是人类劳动性质的无差别和人类生理基础的无差别。我们要强调的是，在生理基础一致的前提下，创造价值的劳动的无差别表现为每一时代的劳动者能够创造出每一时代的各种各样的劳动产品的自然使用价值，定准这一点，是政治经济学阐释劳动价值论的重要的认识基础。

从历史来看，可能最早研究价值形式问题的是古希腊哲学家亚里士多德。这位贤达的智者除了留下光辉的哲学著作，同样也是经济学研究的开创者。对于劳动产品的可交换性，亚里士多德认为："没有等同性，就不可能交换，没有可通约性，就不可能等同。"[①] 他在强调劳动的等同性的意义时，将认识的落点放在了可通约性上。事实上，作为劳动产品存在，是不能够通约的，5 张床就是床有 5 张，1 间房子就是房子有 1 间，床不能变为桌子，桌子也不能变为床。亚里士多德看到的可通约性，在今天来看，准确地讲是劳动者的劳动能力。在一定的条件下，一定的劳动者花费一定的时间与精力，与一定的劳动客体相结合，可以制造 5 张床，也可以建成一间房子。劳动者首先要有能力与劳动客体相结合，然后才是有能力创造劳动产品。而劳动的通约是劳动整体的通约，但起主导作用的是劳动主体因素，或者说是以劳动主体的生理基础一致决定了劳动主体能力的可通约，劳动客体的作用是随劳动主体的能力可通约而融化在劳动整体的可通约性之内的。这种整体的通约在以劳动主体能力为主导的前提下，实际表现为是对劳动创造的自然使用价值的抽象，即形成抽象有用性，劳动整体的作用要真实地被通约为这种有用性。劳动的通约之所以产生，在于劳动者的劳动能力的运用方向和实际水平的不相同。但通约的意义是指，能制造 5 张床的劳动者，换一种劳动内容，将劳动能力运用在另一处，与另一些劳动客体相结合，也能建造 1 间房子（假定劳动整体的作用量或抽象的有用性相等）。也可以说，在通约形成的有用性抽象上，劳动产品的可通约实质是以劳动者即劳动主体的劳动能力的通约可实现为依据的，这一实质的作用是内在的，也是必然的。在人类社会形成的幼年时

---

①　转引自马克思：《资本论》，第 1 卷，人民出版社，1975，第 74 页。

期，劳动整体发展水平低，但各种各样的具体劳动也是五花八门的，当时的劳动者承担着所有的劳动，没有哪一种劳动不能为劳动主体接受，而具体劳动与具体劳动之间的难度差距不大，劳动者能够掌握多种劳动技能是可以肯定的，虽然他们很可能终生只从事一种职业。劳动者的劳动能力只向自己所从事的职业发展，这是促使人类劳动整体水平提高的劳动分工的结果。这种历史的产生和延续，使得个人工作技能的单一，在今天所有人看来都是很自然的事情。分工是在通约无障碍下发展的，不仅做床的与建房的劳动可以通约，而且，捕鱼的与打猎的，种田的与放牧的，唱歌的与做饭的，教书的与经商的，纺纱的与炼铁的，等等，都是可以在市场上通约的，都表现为劳动成果可以交换。只要经过一定的训练，就可以使一个人成为能够胜任自己工作的劳动者，即使某些职业有特殊要求，其适用面也不能理解为与其他劳动者不能通约，而绝大多数的岗位要求是不分彼此，只有能力的高低差别，不存在能干与不能干的鸿沟。在整体性意义上，劳动主体与劳动客体的结合中，可调换劳动主体，即劳动者既能干这种具体劳动，又能干那种具体劳动，劳动的可通约性就建立了，对具体劳动的抽象表示了劳动的等同，这是由劳动主体能力的可通约产生的劳动等同，这是抽象的等同性，是可通约性基础上的等同性。

劳动产品的自然使用价值是否用于交换，与其中蕴涵的性质等同的可通约的劳动作用是无关的。交换并不产生可通约性，交换也未必就是等值交换，① 相反，是潜在和内在的可通约性决定交换能够产生，由劳动主体为核心的劳动等同性决定交换可以而且需要等值交换。劳动产品的自然使用价值不可通约和不同质的

---

① 等值交换与等价交换不同。

不等同，其中却蕴涵着劳动的主体决定的劳动整体作用的可通约和等同性质，由此产生的是内在的性质等同支持的外在的不同物的交换。

内在性质等同的劳动整体作用，是价值的体现，或者说就是价值，且价值必定要载于自然使用价值之中，不可无载体幻化，即虚无的没有以自然使用价值为载体的价值是不可想像的。而且，我们还要进一步明确，起通约决定作用的劳动者在劳动中发挥的只是主体方面的作用，完整的劳动作用不能以劳动主体作用概括，劳动产品的自然使用价值和劳动的价值创造都是以劳动整体作用为源泉的。也就是说，价值的实质是劳动整体作用的凝结，这种凝结表现劳动的有用性，也表示是有相应的劳动产品自然使用价值存的。在经济学研究中，我们可以将劳动整体作用称之为劳动作用，因为劳动必定都是具有整体性的。可通约的劳动者的劳动能力即劳动主体作用，是依托劳动的整体性存在的，性质等同在交换的意义上是劳动整体作用的性质无差别，而不仅仅是劳动主体作用的性质无差别。我们只是可以强调，在劳动主体与劳动客体之间，劳动主体是核心，是起主导作用的。

劳动者有年龄的差异，也有性别、体力、智力、阅历等方面的差异，其劳动能力是因人而异的。劳动的可通约性首先是在劳动能力的不同中体现的，然而比较易于理解的可通约却可通过同等劳动能力之间创造的自然使用价值的交换看到。这也可以用同一劳动主体可从事不同内容劳动的通约与等同表现。一天能打3只黄羊的人，如果下海捕鱼，一天也能捕到1桶鱼，作为食物的劳动成果，3只黄羊或1桶鱼，其不同的自然使用价值通过同一劳动者的不同内容的劳动转换，产生了性质的等同即内在的一致性，形成了抽象的价值，即在自然使用价值的不同中蕴涵了价值的等同，这是由劳动者的同一展现出的不可辩驳的通约逻辑。因而，将例子改为由不同劳动者完成不同的劳动，即不再说同一劳动者又打黄羊又捕鱼，换成两个劳动者分工，一个人打黄羊3只，一个人捕鱼1桶，那么从劳动的结果来看，人们会很自然地认为这与同一个劳动者从事这两种劳动产生的抽象的等同性没有任何实质性的差别，依然可以确定在这些劳动产品的自然使用价值中蕴涵了同质的价值。在这种比较中，通过劳动表现出，打黄羊的劳动能力与打鱼的劳动能力是基本相等的。无疑，我们所做的这种比较，舍去了其他依附条件。在体力劳动为主的时代，似乎不需要再讲别的条件，劳动者总会直观地将自己的劳动能力与他人的劳动能力做一比较的。这不涉及深层的复杂问题，从研究的角度讲，这只是就简单的具体劳动区别来说明它们之间的可通约基点。两种普通的劳动相比较是这样的，更多种类的同时代劳动之间的比较也是这样的。在远古，劳动分工尚不发达，似乎较多劳动者一生从事较多种劳动，如此有较多种劳动的经历的状况会使人们对于劳动作用的可通约性易于理解。而后来人类劳动复杂程度提高，专业化分工越来越细，劳动者大多终生只从事一种职业，但远古留下的理念起作用，人们事实上对各种各样的劳动作用的可通约基点仍是清晰的和承认的，在人们的认识延续下，一代又一代人对劳动的等同性和可通约性理智地接受了，他们不必再人人去试一试，即不必个人亲身尝试也懂得决定社会存在和社会发展的劳动能力是可以运用在各种不同的具体劳动上的，或者说是可以创造一代接一代发展的不同的具体劳动的。在自然界，只有人类的成员可以相互替代从事不同种类的有目的的与自然交流的活动，这是人类劳动的基本性质，这决定了人类劳动通约基点的不变和质的同一。有一天打3只黄羊能力的人，当他打一天鱼也只能打到1桶鱼时，他在不捕鱼只打黄羊的劳动分工中，知道怎样用或是说用多少黄羊去换多少鱼，3只黄羊换1桶鱼，在对猎场或渔场没有约束的条件下，他自然认为是可接受的，至于这种交换是不是价值的等值交换，交换者的感性无法认识而理性又不能顾及，他们认可的只是含有价值的自然使用价值进入了实际的交换，如此便可以调剂相互间的需求，劳动能力的不同的具体运用，创造出具有不同自然使用价值的劳动产品，这其中，能力是基点，产品是体现，不管劳动多么复杂，也离不开这一基点和这样体现的。从逻辑上讲，自然的直观的劳动能力的相互之间比较一致，并不能保证劳动产品实现等价值交换，因为实际上人们按目的实现的交换不是劳动能力，而是要求彼此间创造的不同的自然使用价值，劳动能力只是实现这种交换的通约基础。

劳动能力通过同一劳动者从事不同内容劳动体现，与不同劳动者从事不同内容劳动的通约，是事实与逻辑的统一，这种统一以劳动产品的自然使用价值的获取实现。对于劳动者来说，在其生存的意义上，最珍贵的是自己的劳动能力，失去劳动能力，等于失去自身的一切。劳动者要靠自己的劳动能力去结合劳动客体，构成现实的劳动，创造劳动产品。劳动者与劳动者之间，不管具体从事的是何种内容的劳动，就其承担的经济角色而言，相互注视的焦点只是劳动能力，虽然他们的劳动能力的高低最终要体现在劳动产品上，但作为市场交换主体，相互只是需要对方的劳动产品的自然使用价值，而相互比较的却是对方的劳动能力。不要说人类社会的历史悠久，事实上每一代人都与上一代人有着相同或相通的一面，在社会经济生活中劳动者相互看重对方的劳动能力并以此维系市场交换就是这方面的基础性的映现。正因为商品经济中性质无差别的劳动的通约基础是劳动能力，自古以来的劳动者对自然使用价值与价值的关系才能够自发地理解，尤其是古代小商品生产中的劳动者对此有更直接的体会。任何致力于这方面理论研究的考察者都能确定无疑地认识到，劳动产品的自然使用价值与非劳动产品的自然使用价值的不同在于含有劳动作用，或是说这种自然使用价值的产生是由劳动作用决定的，而劳动作用客观上是以劳动者的劳动能力为基点的，即劳动整体作用以劳动主体作用为基点。① 在人类的社会经济生活中，不同的自然使用价值是无法相比的，社会性的通约在于劳动作用，这是经济学理论的根本性认识，需要明确和强调的是，对此，不能用劳动主体的工作时间等同来说明价值问题。生产同样的劳动产品，可以用劳动主体的工作时间长短来衡量劳动者劳动能力的大小，条件是劳动客体作用等同，因劳动客体介入劳动整体作用的不同本身就意味着劳动主体的劳动能力不同，但即使这样比较也只能说明劳动者劳动内容的一致性，而不能解释不同劳动价值创造的可通约性。对不同类的劳动产品的生产，若以劳动主体的劳动时间来做统一的衡量尺度，确定社会必要劳动时间，排斥不同劳动客体的作用，亦无法比较不同劳动主体的劳动能力的不同，更解释不了不同劳动价值创造的可通约性。也就是说，衡量价值的尺度不是劳动主体的社会必要劳动时间，价值是劳动整体作用的体现，只不过这一体现要以劳动者的劳动能力为通约基础。当理论的研究认识到劳动者的劳动能力获取既是一个社会问题，又是一个生理问题，那么确认劳动能力是通约基点就具有客观的自然依据，只是理论必须区分通约基点与价值尺度的不同。其实不用去考证古代人或近代人是怎样认识劳动的同一性的，从现代社会的劳动中可以得到研究这一问题需要的一切条件，因为除去态势区

① "没有劳动就没有财富，劳动是财富的显著属性。自然的力量不能使任何东西成为财富品。劳动是财富的惟一来源。"（参见威廉·汤普逊：《最能促进人类幸福的财富分配原理的研究》，商务印书馆，1986，第30页。）

分之外，在人类劳动的性质无差别上，不仅同代人的劳动是无差别的，而且代与代之间也是无差别的，其通约基点一致。虽然同代人之间的劳动能力有着千差万别，不同代的劳动者的劳动能力更是差别明显，尤其是古代劳动的简单与现代劳动的复杂之间的距离几乎无法测度，但这并不影响以劳动能力为基点的劳动可通约性，以及由此决定的劳动性质的等同性，由古至今的劳动能力差别只表现人类劳动的发展是自然历史过程和辩证历史过程。对于人类劳动的性质无差别问题，即可通约性的问题，只有以劳动者的劳动能力为基点进行分析，才能做出正确的解释，任何脱离这一基点的分析，都必然产生认识上的逻辑矛盾。在基本的事实面前，需要的是朴素的认识。以往的政治经济学研究中出现不符合实际的理论，归根结底是与对基本的事实认识存在偏差有关的。传统理论在强调生产同类劳动产品的社会必要劳动时间的意义时，既没有看到劳动的整体性也没有解释劳动的等同性。传统理论在强调人类劳动的性质无差别时，也没有展开分析这种无差别成立的可通约的基点。这使得政治经济学关于价值的认识始终没有能把握住客观逻辑，造成基础理论在经济学的发展中长期滞后。我们的研究表明，劳动主体与劳动客体的统一决定劳动存在，价值体现的是劳动整体作用，其中既有劳动主体作用，也有劳动客体作用，但劳动整体可通约的基础是劳动主体的劳动能力，即人类劳动的性质无差别源于劳动者的劳动能力的可通约，从原始社会的简单劳动，到现代社会的复杂劳动，以劳动能力为通约基点，是人们直观的认识和理性的判断都不可否认的，所有引起现代理论研究兴趣的问题都是由于传统的政治经济学的基本认识在这方面曾产生过主观与客观的背离。

将人类劳动的可通约性显露出来的是劳动产品的市场交换，即商品经济的形成。从研究的角度看，市场是一个发展的概念，这不只是指市场的繁荣程度，而且从历史的角度表明市场的交换规则也是发展的，并非自始至今一成不变。在现代市场，正常情况下，生产商品的全部投入都要计算到交换价格中。但退回到市场产生的初期，交换的依据是单一的，即只牵涉劳动主体的投入。在体力劳动为主的时代，以自身劳动的能力为生存条件的商品交换者，在原始的市场行为中，其注重的仅仅是自身作为劳动主体的付出。由于参与交换的劳动者的注重点一致，就形成了当时的统一规则，在普遍地遵守这种规则的情况下，市场是有秩序的。历史的起初自发地反映在政治经济学的研究之中。亚当·斯密曾指出："在资本积累和土地私有尚未发生以前的初期野蛮，获取各种物品所需要的劳动量之间的比例，似乎是各种物品相互交换的惟一标准。例如，一般地说，狩猎民族捕杀海狸一头所需要的劳动，若二倍于捕杀鹿一头所需要的劳动，那末，海狸一头当然换鹿二头。所以，一般地说，二日劳动的生产物的价值二倍于一日劳动的生产物，两点钟劳动的生产物的价值二倍于一点钟劳动的生产物，这是很自然的。"① 显而易见，在亚当·斯密描述的这种经济状况下，劳动者的商品不是按价值交换的，也不是按自然使用价值交换，而确确实实是按劳动主体的付出量交换的。由于劳动必然是整体性的，是劳动主体与劳动客体的统一，价值不可争辩地属于劳动整体作用的创造，仅有劳动主体作用并不构成商品价值的全部，所以，事实上在市场普遍地表现为按劳动主体的付出量进行交换的社会阶段，商品经济的发展还没有进入按劳动价值进行交换的年代。遗憾的是，亚当·斯密讲到了这个问题但并没有说清楚这个问题。而后来的深受亚当·斯密影响的经

---

① 亚当·斯密：《国民财富的性质和原因的研究》，上卷，商务印书馆，1988，第 42 页。

济学家在某种程度上是将这种原始的市场历史状况作为了商品交换自然的不可更改的本质看待，将按劳动主体的付出量交换看成是按价值交换，将劳动主体的作用与价值等同，无视劳动整体性的存在。在马克思主义政治经济学的创立时期，虽然对这种历史留传下来的片面性认识是批判地接受的，但总归是接受的，而且是系统地以此为基础构建了自身的理论体系。另一方面，对于否认劳动价值论的经济学家也感到困惑，因为在那种原始的交换年代，边际效用的概括也不能起到解释作用。以海狸换鹿的劳动者，未必计算自己对鹿的需求到底有多少，交换实际上都要以劳动产品的自然整量计算，即只能是一头鹿或两头鹿作为交换的对等量。也许对于床或屋子的需求只能是整量的，但当时的交换规则只说明双方对于自然使用价值交换的需求是粗线条的，没有精细的考虑。概括地讲，那时进行的按劳动主体的付出量的交换，一是以劳动者的劳动能力基本相同为基础，二是以自然条件的占有差异不大为前提，三是以劳动工具的简单和体力劳动为条件。只有在劳动能力相对较低且基本相当的状态下，交换双方彼此才能直观地衡量劳动主体的付出量。当然，劳动能力不相等可以折算，但劳动者的劳动能力基本相等是当时的特点。以海狸换鹿，或以黄羊换鱼，这些劳动成果的获取等同于采集野果，无论哪一种捕获物，都是自然养育的，捕获者对自然条件的利用实质是对自身生存条件的占有，然而这种占有在当时没有严格的法权规定，或是在公共猎场上，或是在各自的相互承认势力范围的条件相当的猎场上，捕获者为自身的生存而终止了自然养育的动物的生命，并且可商品化地进行市场交换。这其中，即使存在着对自然条件的绝对占有，也只是在自然生存意义上体现的，无疑，在当时，这些自然条件是没有进入市场交换的法码之中的。这种对自然条件占有权的忽略，以及对相同的简单的劳动工具的忽略，实质体现的是对劳动客体作用的忽略。在相等即可以不计的前提下，市场交换不体现自然条件和劳动工具的贡献是可以理解的，但这决不意味着可以忽略劳动客体的创造价值作用。现实的市场发展已表明，忽略自然条件和资产条件占有权的时代已经过去了，到了现时代，不仅对自然条件的占有需要充分体现在市场交换的原则要求上，而且资产条件即各种劳动工具与其他资料的作用更明确地成为商品交换的衡量条件。如果经济学家肯定按劳动主体的付出量交换是按价值交换，那么即使撇开劳动的整体性不谈，也无法解释现代市场是否是按价值交换。若承认现代市场是按价值交换，那么必然与按劳动主体付出的交换观相冲突，而且这是用生产价格的转化来解释不起任何作用的。若不承认现代市场是按价值交换，又等于否认价值规律对现代市场的调节作用。当年亚当·斯密的理论困惑就体现在这种两难之中。他一方面只承认劳动主体创造价值，另一方面又不得不承认他所处的时代按劳动整体作用交换的市场规则。他无法将二者统一起来。"斯密找不到从劳动价值论解决这一矛盾的出路，于是他就以他的第二种价值论，即工资决定价值论转出他的第三种价值论，就是价值由工资、利润、地租三种收入来决定。为了使这一论断成立，他又说那种价值由劳动直接决定的情况，只是在社会的'原始状态'才存在，而不适用于资本主义社会（这时又看到了社会的区别！）到资本主义社会，由于资本家和地主的存在，由于资本和土地都成为一种附加而参加了劳动，因而劳动价值论就不适用了，代之以三种收入决定价值。"① 其实，不仅亚当·斯密无法解决矛盾，其他任何人也都不可能从逻辑上将两种交换观统一起来。我们必须明确，按劳动主体的付出量交换与按价值交换是有

---

① 刘永佶、王郁芬：《剩余价值发现史》，北京大学出版社，1992，第119页。

区别的，对价值的认定不能以早期的交换规则为依据。然而，在劳动的整体性得到确认之前，至少在学术上人们对亚当·斯密存在的矛盾价值观是看不清楚的。与他同时代的经济学家，或后来者，包括当今的学者们，都没有合乎逻辑地认识亚当·斯密的价值理论中的矛盾。马克思的批判是，亚当·斯密从正确的劳动价值论走向了三位一体的谬误。

关于劳动产品的价值存在，仅仅从交换中体现的不同的自然使用价值上是看不透的，但是离开了对自然使用价值的认识又无法说明问题。劳动的通约基点是劳动主体的劳动能力，由此决定交换者必定注重劳动主体的付出量，只是现实的交换是自然使用价值的交换，劳动主体的劳动能力创造只能蕴涵在劳动产品的自然使用价值的创造之中，并且不可能取代自然使用价值的全部创造作用，不论是海狸还是鹿，都是在自然条件下长成的，劳动主体只是起到猎杀它们的作用，并由于这种作用，才使得人们可以消费这种劳动产品的自然使用价值，但全部的自然使用价值创造必然还含有自然条件的作用和劳动工具的作用在内。因而，不能与劳动产品的自然使用价值的全部创造作用相一致的劳动主体作用的付出，在相应的另一面，也是不能代表劳动价值创造的全部作用的，按劳动主体的付出量进行交换，是自发和朴素的，也是历史上早期市场通行的规则，但却不是按价值交换。所以，在价值理论研究中，对于亚当·斯密的矛盾的价值观批判，应当是其对按劳动主体的付出量交换与按价值交换的混淆。如果将劳动价值论的研究沿着亚当·斯密的片面性概括走下去，那么非但无法消除认识上的矛盾，而且找不到归复正确认识的出路。自然使用价值的交换，本质上可以说明价值交换的问题，因为在劳动产品的意义上，自然使用价值与价值的创造作用是吻合的，即不论大小都具有同样的外延。而自然使用价值只以劳动主体的付出量为依据交换，就违背了这种客观的吻合性，虽然在早期的市场是历史存在，是其普遍性的，甚至到现在也有个别地方残存，但在历史发展的过程中，这种状况已经改变了，我们不能确切地指明到底何时发生了这种市场转变，却可以肯定自然使用价值的交换以价值为基础在现今世界的一切开化的地方都已经实现了。

确认按价值交换是市场的发展要求，即说明在初始的自然使用价值交换中并不体现价值交换，当时只是按劳动主体的付出量交换，揭示这一点，在价值理论研究中具有重要意义。从历史来看，不按价值交换，只按劳动主体的付出量交换，这样的交换范围是很小的，即经济的发展水平是很低的。对于这种低水平的小范围交换，可以直观认识，不过理论研究的历史表明，对于那些似乎是一目了然的认识，实际上走了很大的弯路，阻碍了价值理论的发展。现在可以看得很清楚，交换规则的变化反映了经济发展水平的提高，按价值交换的实现是与交换范围的扩大直接相关的。在摆脱了狭隘的一对一以物易物的交换之后，劳动产品中的劳动客体的作用差别是逐步显露的，于是慢慢地交换的双方就不能不考虑这种差别的存在了。从历史的进程讲，市场要求按价值交换，即不再局限于劳动主体的作用而同时承认劳动客体在创造自然使用价值与价值中的作用，是渡过了一个漫长的转变时期之后。今天，认识这一点是理论的进步；而在当时，实现这一点是市场的进步。长期以来，政治经济学的研究没有认识到这种历史上发生的市场进步，原因是多方面的，其中最重要的是缺乏对劳动整体性的认识。

在政治经济学初建时期，学者们倾向于分析较为简单的经济活动，并认为依此就可以认识复杂的市场运动本质，关于价值问题的争论也是在这种理论研究的背景下产生的。从今天来看，这样研究经济学的基础理论是有一定的局限性的，特别是当复杂的事情已经出现时，理论的研究是不能回避的，必须认识和分析复杂的经济活动，不可以一贯地以简单认识为不可动摇的原理，而且，更为关键的是一定要以历史的态度和发展的眼光认识社会的经济活动。实际上，初期的经济学家对于原始性的市场交换规则的认识并没有错，只是后来他们没有能够从本质上认识市场交换规则的变化，没有对变化了的市场交换规则做出科学的解释。在人类劳动的复杂程度越来越高的现时代，虽然还可看到小生产条件下的简单交换残迹，但就整个价值理论的研究来说，一定要跟上劳动的发展和符合市场的实际，迈开大步前进，不能还在充满矛盾的认识中徘徊。

从抽象的理论层次考察，当代人类经济活动中的最大变化是大量的劳务进入了市场交换。在劳务仅是家务劳动时，它不属于经济学研究的内容。所以，严格地讲，贵族家庭中的家仆劳动也不应成为经济学家研究的对象。然而，当代经济的发展趋势是越来越多的劳务社会化了，甚至各个国家的经济发展水平已经可以用社会化的劳务占国民经济的比重来表示。劳务进入经济学研究领域也是市场发展的结果。劳务是一种劳动产品，同实物型的商品一样，也具有自然使用价值和价值，只不过劳务的自然使用价值不是人化的自然，而需以人的自然化来解释。作为劳动产品，劳务的自然使用价值与价值也是劳动整体作用创造的，因而，必须严格区分劳务与劳动主体活动，必须明确劳务不等于劳动主体活动。虽然劳务的存在形式是劳动者的服务，它的特点是劳动主体活动一停止就不再延续，但劳务的生产或创造却离不开劳动客体作用，任何时候劳务都不能单纯表现为劳动主体活动。这也就是说，现实的劳务交换，即劳务成为商品，是按价值交换的，或者说是以价值为基础的，决不是只以劳动主体的付出量为交换的依据。价值的涵义就是劳动整体作用，既包含有劳动主体作用，也包含有劳动客体作用，现代的市场中的劳务交换，体现的同样是这种整体作用。

随着人类劳动整体水平的提高，劳动产品日新月异地进入了高科技时代，劳动领域扩展到了宇宙空间。于是，一个现实的问题摆在了经济学家的面前：劳动的通约性在一定程度上出现了不同技能质的差异，即在性质的无差别的前提下出现了劳动技能质的不同。经济学不能再只研究一般的市场交换，还必须研究不同技能质的劳动的交换。生理基础一致是不变的。只是智力作用的提高使得一部分劳动产生了技能质的飞跃。这种新质劳动由于质不同于原有技能质劳动，因而二者之间不能相互折算。这在过去是没有的情况，现在只能将这两种技能质劳动并列看待。在同技能质劳动中，可以量化通约。而在不同技能质的劳动之间，或许只能做大体上的比较，而无法进行同类劳动量的对比。比如向火星发射探测器的劳动与地面上推小车的劳动是难以量比的。出现劳动技能质的差异，这表明以前没有发生过的事未必永远不会发生。经济学恐怕不能阻止任何已经发生的事发生，经济学家所能做的只是研究这些已经发生的事，在社会发展的同时向前推进经济学的认识。新技能质劳动创造了前所未有的自然使用价值，新技能质劳动的价值创造是否与原有技能质劳动的价值创造等同，这些都需要价值理论做进一步的研究。

第四章　社会使用价值与价值

　　劳动产品的使用价值，除了具有自然属性，在不交换就使用或实现交换的情况下，还具有社会属性。在双重属性这一点上，劳动产品的使用价值不同于自然物的使用价值。更需明确的是，并非劳动产品的使用价值一定具有社会属性，并非具有社会属性的使用价值一定要经过交换。对于不是商品的劳动产品，即自然经济状态下的劳动产品，无一例外都具有社会属性。而对用于交换的劳动产品，如果没有实现交换，那么就不具有社会属性。具有社会属性的使用价值，是不同于自然使用价值的社会使用价值，但社会使用价值的基础是自然使用价值，即使用价值的社会属性的实现是以自然属性为基础的。有自然使用价值存在的劳动产品可能不具有社会使用价值，但有社会使用价值存在的劳动产品必定具有自然使用价值。从逻辑上讲，对于成为商品的劳动产品，其自然使用价值的形成是在前的，其社会使用价值的实现是在后的。

　　自然使用价值是由劳动决定的，社会使用价值是由生产劳动产品的劳动之外的社会评价的。社会评价的基础是劳动的创造，而基础的存在并不一定与社会评价一致，社会评价有相对的独立性和制约性，有时会与基础的制约形成较大的矛盾。问题在于，经济学研究劳动产品的使用价值，对于两种不同的属性，既不能以直接的社会性模糊基础的决定性，也不能以决定性的基础取代社会性的评价。

在商品经济条件下，商品生产者是为了交换而生产的，与自然使用价值相比，他们更关注的是社会使用价值。社会使用价值不同于自然使用价值之处在于，它在某种程度上反映了交换者的主观评价。一个商品交换者可能意识不到他的身体内各个器官对于营养的需求，但是他对各种食品的需要却肯定有自己的想法或看法。就用于交换的食品讲，具有的各种营养成分是其自然使用价值，这是客观的。而消费食品，即购买食品的人对于食品的评价，才是对食品的社会使用价值的认识，这具有主观性。面对市场，不能说交换者做出的主观评价不重要，甚至不能具体批评哪一种评价有误。在理论研究中，最重要的是先搞清事实，市场出现的社会评价是怎样的，就要承认是怎样的，如果理论的分歧仅仅在于对事实认识有差别，那其实是理论的悲哀。事实上，商品的交换就是伴随着交换者的主观评价的，这种主观评价是交换的直接依据。

在现代经济生活中，存在着社会使用价值与自然使用价值不一致的情况，也存在着社会使用价值与自然使用价值大体一致的情况。物尽其用，在经济学意义上，就是社会使用价值与自然使用价值的大体一致。在人类劳动发展水平很低的年代，对于某些生活必需品，使用者或购买者中的绝大多数人是不敢对其自然使用价值有一点儿浪费的，主观的评价总是与客观的自然使用价值基本一致，没有主观的认识偏差。粮食是最重要的生活必需品，一般情况下，没有人随意浪费粮食，尤其是在缺粮时更是爱护备至，其自然使用价值能够全部用于满足人的需要。就个人来说，不会因吃饱了饭，而降低对于粮食的主观评价，因为几个小时之后他还会饿的。就社会讲，当粮食供给确实大于需求时，其社会使用价值才会受到影响。但这是现代社会的事情，在人类的历史中，由于农业生产一直落后，且常常遭受自然灾害，粮食总是不够吃的。在供求平衡时，供求关系不影响社会评价使用价值。而对社会评价产生影响的因素，是很多的，甚至个人对某种颜色的偏爱，都可能成为影响社会评价的原因。对于一些特殊产品，个人做出的评价可能代表社会评价；而对于各个行业的大宗商品，个人的评价一般不会发生特殊的作用，其社会评价可能是一种公众的共识，也可能是长期稳定下来的市场沉积认识。

商品经济发达之后，社会使用价值在一定时期内背离自然使用价值的情况增多了。这一方面是供求关系的影响。现代的市场，全球连为一体，规模巨大，结构失衡是难免发生的，对于某些商品来说，总会发生短期内的供大于求或求大于供的情况，因而在社会调控之外，供求的变化就直接影响了对商品社会使用价值的评价。再一方面是扭曲的社会评价。商品的自然使用价值是一定的，若社会评价不以自然使用价值为基础，或出于投机目的，或出于炫耀的目的，抬高评价，使社会使用价值高于自然使用价值，这就是一种扭曲。同样，出于某种目的，人为地压低对社会使用价值的评价，使其大大地低于自然使用价值，也是一种扭曲。一张张小小的邮票，面值几分钱或几元钱，可以抬价到上万元，就是社会评价超过自然使用价值的典型例子。出土文物也是同样，文物本身使用性能全变了，变成了玩赏品或纪念品，于是身价百倍，甚至万倍。这都属于扭曲的社会评价，是远远背离自然使用价值的评价。名人字画的买卖也可作为这方面的例子，一个字卖上千元，上万元，不能不说背离其自然使用价值。在市场上，高档的时装，高级的饰物，星级的服务，多是抬高了社会使用价值，使之远离自然使用价值的。就个人偏好讲，他喜欢的东西就会高评价，他不喜欢的东西就会低评价。但许多时候，社会评价不是由一个人做出的，市场要听取多数人的意见，个人评价若与多数人的评价不符，也要服从，即使多数人的评价是严重扭曲的，个人也得接受。就社会评价而言，市场的交易行为并非是完全没有理性的，而是不完全地有理性，非理性的行为总是占据或大或小一部分，而且，即使是理性行为，也未必能确切认识自然使用价值，市场的复杂性是由此而产生的。更不用说，现实的市场中存在投机理性，其动机与效果都是理性的，然而这种理性的存在使市场只是变得更为扑朔迷离了。在发达的市场经济中，非理性的行为越是五花八门，对商品的社会使用价值的认定就会越离谱。

社会使用价值是在自然使用价值基础上人们主观上对劳动产品的使用价值的认定。这种认定不论是否背离自然使用价值，都属于社会使用价值范畴，而不是属于价值范畴。也就是说，由社会评价做出的社会使用价值讲的是使用价值的问题，是对商品或劳动产品的有用性的主观认识。这种社会评价不是劳动的创造，即劳动可以创造自然使用价值，却不可能创造社会的主观评价，但是，社会使用价值的实现又离不开劳动的创造，因为没有劳动创造自然使用价值，社会使用价值就无从谈起。商品的价值是由劳动决定的，不是由社会使用价值决定的，而且，更不能将社会使用价值作为价值形式看待。必须严格区分使用价值与价值，社会使用价值不论如何重要，也不能转为价值，主观的评价只能对使用价值产生影响，不能改变客观的形成劳动产品的基础。创造是在前的，评价是在后的，主观的评价不可能改变在前的创造，即使是对于自然使用价值，也不会因社会评价而有所变化。在劳动创造之后，价值与自然使用价值都是既定的，社会使用价值的形成只影响交换，即不能影响价值，也不能影响自然使用价值。

不论是混同社会使用价值与自然使用价值，还是混同社会使用价值与价值，在理论上都是完全错误的，都是对复杂的市场关系还不能深刻认识和把握的表现。①

在商品经济中，决定价值实现的不是劳动产品的自然使用价值，而是商品的社会使用价值，即社会的承认决定创造劳动产品的劳动成为有用劳动，决定劳动的整体作用创造的价值实现。社会的承认就是指劳动产品成为商品，完成了交换，获得了一定的社会使用价值，或者说，社会的承认与商品获得社会使用价值是等义的，劳动产品的自然使用价值对于交换者是有用的才能得到这种承认。由于社会不承认表示劳动产品未获得社会使用价值，劳动产品不能交换出去，不能成为商品，因而创造劳动产品的劳动就不是创造价值的劳动，价值是未能实现的。直观地讲，劳动产品能够交换出去，就是获得了社会使用价值，由此决定实现价值；劳动产品没有能够交换出去，就不具有社会使用价值，由此决定也不具有价值。但要明确，不管劳动产品能否成为商品，即能否有社会使用价值，价值都不是由社会使用价值决定的，社会使用价值只能决定价值的实现，不能成为价值的源泉，价值只能是劳动创造的，并且是劳动整体作用创造的，获得社会使用价值

---

① 边际效用价值论的拥护者认为，财物的价值来自财物的效用（参见弗·冯·维塞尔：《自然价值》，商务印书馆，1995，第45页），而效用就是使用价值。他们没有进一步去考察效用来自何方，或是说对劳动产品是劳动的创造没有给予实事求是的承认，这使得对于价值的源泉的界定只停留在半路上，而且，他们对于交换者的主观评价高度重视，却没有对这种评价的基础认识清楚。他们在价值与使用价值以及使用价值的自然属性与社会属性方面都缺乏准确的认识。这如同问一个人大米是哪里来的，他说是粮店里买来的一样，实际并没有回答大米是如何生产的问题，而且不仅生产源泉未搞清楚，当再问到米饭的香味来自何方，他还会肯定是来自于自己的鼻子，而不是来自于米饭。

只表明劳动的整体作用创造在商品经济条件下实现了有用性即实现了价值。对于商品来说，不涉及价值的源泉问题，社会使用价值是至关重要的。自然使用价值是价值的基础，也是社会使用价值的基础，而成为商品，对于劳动产品，光有基础是不行的。由自然使用价值到社会使用价值，也就是马克思所说的"惊险的跳跃"，① 没有这种跳跃就不成为商品，再到价值，这是一个问题的两个方面，这其间的关系在政治经济学的研究历史中产生过各种误解。在初期研究中，不论哪一学派，都没有分清自然使用价值的基础性与社会使用价值的实现性的关系，甚至只有个别学者提到使用价值的社会属性，而社会使用价值范畴基本上没有出现在研究领域，更不用说受到研究者的重视了。对于效用价值论者和供求价值论者来说，其实都是一方面正确认识了社会使用价值的实现作用，而另一方面又忽略了价值的源泉以及自然使用价值的基础作用。可以说，无论何时，在商品经济条件下，社会使用价值都是劳动者必须置于首位重视的，因为劳动产品的自然使用价值不能被社会接受，等于说对于社会是无用的，所以，重视社会使用价值是有深刻的意义的。只是重视这方面，不能成为忽视另一方面的理由。效用价值论强调效用是没有错误的，只是不能因此否认劳动是价值创造的源泉，过分地夸大效用的意义。供求的变化确实是要影响社会对劳动产品的使用价值的评价的，但供求价值论却没有搞清楚供求只是影响价值的实现，并不能决定价值的创造。对于商品来说，不可能没有自然使用价值，也不可能没有价值，其自然使用价值和价值都是劳动整体创造的，但是就其现实性讲，必然是具有社会使用价值的，否则，即使自然使用价值存在，也不具有价值，这根源于商品经济条件下对于有用

---

① 参见马克思：《资本论》第 1 卷，人民出版社，1975，第 124 页。

劳动的特殊认定。就此而言，认真研究社会使用价值，既不将社会使用价值等同于价值，又不将社会使用价值对实现价值的作用贬低，对于政治经济学的价值理论研究是很重要的，事实上，政治经济学关于社会使用价值的研究，在很长的历史时期内，是以对于边际效用的研究来表现的，除去有关价值的错误界定外，边际效用的研究是很有意义的，是人类经济学研究的重要成果之一。社会对于劳动产品的自然使用价值的存在是不可能回避的，社会做出的使用价值评价不能取代自然使用价值，但这种评价是具有社会现实性的，谁不重视，谁就等于否认现实，不与现实合流。而对于这种现实的研究，不仅是理论上的需要，也是实际经济生活的需要，有了这种研究，理论才能符合实际，实际才能获得科学理性的指导。政治经济学应重新评价边际效用理论的研究，并且要扩大这方面研究的范围，从社会使用价值的范畴出发，更深入地探究社会评价的条件和作用，重视主观因素对于市场关系的影响，全面地考察经济生活，在经济基础理论研究方面做出更贴近实际的认识概括。

就商品而言，社会使用价值表现的是具体的劳动有用性，价值表现的是抽象的劳动有用性。作为商品生产者，就是要使自己的劳动获得这种双重的有用性。而抽象的有用性是依附于具体的，因此，成功的商品生产者就是有能力使自己的劳动取得具体的有用性的人，这是取得有用性的根本。曾经有许多人，至今也还有许多人，生产商品却不重视这种有用性，只顾劳动，不管自己的劳动能否成为有用劳动。有的劳动者只以生产自然使用价值为目的，对于能否获得社会使用价值是盲目的，这虽然不必然会使劳动成为无用劳动，但其中存在的危险性是很大的。然而，在市场经济发达的地方，似乎人们都能自发地懂得要使自己的劳动产品获得社会使用价值，不这样就无法生存。或许可以说，对此领悟程度与经济发展水平是成正比的关系。对于至今还不能重视这一点的劳动者，是需要做市场启蒙教育的；而对于经济理论研究，则是要对此做准确概括的。无论如何，过去在这方面的认识是有一定的缺陷。

价值的实现由社会使用价值的获取决定，这是市场交换性质的体现。在实际经济生活中，商品从生产到使用之间可能经历多次的交换，但理论上可以将这多次的交换概括为一个过程，而且要以第一次的交换为决定性的。社会使用价值能不能获取，关键看第一次交换，即实现一次交换就已经足够了。交换使社会使用价值显性化。交换过程之中社会使用价值可能会发生变化，这就是社会对劳动产品使用价值评价的变化。如果交换的次数较多，那么社会评价的变化，可能会发生，也可能变化较大。社会使用价值由其主观性质决定是不稳定的，这是与自然使用价值的性质截然不同的，市场上的交换者可能利用社会使用价值的不稳定特性达到某种经济目的，也可能由于忽视这种不稳定特性而使自己遭受经济损失。但不论社会使用价值如何变化，这与价值的实现是无关的，决定价值的实现是获得社会使用价值，是实现市场交换，而不是获取社会使用价值的多少，不是社会使用价值在交换过程中的变化。

实现交换是实现社会使用价值，实现社会使用价值决定实现劳动整体作用创造的价值。交换关系的实质是相互承认社会使用价值。这种经济行为也称为市场行为，即市场关系表现为交换关系。因而，影响市场的因素必然影响社会对于劳动产品使用价值的评价，即社会使用价值的变化是市场变化的表现，同时也受市场的其他变化的影响。由于市场的变化是必然的，是长期存在的，社会使用价值即使是生活必需品的也不会长期不变，社会使用价值总要体现出一种市场性。换言之，经过市场交换实现的社会使用价值，是由市场确定的社会使用价值，虽然可能交换者是个人，交换行为是个人行为，但这种行为不是孤立的，市场的普遍性不可能不对个人行为产生影响或制约市场的交换关系直接体现这种市场的确定性。社会使用价值在市场确定是市场的功能和作用，也是市场的特点。市场的存在是社会使用价值得以获取的基本条件，而市场的发达则表明这种条件已经很有利于实现或者说确定社会使用价值了。

公务人员劳动成果的社会使用价值不是由一般的市场交换关系确定的。做出这种确定是政府的职能。政府确定与市场确定的差别是更具有主观色彩，同时理性的成分也较强。政府能否做到使公务人员劳动成果的社会使用价值与其自然使用价值相一致很重要。从理论上讲，政府应是有能力做出这种一致性的确定的。但实际经济生活中，政府的确定要达到这种一致性是很不容易的。其实，这种确定合理的困难来自于对市场的把握。政府往往不容易把握住市场方面的变化。因为政府确定与市场确定是相通的，政府是要根据一般的市场确定水平做出公务人员劳动成果的社会使用价值确定的，只有对市场把握准确，才能做好这种更具有主观色彩且范围及规模巨大的确定的。如果不是政府确定方面把握不住，而是市场方面发生严重的秩序紊乱，那么这个时候可以说整个社会对于社会使用价值的确定都是不正常的，可能在较多方面与客观的自然使用价值偏差得太远。在正常情况下，政府是通过大量的具体的测定工作来确定公务人员劳动成果的社会使用价值的。从社会的发展看，不管具体的测定工作是怎样做的，社会重视公务人员劳动是一种进步的表现。而在基础上，无论何时，社会的稳定与公务人员的劳动有直接关系，即公务人员劳动成果的自然使用价值是很重要的。政府在社会使用价值的确定方面是特殊的一种确定，也是很重要的一种确定，这种重要与公务人员劳动的重要是有区别的，但也是相通的。

社会使用价值是劳动产品市场交换的直接依据，这与作为交换基础的自然使用价值与价值是不同的。社会使用价值具有主观性，是交换者或使用者主观对于劳动成果的使用价值做出的评价。虽然这种主观性表现的使用价值要以客观的自然使用价值为基础，但其自身也有相当的独立性，并具有决定价值实现的关键作用。在商品经济中，任何劳动产品，其实现的社会使用价值，必定一方面联系着自然使用价值，一方面联系着价值，起到直接的现实作用。人类的经济生活离不开主观性行为，或者说主观性是贯彻于任何市场行为之中的，而社会使用价值对于价值实现的作用正是这种主观性的一种基础的和普遍的表现。

第五章 价值归属劳动主体

在 20 世纪初，美国经济学家约翰·罗杰斯·康芒斯认为："如果我们向过去看，那么，到现在时间点为止所累积的一切有用的物资，是马克思的过去发生作用的社会劳动力的社会使用价值。这种使用价值的**所有权**在历史上又被区分为公共的和私有的财产。然而，它们不断地消逝，作为已往的过去的财产，现在已经没有任何价值，并且正在作为未来的财产重现，这一点就给它们一种现在的价值。它们作为价值、资产、负债、所有权、交易和债务而重现，为了未来的生产和消费、未来的让与和取得。它们在移动中的现在没有从过去积累起来的价值，像李嘉图和马克思的劳动学说所主张的那样，因为价值只是未来的收入和支出的一种预期。"[①] 这位制度经济学家在理论上将社会使用价值与价值紧密地联系在一起。这样的认识出现，说明在马克思之后，非马克思主义经济学也在试图理解马克思主义经济学强调的使用价值与价值范畴。这种状况有利于政治经济学研究的进展。特别是明确地提示社会使用价值的问题，更是有利于价值理论研究的推进。我们的研究已表明，如果在社会使用价值方面不做展开的分

---

① 康芒斯:《制度经济学》，下册，商务印书馆，1983，第 29 页。

析，那么在价值理论中就会留下偌大的空缺。在商品经济中，决定价值的实现与决定价值的创造相比，并非可以忽视，而是具有直接的使劳动成为有用劳动的意义。政治经济学关注社会使用价值的研究，无论何时，都表现为理论认识的进步。社会使用价值与价值是紧密相联的，因而我们突出地讨论了社会使用价值范畴，但作为价值理论研究，接下来我们还要系统地分析价值归属问题，即在分析了自然使用价值与社会使用价值和价值的联系之后，我们还要更深一步地分析价值，继续抽象地进行劳动整体与价值之间的关系研究。

我们已经阐明，价值作为人类无差别劳动的凝结，是劳动主体与劳动客体统一作用的结果，即凝结的是劳动的整体作用。单纯的劳动主体作用不可能创造自然使用价值，也不可能创造价值，在劳动成为有用劳动的创造中，价值只能是劳动整体有用性的体现。以往的政治经济学理论研究，一方面在理性的认识逻辑上对劳动整体性给予肯定，另一方面又在对价值问题的认识上忽视劳动的整体性。在这样的认识前提下，传统的劳动价值论将劳动主体活动定为价值创造的全部源泉，形成脱离基本事实的认识扭曲，从而使得价值范畴在经济学理论中长期空悬，劳动价值论始终未能成为贯通经济学的基础理论，并引起了各个经济学派的激烈争论。历史形成的对价值认识的虚化，不仅使劳动价值论的研究陷入困境，而且对部门经济学的认识造成相当的理论障碍。因此，现在做正本清源的研究首先要从强调劳动的整体性入手，即首先要肯定劳动客体对价值创造的作用，以劳动整体的存在这一不可辩驳的逻辑证明价值的创造源自劳动的过程，即劳动主体与劳动客体相结合的过程，证明缺少劳动客体作用，不存在任何劳动成果，不存在任何价值。这一理论上的论证是劳动价值论的创新，具有巨大的理论意义，尽管这只是对于经济生活中的基本事实的认定，这种认定曾以各种非劳动价值论的观点广泛地显现过。但在此，我们要进一步指出，阐明劳动整体创造价值还不是发展劳动价值论的核心，作为科学的理论开拓，在完整地发展劳动价值论的意义上，其核心在于必须从理论上区分价值创造与价值归属的不同，既不能只讲创造不讲归属，也不能以对创造价值的劳动整体性界定等同或取代对于劳动价值归属问题的更深层的理论认识。

劳动整体创造的价值并不能归属劳动整体。事实上，劳动整体中的劳动客体无需价值归属，无论是劳动过程中的自然条件还是资产条件，都是为劳动主体利用的对象，都是劳动中的受动方面，以其自然属性尤其是物的属性不能占有劳动成果，即不能占有表示财富或劳动有用性的价值。这就是说，无生命的物或人化的自然参与了劳动过程，成为劳动客体，在劳动整体创造价值中发挥作用，但却不能分享劳动成果，劳动成果若归属于无生命的物或人化的自然是荒谬的；有生命的物，如家禽、牲畜、微生物，参与了劳动过程，成为劳动客体，是受动于劳动主体的，它们虽然有的也要依靠一定的劳动成果维持生命，但劳动却不是属于它们的，它们只是为劳动主体利用的，因而劳动成果不能为它们占有，即价值不能向它们归属。劳动客体只有创造价值的作用，没有归属价值的可能，所以，劳动整体创造的价值只能全部归属劳动主体，或是说只有劳动主体具有归属价值的资格。价值的归属同价值的创造一样，是客观性的，不是主观的认定。这种客观性表明，并非所有参与劳动过程的要素都有价值归属，尽管没有价值归属的要素也对价值创造起作用。与劳动客体不同，劳动主体是主导劳动过程的，实现劳动目的不能没有劳动客体，但自始至终取决于劳动主体的努力，劳动主体要依靠劳动成果生存并要依靠劳动实现人的本质，因而，劳动是属于劳动主体的，劳动主体是价值归属的必然。①

以往的价值理论研究从未做过价值创造与价值归属的区分。长期以来在经济学界始终存在一种似乎既定的观念，即直接将价值创造当做价值归属，将价值归属当做价值创造，好像创造价值的因素都必定是有权力要求价值归属的，承认某一因素具有创造价值作用就等于说这一因素要占有价值，从来没有认识到存在只起创造价值作用没有价值归属要求的客观逻辑。这是导致价值理论僵化和扭曲的又一个原因。经济学家们既没有在价值创造方面界定劳动的整体性，也没有在另一方面以劳动的主体性解释价值归属。如果说，价值只向劳动主体归属是一个人所共知的事实，那么传统的劳动价值论的问题就出在以归属等同创造上。这是无视劳动整体性认识错误之后接续的错误，是在对一种事实认识清楚而对另一种事实认识不清楚的基础上产生的理性认识扭曲。没有区别价值创造与价值归属，又片面地将价值归属当做是价值创造，使得传统的劳动价值论对于现代最简单的市场交换关系都难以做出贯通的解释。

劳动整体创造的价值不归属劳动客体，只归属劳动主体，是基本事实。在事实面前，任何人都应该明智地承认，凡违背事实的认识决不可能成为科学的理论。坚持劳动价值论，很重要的一

---

① 土地是生产粮食的重要条件，不用说成千上万年人类是依靠土地生存的，就是在将来科学技术普遍高度发达之后，恐怕人类还要吃粮食，还要依靠土地生产粮食。粮食作为劳动成果，是价值的体现，土地起到创造粮食的作用，即起到创造价值的作用，但是，土地不需要粮食，土地上生产的粮食全部要归人类所有，这是劳动主体独有的权力，这就是必然的体现。经济理论不能不承认土地创造粮食价值的作用，但不用任何证明就能够解释清楚土地是不能占有粮食价值的。

点就是要看一看过去的认识是否符合事实，如果不符合就一定要改正，而对于符合的要继承下来。可以说，传统的劳动价值论具有的生命力，并不在于其概括劳动主体是价值创造的惟一源泉上，而是在于坚持了劳动价值只向劳动主体归属这一正确的理论认识。也就是说，传统的劳动价值论讲价值只归属于劳动主体没有错，错的是不应该将价值的创造源泉也只归于劳动主体，将价值归属等同于价值创造。科学的理论要求认识的正确具有全面性，仅仅正确地指出价值必须全部归属劳动主体并不能成为科学的价值理论的全部内容，尤其是更不能以此认识的正确再将价值归属于价值创造混同，以归属的主体性取代创造的整体性，因而，全面地讲，传统的劳动价值论不具有科学性，存在着根本性的逻辑混乱。

亚当·斯密曾讲："劳动是衡量一切商品交换价值的真实尺度"，[①] 实际隐含的就是价值归属劳动主体的理念，他以为归属的前提是创造，这并不错，只是没有更深刻地认识到创造不等同于归属。后来的李嘉图等一大批继承者统统没有改变亚当·斯密的这一基本认识。在这方面，马克思更是态度鲜明，始终坚定地认为劳动主体创造一切价值，一切价值都应归劳动者所有。由于马克思的认识在传统的马克思主义经济学中占据经典地位，一个多世纪之后，坚持劳动价值论的大多数学者仍然没有从价值归属与价值创造混同的圈子里走出来。科学是排斥盲从的，前人未能区分价值归属的主体性与价值创造的整体性，自然是前人的认识有错，但是盲从前人的错误，却不能由前人负责。从今天来看，我们不能苛求前人，但是一定要知错必改，

---

① 亚当·斯密：《国民财富的性质和原因的研究》，上卷，商务印书馆，1988，第 26 页。

不能沿着前人的错路走下去。我们要超越对于价值归属与价值创造不能科学区分的传统认识阶段，追求实现全面的科学的劳动价值论。

《资本论》没有论及价值创造不同于价值归属。马克思在这部著作中分析了资本主义生产方式的发展趋势，明确地指出剥夺者必定要被剥夺，其理论基础就是建立在价值归属劳动主体之上的，但其理论的概括却表现为坚持劳动主体创造全部价值的价值论，并且用这一价值论作为全部理论分析的出发点。马克思之所以要批判资产者，就是因为从他的劳动价值论出发，资产者是剥夺者，资产者剥夺了本该归属劳动者的价值，所以，劳动者反抗资产者，要反过来再剥夺资产者。在马克思的理论中，价值只是劳动者创造的，或者说全部价值都是劳动主体的创造，劳动者创造了价值，价值就应当归属劳动者。这样，马克思实际上是将价值创造作为重要的理论出发点，而对于价值归属则作为不言而喻的事情几乎不予讨论。马克思的理论正确性在于，完全排斥了物对价值的占有，寄生的占有者受到严厉的批判。从价值归属的角度看，马克思的理论逻辑是符合客观实际的，是任何人都不可否认的，只是，这种逻辑不能伸延到价值创造领域，因为到了生产领域，单纯的劳动主体作用是不能实现劳动目的的。但是，马克思在创作《资本论》时，并没有意识到用于价值归属的逻辑不能用于价值创造，这实质上对于马克思全书的分析造成了无法回避的矛盾障碍。也就是说，在这部著作中，在价值基础问题上，看似不可挑剔的理性认识，实质隐含着无可否认的逻辑矛盾。马克思没有认识到，向劳动主体归属价值并不意味着劳动主体拥有劳动价值的全部创造力。《资本论》强调创造自然使用价值有劳动客体作用，创造价值只有劳动主体作用，没有看到使用价值创造与价值创造的一致性，从而排斥了劳动客体创造价值的作用，为价值归属等同价值创造开辟了道路，形成了一种抽象的虚假的一致性。由于没有对劳动的整体性确认，实质上是无法从逻辑上解释价值归属与价值创造的区分的，传统的以劳动为基础的价值理论分析因此未能抵达科学的彼岸。现在，研究《资本论》，研究马克思的理论，不能再停留在诠释的水平上，而应从实际出发对照理论做深一步的分析，经过了一个多世纪的实践，一些深层的认识问题已经显露出来，需要重新给予认识，不能再惟上世纪的认识为准。

价值的存在是以使用价值为载体的。劳动整体创造的使用价值要归属劳动主体，劳动整体创造的价值也要归属劳动主体，这其中的制约关系在价值理论中不能遗漏。大概凡是主张价值只凝结劳动主体作用的人，都忽略了使用价值对价值的制约关系，或者说都是将价值的自然物质基础抽掉了。但是，无论何时，对于价值只归属劳动主体，任何人不能提出疑义。在自然界，野鸭下蛋，不存在蛋的归属问题。在劳动过程中，鸭子下蛋，蛋要归属养鸭的人。毫无疑问，无论是在自然状况下还是在劳动过程中，鸭蛋的自然使用价值都是存在的，而在劳动过程中鸭蛋具有价值亦是以自然使用价值为基础的，即鸭蛋向养鸭人归属既表现为自然使用价值的归属，又表现为价值的归属，二者有一致性。归属劳动主体的价值与使用价值用于交换，交换也同归属一样，是价值与使用价值一起让渡，或者说是一起换。没有只交换自然使用价值，不交换价值的；也没有只交换价值，不交换自然使用价值的。从交换的实际，可以明确地看到价值归属的必然。创造价值与使用价值的劳动是与归属价值的劳动主体不同的，后者只是前者整体中的一部分，虽然是主导部分，但毕竟不是全部，不能当做全部看。就交换讲，向劳动主体归属的价值是随同向劳动主体归属的使用价值一同交换出去的，交换的内容与归属的内容不可能两样，在物质形态上都表现为劳动成果，而从商品的二重性来说就是使用价值与价值的统一。正因为劳动主体能够得到价值和使用价值，他才能去交换，通过交换得到他所需要的使用价值，并得到交换来的使用价值内承载的价值。价值归属是一般性的，是基本的客观要求，不管具体的劳动产品创造能否实现价值，其只要实现价值，归属就只能是劳动主体，不能实现价值的具体更不会改变价值归属的一般要求。由于归属的原则是确定的，劳动产品的价值实现就表现为劳动主体的收益，劳动产品未能实现价值表现为劳动主体的损失。使用价值与价值的制约关系蕴于价值归属，可以很确切地表现价值必然向劳动主体归属的客观性。对于坚持劳动价值论的人来说，理解这种制约关系需要摆脱传统理论的束缚，毕竟传统的认识对于使用价值与价值的关系存在不合逻辑的解释。①

在常态社会，或是说，按常态劳动观展开分析，价值归属劳动主体，是归属常态劳动主体，既可归属正态劳动主体，亦可归属变态劳动主体。这其中重要的是表明对于常态劳动，价值向变态劳动主体归属是一种社会的必然。在这种历史的与现实的必然条件下，价值理论的分析是相对复杂的。仅就剥削变态劳动而言，价值的归属是分为两个方面的。一个方面是，被剥削劳动主体在被剥削劳动中创造的价值向被剥削劳动主体归属。再一方面是，被剥削劳动客体同时作为剥削劳动的客体，其创造的价值向剥削劳动主体归属，即剥削劳动主体占有被剥

---

① 马克思认为土地等生产资料对创造使用价值起作用，对创造价值不起作用，交换只是使用价值的交换，不是价值的交换，价值是交换的基础，价值是一样的，不用交换。这些观点不能正确反映事实和解释问题，没有认识到使用价值与价值是不可分割的，它们的创造源泉一致，它们在交换中也是作为统一体存在的。

削劳动过程中的劳动客体创造价值的作用。在过去的非劳动价值论中，对于价值归属劳动主体或者说价值只向劳动主体归属，持否定态度，其理论认为任何参与生产的要素都有占有价值的权力。这种理论实质上是混淆了剥削劳动主体占有的劳动客体创造价值的作用与剥削劳动主体占有劳动客体的变态作用，即混淆了劳动客体作用与占有劳动客体的作用。剥削劳动是变态劳动，根据是剥削劳动主体在实际生产过程中或劳动过程中不起任何作用，它只起占有劳动客体的作用，并迫使被剥削劳动成为它的劳动客体，因此它才能占有被剥削劳动过程中的劳动客体创造价值的作用。剥削劳动主体是不能单独存在的，它必须依附于被剥削劳动。需要明确的是，剥削劳动主体是指剥削者在剥削劳动中充当的角色，剥削者本人在剥削之外还可有非剥削劳动的主体作用，如资本家的劳动具有二重性，一则是剥削工人的劳动，一则是不具剥削性质的管理劳动。凡属于剥削劳动，其创造的价值全部来自于被剥削劳动。向剥削劳动主体归属的价值是被剥削劳动客体在被剥削劳动整体创造价值中的作用，剥削劳动主体仅凭占有这部分劳动客体而进一步占有了劳动客体创造的价值，如果没有这种占有关系，这部分价值应当归属于其相应的劳动客体相结合的劳动主体，但由于有这种占有关系存在，所以就形成了剥削，形成了价值向变态劳动主体归属，并由此构成常态劳动价值归属的特定历史性。这说明，无论何时，无论何种状态下，价值是只向劳动主体归属的，价值不能归属劳动客体。价值向雇佣工人归属，是因为雇佣工人是被剥削劳动主体。价值向资本家归属，是因为资本家是剥削劳动主体。在价值归属问题上，对于常态劳动，是不区分正态劳动主体与变态劳动主体的。也可以说，价值归属劳动主体是恒定的，只是在常态下这种归属关系十分复杂。若经济学家不能从人类劳动的历史发展角度看问题，不能辩证地认识社会的现实是由劳动整体发展水平决定的，他会单纯从资本家的立场出发，片面强调剥削的作用，不能认真区分资本的作用与资本家作为剥削劳动主体收益的差别，或是正相反，只以维护被剥削者的劳动权益为原则，用理想批判现实，不承认现阶段剥削劳动存在的客观性，不理解价值归属剥削劳动主体的内在机理。凡是在经济理论研究中强调资本必须有收益的人，实际想说的都是拥有资本的人应当收益。将资本家的收益与资本收益混同，实质是将占有资本的作用与资本的作用混同，而资本其实是只有作用没有收益权的，有收益要求的不是资本就是占有资本的资本家。人类的认识进程有时不可思议，一旦某些认识中的逻辑错误被掩盖或被忽视，常识就成为反理性的，即实在的错误认识成为了公认的常识，长久长久地流传而很难得以更正，甚至社会可能对企图更正的念头也要阻止或打击，这使得即便是一个简单的认识更正可能也要花费几代人的努力。在传统的价值理论中，可以说长期存在错误性的常识，一直对认识的发展起阻碍作用，当我们阐释价值向常态劳动主体归属的特定历史性，说明变态的剥削劳动主体是占有劳动客体的创造价值的作用，最困难的工作就是更正这方面的错误性常识，使人们对社会基本事实的认识回归正确。

区别剥削劳动主体作用与被剥削劳动客体作用是重要的问题。这种区别的前提是承认历史的和现实的劳动是常态劳动，承认劳动整体创造的价值在归属中也具有常态性。剥削劳动的主体作用不是创造价值的作用，也不是实现价值的作用，而是占有劳动客体的作用，通过这种占有达到剥削的目的，同时也历史地起到保护劳动客体的作用。劳动客体是人类的生存资料，劳动客体在劳动过程中起主要作用，表明其在人类生存特定的历史阶段中的重要性，通过占有劳动客体可占有劳动客体创造的价值，客观上能形成或提高占有者的生存能力，因而形成对劳动客体的重视和保护，这是一种变态方式的保护。被剥削劳动客体的作用是在劳动整体创造价值中的作用，即是一种创造价值的作用。承认劳动客体具有创造价值的作用与只承认劳动主体创造价值是截然不同的认识，但劳动客体具有这种作用是基本的事实，是不容争论的问题，过去的理论只是没有从这一基本事实出发，因而才成为僵化的不能解释市场实际的理论。这不是说过去的价值理论发展到今天不适用了，而是说当时的理论概括本身就存在与事实不符的问题。马克思没有区别剥削劳动主体作用与被剥削劳动客体作用的不同，他不承认劳动客体具有创造价值的作用，只承认劳动主体创造价值，因此，他不是以剥削劳动主体占有劳动客体作用来解释剥削，而是按照劳动主体创造价值的逻辑，提出了剩余价值理论。马克思认为，资本家占有的是工人创造的剩余价值，资本家的资本分为不变资本和可变资本，不变资本是购买生产资料的资本，即购买劳动客体的资本，这部分资本不创造价值，可变资本是购买劳动力商品的资本，即付给工人的工资，这部分资本由于工人创造全部价值而带来剩余价值，剩余价值就是由工人创造被资本家无偿占有的那部分价值。显然，剩余价值理论的前提是劳动主体价值论，即只承认劳动主体创造价值。如果劳动主体价值论符合客观实际，劳动主体的作用能够单独存在，那么剩余价值理论的解释就是合乎逻辑的，就不用考虑生产资料物的作用与人对生产资料物的占有作用的区别了。但是，不可争辩的是，事实上，劳动具有整体性，劳动主体的作用不可能单独存在，价值创造是劳动整体作用的结果，劳动整体作用中既有劳动主体作用，也有劳动客体作用，因此，有关剥削的认识不能用剩余价值理论解释，必须要在劳动整体价值论基础上，通过区分价值创造与价值归属的不同，认识资本家对生产资料的占有作用与生产资料的创造价值作用的区别，即认识剥削劳动主体作用与被剥削劳动客体作用的区别，对剥削以及常态下的价值归属关系重新做出科学的理论解释。现在，在不涉及剩余价值理论的条件下应先理清劳动整体价值论与劳动主体价值论的区别，对于劳动价值论来说，重要的不是研究价值，而是研究劳动，只要肯定劳动必然是劳动主体与劳动客体的统一，劳动的作用是劳动主体与劳动客体统一的作用，那么传统的劳动价值论即劳动主体价值论就不能成立。并且，我们还要强调自然使用价值的创造与价值的创造是统一的，不可能存在只对价值创造起作用不对自然使用价值创造起作用的作用，也不可能存在只对自然使用价值创造起作用不对价值创造起作用的作用。因而，劳动价值论必然是劳动整体价值论，任何劳动的作用都必定是劳动整体的作用。这样，明确劳动主体价值论是不符合基本事实的理论概括，就可进一步再讨论剩余价值理论对于剥削的分析。从正态劳动讲，劳动整体创造的价值，不管是劳动主体作用还是劳动客体作用，都归属正态劳动主体。但变态的存在是历史的客观的，不是现阶段社会能取消的，因此，变态劳动主体也介入价值归属之中，成为占有劳动客体作用的力量，形成只以占有生产资料而占有劳动成果的剥削关系。这也就是说，在常态劳动发展阶段，价值的归属有正态的，也有变态的，总的讲是常态的。按照常态劳动观和劳动整体价值论的理论逻辑，工人由于不占有生产资料，与生产资料结合而创造的价值归属分为两部分，工人的劳动主体作用仍向工人归属，而生产资料的劳动客体作用就以一定的价值形式向资本家归属，这种归属是变态的，也是现实的，这不需用剩余价值理论解释。剩余价值理论的运用只是与传统的劳动价值论相一致。①

剥削劳动主体占有的劳动客体具有创造价值的作用，但这种作用是与被剥削劳动主体的作用合为一体才起到的作用，剥削劳动主体只占有劳动客体，并没有与劳动客体的作用相结合，尔后又只凭占有劳动客体而进一步占有了劳动客体作用，这表现为一种动物的生存方式的寄生性，构成剥削性质。承认劳动客体具有创造价值的作用，并不是说这种作用可以单独存在，这如同劳动主体的创造价值作用一样，都是不能单独存在的。正因此，剥削劳动主体只占有劳动客体，并不能使劳动客体创造价值，而且，剥削劳动主体本身也没有在劳动过程中发挥作用，所以本身也是不创造价值的。以本身的不创造价值却只凭占有劳动客体，就获取劳动成果，得到价值的归属，这是剥削的实质。不论是封建主义的剥削，还是资本主义的剥削，性质都是一样的，资本主义剥削相比封建主义剥削，并没有神秘之处，只是封建剥削主要是依靠占有土地对农民进行剥削，而资本剥削则主要是依靠占有资产对工人进行剥削。

剥削劳动主体追求的价值归属，按照稳定的剥削秩序讲，应是其占有的劳动客体在劳动过程中的作用。一般地说，为了更多地得到这种价值的归属，剥削劳动主体必须在劳动客体方面做更

---

① "马克思的经济学说主要是揭示资本主义生产的运动规律的，因此剩余价值理论自然成为这一学说的核心或基石。正是由于剩余价值的发现，才彻底弄清了资本和劳动之间的关系，揭示了资本主义剥削的秘密，得出资本主义必然为社会主义所代替的科学结论。但是，如果没有劳动价值论这个前提，剩余价值理论是建立不起来的。只有阐明了价值是怎样创造的，也才有可能进一步阐明剩余价值是怎么生产出来的。因为，如果价值是劳动创造的，那么资本家的利润就只能来源于工人的剩余劳动，来源于这种劳动创造的剩余价值。"（参见有林等：《马克思的劳动价值理论》，经济科学出版社，1988，第1页。）

多的投入。作为一种内在的分析，价值归属的变态表明，剥削劳动主体是依据占有劳动客体的作用来获取价值的，它占有多少劳动客体，才能获得多少这种归属的依据，它不可能没有依据去占有劳动成果，剥削也要有剥削的依据。剥削劳动主体不得占有它占有的劳动客体的作用以外的价值，即不属它占有的劳动客体的作用它不应占有，被剥削劳动主体的作用它也不应占有，如果它占有了它不应占有的价值，就是对稳定的剥削秩序的破坏，即也是对现实的正常的市场关系的破坏。当然，剥削劳动主体的占有价值没有达到应有的剥削程度也是可能的，即它占有的一部分劳动客体的作用并没有归属于它，但这种情况恐怕较少发生，因为对价值占有的贪婪和利用对劳动的支配权，往往会使剥削劳动主体实际占有一定的本不应归它剥削的价值。但是，不管剥削劳动主体多么疯狂，在总的价值创造中，总有一部分价值是剥削劳动主体不应且不能占有的价值，这就是被剥削劳动主体创造的价值中必须维持被剥削劳动主体最低生存条件的价值。剥削不同于强权与暴力，剥削是一种文明的变态，剥削有其本身的市场规则，在发达的市场中，这种规则是被市场各方尊重的，相比暴力，剥削的残酷性要低得多，相比强权，剥削是一种经济行为，一种被社会认可的变态经济行为。实际上，剥削秩序被破坏的情况是经常发生的，只不过在不太严重的情况下不至于危及市场运行的稳定。

剥削劳动主体能不能实际占有劳动客体创造的价值，决定能否实现剥削。以往的研究在分析剥削时，都是假定剥削劳动主体必然实现剥削的。但现实的经济中，剥削者要实现剥削并不是容易的，无论在世界的哪一处，剥削的实现都不是必然的。人们都承认凡是投资都有风险，那么剥削者为了剥削也要进行投资，也是有风险的，有风险就意味着可能收不回投资，而收不回投资是无从谈起实现剥削的，而且很可能赔得很厉害。只是没有实现剥削，并不改变剥削劳动的性质。不过，从总体来看，实现剥削的剥削劳动占大多数，不能实现剥削是少部分，这少部分的存在意味着剥削不必然实现和有较大的实现概率。

如果剥削劳动主体经营失误，那么有损失的可能不仅是剥削者，被剥削者也许同样遭受一定的经济损失。这就是说，在某种意义上，剥削劳动主体与被剥削劳动主体存在风险的一致性。但在这种一致性面前，被剥削劳动主体是居于从属的地位，是不能自立的，起支配作用的是剥削劳动主体。如果遇到损失，不能实现盈利，那么很可能被剥削劳动主体也得不到价值归属，其劳动的作用都是没有效益的。因而，在发达的市场经济中，国家将通过立法努力保护被剥削者的应得利益，不使经营者的损失过多地转嫁到被剥削者身上，这样才能更好地维护市场秩序，保持社会经济的运行稳定。而剥削者一般是通过社会保险机制和破产法来避免或降低损失。

普遍存在剥削的资本主义经济中的分配始终存在尖锐矛盾。这矛盾不仅来自于剥削秩序的动荡，而且来自于劳动发展中的劳动主体作用与劳动客体作用的平衡点的不断变化。在资本主义社会早期，工业革命带来的技术进步像海潮一般迫使千千万万的手工劳动者转为服务于机器的工人，强大的机器的生产力的诞生使得工人的体力作用被压低到了极点，因为大机器可替代相当多的人力，这时简单地将机器的作用与工人的作用相比，按照剥削变态价值归属的原则，被剥削劳动者拼命工作，也只能得到很低的仅够维持生命的报酬。从剥削的秩序讲，这样归属是自然的。因此，当时的手工劳动者曾迁怒于机器，试图通过破坏机器，来保持原有的平衡关系。而后来的残酷的剥削关系的延续，曾不断地引发暴力革命。然而，如果单做市场分析，我们可以断定，当时工业革命后技术的突飞猛进造成了体力劳动者的作用相对急剧下降，这打破了原先的价值归属中的平衡，引起社会震荡是必然的，只是，暴力抗争只会加剧社会矛盾，而不会对平息社会震荡起到积极的作用，最后解决问题的必然是价值归属的平衡点的重塑。经济的矛盾只能用经济的方法解决，价值的矛盾也只能回归到价值理论中解决，试图用外部力量解决价值归属中常态关系的内在矛盾是做不到的。新的归属平衡点就是，随着机器生产的普及，劳动者的智力作用提升从而使劳动主体作用相比劳动客体作用不再处于很低的地位，而且经过矛盾的不断冲突使得劳动主体作用的必要性越来越受到社会的重视，这样，价值的归属就不再激烈地向占有劳动客体作用的剥削劳动主体倾斜，向被剥削劳动主体归属的价值的比重已经形成了上升的趋势。并且，对于资本的占有也已经社会化了，人们普遍拥有一定的资本占有权的收益，即使是被剥削的工人也可能获取一些这样的收益，这就使得工业革命后几百年来的尖锐矛盾逐步地平缓了。从根本上说，这是人类劳动的智力作用水平提高而引起的劳动整体发展水平提高的结果。

解决被剥削劳动主体与剥削劳动主体的价值归属中的矛盾，根本的出路是取消这种由劳动变态而产生的矛盾，即取消剥削劳动。因为，只要存在剥削劳动，这种变态归属的矛盾冲突就是不可避免的，总会不断地产生事端。而要取消剥削劳动，这是一个全人类的问题，是人类劳动的发展问题，在劳动的发展不达到一定的水平时，人类全面地取消剥削劳动是不可能的。这种取消只能是一个渐进的过程，由现在开始，由局部开始，经过长期的努力才能实现。暴力的抗争是更野蛮的变态，实质是不解决文明变态中的矛盾激化问题。或者说，暴力不解决问题，不可能依靠暴力去取消剥削劳动。就社会发展的本身要求而言，暴力也是要尽快取消的，取消了暴力，才能真正使人类社会完善。现在，剥削劳动还不能普遍地取消，甚至不会普遍地减少，因此，变态的价值归属中的矛盾冲突仍会普遍发生，各个国家都在通过完善立法或发展经济来努力减少这方面的冲突。经验证明，用调控经济的方法缓解这方面的矛盾是有效的。

值得注意的是，私有制劳动中，除去剥削劳动外，还存在无剥削劳动的价值归属。在没有剥削的条件下，劳动整体创造的价值，全部归属劳动主体，似乎没有必要区分价值创造与价值归属的不同，似乎不用承认劳动客体的创造价值的作用。但这正是过去理论研究的误区，抽象的价值研究一开始并不涉及剥削问题，而由此没有重视劳动的整体性以及劳动客体的创造价值的作用却是致命的，使得价值源泉的概括是片面的，并无法科学地解释剥削存在的问题。[①] 而确认劳动客体在创造价值中的作用，并不单单是为了解释常态劳动中的剥削，确认只是为了尊重基本事实。理论的研究只能是求真求实，不能带有其他的目的。不论怎样认识剥削，劳动客体都必然地起创造价值的作用。而价值归属之中是没有劳动客体的，这一点在对剥削劳动的价值归属中是同样贯通的。

综上所述，科学地坚持和发展劳动价值论，必须严格区分价值创造与价值归属的不同。价值创造表示价值具有，即劳动成果具有劳动创造的价值。价值归属表示价值占有，即劳动成果的价值归属决定占有。价值创造是整体的，即是劳动整体的作用创造

---

① 价值理论研究不讨论剥削问题，本身值得反思。剥削劳动是历史的客观存在，坚持劳动价值论和发展劳动价值论是不能回避剥削劳动的，只有从实际出发认识剥削和解释剥削劳动的价值问题，才能真正向前推进价值理论。以往的研究只搞纯的正态劳动的价值研究，结果并不能科学地说明价值的创造，也没有能区分价值创造与价值归属的不同。

价值，其中既有劳动主体作用，也有劳动客体作用。而价值归属
是向主体的，即只有劳动主体才能占有劳动整体创造的价值，价
值不向劳动客体归属。在常态社会发展阶段，常态劳动主体是价
值归属对象，即价值的归属是既可向正态劳动主体归属，也可向
变态劳动主体归属。变态的剥削劳动主体通过这种变态的价值归
属实际占有的是劳动客体在劳动整体创造价值中的作用。这种变
态的价值归属在常态社会是普遍的，并且还将长期存在下去。认
识常态劳动，必须辩证地认识这种变态的向剥削劳动主体的价值
归属，同时还一定要明确剥削劳动主体是不起任何创造价值作用
的劳动主体。

第六章　常态社会中的劳动价值

　　劳动的整体性是客观的，即劳动必然是劳动主体与劳动客体的统一，劳动决不是单纯的主体活动，确认这一客观事实是科学地研究劳动价值理论的基本前提。然而，价值范畴的高度抽象性概括曾使许多涉足这一领域的经济学家未能准确地从这一事实出发认识问题。传统的劳动价值论只讲劳动主体占有价值，不承认价值是劳动整体作用的创造。我们的研究表明，劳动创造的整体性与价值归属的主体性是内在联系的，抽象地概括价值必须辩证地认识劳动，只有从常态劳动观出发，才能准确地阐释价值创造理论与价值归属理论。更进一步讲，政治经济学若不能对历史的和现实的变态劳动做出准确的认识，就根本不可能对价值问题做出符合实际的认识。因此，价值理论研究的突破实质是要以建立常态劳动观为前提和基础的。也就是说，由常态劳动的存在决定，劳动价值论只能是常态劳动价值理论。在现阶段，对于劳动价值要做常态分析，依据常态劳动的性质认识价值，这才能从根本上解决价值理论长期脱离实际的问题。

一　常态价值

　　在非商品经济时代，劳动的存在，准确地讲，有用劳动的存在，就是价值的存在。在商品经济时代，价值的通约表现为市场的运行，实现市场交换，劳动才能成为有用劳动，劳动创造的价值才能实现。在现时代，认识常态社会市场经济运行中的劳动创造的价值，无疑抽象的视野要涵盖整个社会经济领域。只要是市场确定交换的劳动，就是商品经济条件下的有用劳动，不论是生产有形商品，还是提供劳务服务，都是具有自然使用价值、社会使用价值和价值的劳动产品。但自然使用价值的创造并不决定商品经济条件下的价值的实现，实现劳动创造的价值的先决条件是使劳动产品获取以自然使用价值为基础的社会使用价值。

仍然需要强调的是，有用劳动与有益劳动不同，有用劳动要划分为有益劳动与无益劳动，即有用劳动不等同于有益劳动，有益劳动只是有用劳动中的一部分，有用劳动中还有一部分是无益劳动。这也就是说，凡价值都是有用劳动整体创造的，而有用劳动创造的价值并非都是有益的，无益的有用劳动创造同样也具有价值的体现。商品经济中的劳动是有用的还是无用的，是受社会评价的，在常态社会，什么是有用的，什么是无用的，既取决于常态劳动者们的努力，又取决于常态社会的需要。凡是常态社会需要的劳动，在劳动者的努力取得成功之后，都属于有用劳动，否则，不论是社会不需要的劳动，还是劳动者努力未成功的劳动，都是无用劳动。但现实的价值创造，对于劳动成果分为有益的与无益的，即价值也存在有益价值与无益价值之分。如果劳动未能成为有用劳动，那么不管是有益的还是无益的，都没有价值。但进入价值研究领域，就是说劳动都已成为有用劳动，都已实现价值，价值就同劳动一样，需做有益与无益的区分。抽象的价值是概括具体的劳动有用性的范畴，任何无用劳动都不具有价值意义，然而，在常态社会，价值的有益与无益是常态的生产劳动与非生产劳动的抽象概括，或是说，有益价值是常态社会中有用的生产劳动的创造，无益价值是常态社会中有用的非生产劳动的创造。有用的生产劳动或有益价值是对促进人类常态社会发展起支撑作用的劳动或价值，社会对于劳动或价值的需要主要是有用的生产劳动或有益价值，这一点是必须明确的。有用的非生产劳动或无益价值是惰性的，即消极性的东西，虽然是现实的存在，是社会的需要，但却是不可过多，不可泛滥的，在任何社会发展时期都要被限制在一定的程度和范围之内。就社会再生产布局结构而言，各个行业的劳动都有一定的限度，即比重的要求，相互间的比重不合理，就产生社会经济的结构失衡。但这种失衡与生产劳动的失衡不一样，就人类劳动的整体讲，非生产劳动必须尽可能地压低比重，如果非生产劳动的比重过高，相对应的就是生产劳动的配置失衡。在价值层次的分析上，有益性对于大多数人是不难理解的，而对于无益性，似乎是一个悖论，不易懂，需要做一些解释。对此，用毒品的生产与销售为例，最好说明。毒品，包括鸦片、海洛因、吗啡、杜冷丁、大麻、可卡因等等，都是人类劳动的产品，进入商品社会，都具有价值。在吸毒、贩毒的人眼里，毒品不仅有用，而且价值极高。但是，毒品的价值是无益的，生产毒品的劳动是非生产劳动。作为一种特殊的商品，不能不承认毒品有价值，只是从毒品的用途及社会危害性来讲，又决不能承认其价值有益。不过，医院里使用的毒品是具有有益性的，其价值是有益价值。劳动成果的价值是否有益，关键看实际用途，即使同样的东西，用途不一样，也有有益与无益的区分。在现实的社会，价值的有益性是占主流的，无益价值虽然也普遍存在，但总的量是不能与有益价值相比的。除了毒品之外，娱乐业、商业化的体育界等部门创造的价值也是无益价值，这方面的价值创造并不体现国家的经济实力，每个国家尤其是发展中国家都应对这方面的价值生产做出必要的限制。

体现价值在常态社会的特点是价值的常态性，即价值有正态与变态之分，正态价值是正态劳动的创造，变态价值是变态劳动的创造。正态价值与变态价值的统一是常态价值，与常态价值相对应的范畴是常态劳动。在肯定劳动创造价值的前提下，因常态劳动的存在必然形成常态价值，即必然要出现正态价值与变态价值之分及其二者的统一。这也就是说，常态社会经济条件下的价值观只能是常态价值观。如果不能树立常态价值观，仅以正态劳动创造的正态价值为研究范围，即价值的研究仅限于正态劳动的创造活动，那么就会将社会经济中的相当一部分劳动排斥在创造价值的劳动之外。① 准确地讲，用于体现财富与交换的价值是无差别的，有差别就不能作为交换的基础了，只是创造价值的劳动即价值的来源有区分，有正态劳动的创造，也有变态劳动的创造，问题的关键是，必须从常态价值观出发承认变态劳动创造的价值也是人类无差别劳动的凝结。再进一步讲，在现实经济生活中正态劳动与变态劳动是相互联结的，这使得价值创造中的态势区分与价值归属中的经济关系十分复杂，只有从常态的立场认识，才能使现实的复杂的价值关系得到逻辑一致的解释。

变态的剥削劳动主体不能单独存在，其变态性在于必须以被剥削劳动为劳动客体，离开这一特定的劳动客体，无法形成剥削劳动。而被剥削劳动是可独立存在的，撇开剥削劳动，仍是一种完整的劳动，只是去掉了被剥削的性质。在剥削劳动的整体结构中，被剥削劳动是军事劳动，那么剥削劳动是变态劳动，被剥削劳动不是军事劳动，剥削劳动也还是变态劳动。但若被剥削劳动不是军事劳动，就其相对独立性讲，它是正态劳动。这也就是说，剥削劳动的变态中可有正态劳动，而且还将形成正态劳动创

---

① 传统的劳动价值论不光是排诉变态价值，事实上将许多正态价值也抹煞了。

造的价值向变态劳动主体归属。这种情况是典型的常态。这表明正态劳动的价值创造是在变态劳动整体中进行的，正态的价值服从于变态劳动主体的支配，正态的劳动不能以自身的性质独立于社会经济的运行。

剥削劳动主体实现的价值归属，不管创造价值的被剥削劳动的态势如何，均要打上变态归属的印记，这是现实的价值运动中的强烈而鲜明的变态性表现。在剥削劳动是普遍存在的社会条件下，单纯独立的正态劳动的价值创造是很少的，不足以做普遍性存在的代表，占绝大多数的价值创造活动是有变态作用参与的。政治经济学的研究是要全面认识人类劳动发展的过程，但现在处于剥削劳动是客观普遍存在的时代，不能不将重点放在价值的变态运动研究上，但凡在理论上忽略这一点，势必都要与现实拉大距离。剥削劳动主体与正态的被剥削劳动主体的结合反映了变态与正态融汇的一种范式。从另一角度来看，剥削劳动主体也是一种抽象的存在，一旦到具体，它必然还要与作为管理劳动主体的存在合为一体，即任何直接控制被剥削劳动的剥削者同时又是管理者。当被剥削劳动是正态劳动，与剥削劳动主体合为一体的管理劳动主体亦属于正态劳动主体，即它是正态劳动的组成部分。这样就表明，在这种情况下的剥削劳动主体的现实存在只是常态性合体的一部分或一个方面，它是变态的，但与它合为一体的管理劳动主体的态势不与它一致，它们的一体化存在更是复杂的常态性表现。事实上，在较长的历史发展时期内，劳动与价值的关系就是这样运动的。只要人类劳动停留在常态劳动发展阶段，这种价值运动的过程及其方式不会有实质性的改变。价值理论只有概括性地反映常态价值存在的真实，才能奠定科学的政治经济学研究的基础。

与剥削劳动不同，作为另一种变态劳动，军事劳动是创造价

值的，即创造变态价值，人类劳动的这种变态在历史的和现实的
条件下其创造的变态价值是社会承认的。军事劳动具有创造价值
的独立性，即它的主体与客体合为一体就是创造变态价值的整
体，但这并不是说所有的军事劳动都能够创造价值，从价值运动
的角度探讨军事劳动的变态经济行为，其情况比剥削劳动更复
杂。而且，所有的这方面问题在过去的理论研究中基本上都回避
了。军事劳动作为一种变态劳动没有被经济学广泛而深入地研
究，军事劳动的变态价值创造被传统的理论断然否定，即使是在
非劳动价值论的研究中也没有给予过明确而系统的阐述。在此，
我们一方面要强调研究军事劳动的价值创造问题的重要性，一方
面还要着重分析军事劳动价值创造的变态性以及其市场交换的问
题。从逻辑上讲，若否认军事劳动是创造价值的劳动，等于否认
军事劳动的可通约和可交换性，并且也是无视军事劳动产生和发
展的历史性。在历史上，特别是在人类劳动刚刚起源的初期，即
原始社会早期时代，军事劳动具有直接的为劳动者创造生存条件
的重要功能，那时人类之间战事频繁，群体之间的暴力争斗，除
了相互间争夺生存之地，还有就是对敌方人员肉体的直接需求。
相互捕获的战俘在那时是充当食物的，这一点对于处在现代文明
生活中的人们是需要理解并牢记的，我们不能忘却人类社会的开
始，人吃人是历史，甚至这种历史延续了很长时间，并且在现代
也有残迹，文明发展至今也未能完全泯灭人从动物界带来的兽
性，承认这种历史的开端与延续，是完整地认识人类社会和人类
劳动的必然需要，也是准确地把握劳动的变化和价值的本质的必
要条件。军事劳动的合理存在和有用性起保护自己的作用，这种
保护是以群体或国家的名义进行的，现代社会是以国家的名义进
行，个人之间的暴力行为基本不能纳入劳动范畴。保护自己就是
保护自己生存，原始社会的人吃人是一种生存需要，是一部分人

以另一部分人的死为条件保持自己的生存，这是残酷的生存。原始社会之后，人吃人不是普遍性的了，但军事劳动却更大地发展起来，其保护自己的意义和要求更为突出，只是形式、方式和规模有变化。至今，人们仍然要在军事劳动中付出鲜血与生命，而现在的生存保护则更主要地体现在对自己国家拥有的生产资料的保护上。特别是二次世界大战以来，国与国之间的互相吞并几乎是不可能的，但是以军事劳动的力量保护本国的生产资料是在更广泛的范围和意义上进行的。现代国家的军事劳动存在仍是不可缺少的，现在的军事劳动性质与原始社会是一样的。如果军事劳动不能创造价值，那么从事军事劳动的人何以为生呢？军事劳动是起到保卫国家的作用的，这种作用的重要性没有一个人怀疑，对于其重要性承认，而对于其价值的创造性否认，是传统理论不能自圆其说的矛盾。在商品经济条件下，劳动者要靠自己创造的价值生存，这是无疑的，不可能有别人养活自己，理论上不承认军事劳动创造价值讲不通，作为一种劳动存在，军事劳动者与其他劳动者之间只有社会分工的不同，而且还有劳动态势的不同，不能在基本的价值创造方面缺乏能力，这与剥削变态主体是不一样的，这种变态本身是一种完整的劳动，其创造的是保护国家的社会生产条件，它依靠这种劳动成果的社会使用价值的实现，实现自己的劳动创造的价值，并以自己创造的价值与其他劳动者的价值交换，进入整个社会的经济运行之中。

对于军事劳动，也要区分有用劳动与无用劳动。军事劳动的变态价值创造仍然只限于有用劳动。有用的军事劳动是指社会承认的军事劳动。现实社会中，只有国家才有权代表社会对军事劳动做出承认，也就是说只有国家承认的军事劳动才是有用劳动，不能取得国家承认的军事劳动统统是无用的军事劳动。在这一变态领域，有用与无用的划分，与正义与非正义的划分，有不同的标准，而经济学所涉及的基本范畴只是有用与无用的划分。无用的军事劳动并非没有消耗，只是没有社会使用价值，因此没有价值，是无法实现社会意义上的交换的劳动。至于有益的军事劳动与无益的军事劳动，都属于有用的军事劳动。

提出常态价值范畴，并区分正态价值与变态价值，这是以常态劳动观为指导产生的新的价值理论思想。这种思想表明，抽象的价值在经济学的视野已不再是一片玫瑰色的，国家对军事劳动的承认定然要使价值带上血腥的气味。任何经济学家，只要是不想生活在自己构想的天堂，愿意面对现实，那么就必然要对现实社会中的价值常态性无保留地接受。常态价值思想的确立，让价值研究回归现实，不再以理想取代现实。

二　军事劳动成果

剥削劳动与被剥削劳动也可能是军事劳动，当被剥削劳动是从事军工生产的劳动时，它就也属于军事变态劳动。这是一种双重变态，既是军事变态，又是剥削变态。但在讨论军事劳动成果时，我们可以回避双重变态问题，只讲劳动的军事变态问题。

对于国家，军事劳动的存在，是国防的需要。保卫国家是军队的神圣职责，是全国民众保护生存根本利益的要求。国破家亡的历史浸透了人间血泪，在国与国之间的争斗中，没有足够的武装力量保卫国土与人民，是极悲惨的。即使在和平时期，军队也依然是国家建设中的中流砥柱。在一个国家，需用多少人从事军事劳动，平时是大体上有一个比重的。而战时，是要将全国的成年男子几乎都动员起来投入战争的。军队，自国家起源之后，至今，始终是社会的直接需要。在军队里，从士兵到将军，都是劳动者，都是最直接的军事劳动者。若将价值的创造仅限于正态劳动，那么，认为军人们的劳动是不创造价值的无疑十分荒谬，因为军人们没有创造价值的劳动能力等于没有生存能力。同其他劳动者一样，军人们是靠自己的劳动吃饭的，或是说，他们只能靠自己创造的价值吃饭，他们没有价值的创造是不可思议的。军人的劳动是同其他劳动者的劳动交换的，虽然这种交换是在社会强制下进行的，因为是社会必需的，所以军人的劳动没有价值是不可能的，没有价值等于说没有可交换的东西，只是索要别人的而不是交换。养兵或养军队的说法只是社会俗语，不是科学的认识，军人决不是老百姓养活的，就像知识分子不是工人、农民等体力劳动者养活的一样。① 在常态社会，军事劳动者同其他行业的劳动者相比，只有劳动态势的区分，没有人类劳动性质的差别。承认军事劳动创造价值，是肯定劳动创造价值的大前提下的合逻辑的推理。军人创造的价值是体现在其劳动成果之中的，这种成果就是起到保卫国家安全和保证社会秩序稳定的作用，国家是军事劳动成果的消费者，而国家的这种消费是为了全民或者说全社会的利益。在现代社会，可以明确地讲，没有军队，就没有国家，仅个别小国是例外。对于侵略成性的国家，似乎军队对其作用更为强烈，军队是实现其侵略目的的工具。一般讲，国家税收中的一部分是为军人们收的，这是作为强制性交换而收的税，

---

① "养兵千日，用兵一时"，只有军事上的意义，没有靠老百姓养活军人的道理。军事劳动是常态社会必不可少的劳动，军人是社会的需要，优秀的军人是社会的英雄。军人不种地、不做工，不等于他们不劳动，不等于他们不创造价值，对社会没有贡献。也并不是非到战时才体现军人的作用，若没有常备军，就没有安稳的平时，军人的重要作用甚至不是在战时，而是在平时。尤其是在现代社会，军队实际是很少打仗的，军队的存在主要发挥的是威慑作用，但这种作用同样不是可有可无的，社会的现代化包括这种作用的现代化。军人的操练以及日常的守备工作就是他们的劳动，这同样要付出很多的辛苦，不论谁是军人，都要付出这样的辛苦，社会的现代化也并未能改变这一点。

通过税收转化的国防费，军人们得到交换来的货币，用这些货币，军人们就可以买到他们所需要的各种物品。

一个国家的军队不能设置过多。军队存在的重要性不能由过多地设置来体现，军队过多了也是一种劳动配置的结构失衡，同军队过少一样是失衡，军队在社会总劳动的配置中必须保持一个合理的比重。同时，在这个比重之上是保持军队的质量。至于军队的配置量到底多少是合适，各国有各国的具体情况，大体上的合适量是慢慢地调整出来的，而且也是有变化的。作为军队中的成员，军事劳动者基本上都是变态价值的创造者，总的劳动量限制了价值创造的总量，军人个人的劳动价值创造是在军事劳动价值总量中实现的。亚当·斯密认为设置必要的常备军是文明国家实现军事劳动配置目的的基本方式。①

军事工业劳动也属于军事劳动，即也是军事变态劳动的组成部分。从生产的角度看，军事工业如同其他工业一样，有生产工艺要求，有投入和产出，有技术的进步。军工厂的工人，是产业工人，是职业从事军工生产的人，靠工作为生，不与其他工厂的工人有生存目的的差别，甚至没有工资待遇上的不同。但是，从劳动态势区分，军工生产与军队的作用本质上是一致的，前者是制造武器的，后者是使用武器的，这两者都与正态的劳动不同。现实社会中，剥削劳动与被剥削劳动往往会出现在军事工业劳动中，这是双重的变态。社会不可缺少军工劳动如同不可缺少军队的道理是一样的，军工生产的发展水平实际上代表了一个国家的军事装备水平。武器是重要的，没有优良装备的军队是没有实力的，所以，军工生产的水平与军队的战斗力息息相关，与国家的

---

① 参见亚当·斯密：《国民财富的性质和原因的研究》，下卷，商务印书馆，1988，第 269 页。

安全与和平也是直接相关的。以往的经济理论研究，排斥军队的劳动价值创造，却并不回避军工生产，而是像对其他行业一样地看待这一物质生产部门，没有突出军工生产的军事特性，因而，对军工劳动创造价值不持有疑义，对军工厂的工人进入产业大军也是一视同仁的，只是这样重视了军工生产的物质性，却忽视了其变态性。这对于价值理论研究是制造混乱的。这是一方面对劳动不做态势区分，将变态劳动排除在创造价值的劳动之外，使得社会的交换不能得到符合实际的解释，另一方面又将一部分变态劳动等同于正态劳动，认为它们同正态价值的创造劳动同样，从而使社会对军事变态的认识模糊不清，对价值创造的劳动源泉的认识缺乏全面准确的把握。

价值是抽象的范畴，不是虚幻的东西，价值的后面是实实在在的社会需求。因此，从社会的不同需要出发，价值有不同态势的区分，军事工业劳动创造的价值不同于非军工劳动创造的价值，枪炮子弹和军粮等物资不同于一般民用品。价值是通约的，只是价值的用途不一样，完整的价值分析不能只停留在抽象通约的价值分析上，必须要从劳动态势的不同认识到价值的用途区分，把握价值运动中的正态与变态关系，肯定变态价值的社会作用。现在有些国家，军工生产的经济意义是向别国输出军火，借以获取暴利，因而不惜一切手段挑动一些国家内战和一些地区的国家间矛盾。这是一种很残酷的现代化的景观。对此，价值理论揭示军工生产的变态性是很重要的。在现时代，强化军工生产应在全世界的范围受到抵制。

从将来看，人类要完善，社会要进步，军事变态劳动终归会随着人类劳动整体的发展而消灭，但是，在目前的社会条件下，军工生产还需要跟上现代化的步伐，保持发达的状态和水平。一切先进的技术不是来自军事科研的发明创造，就是要运用到军事工业或军事活动中去。这种变态的保持和发展，首先依靠教育的作用。因此，军事教育和军工教育在现代社会是军事变态劳动的基础组成部分。现在，教育工作在军事领域中占有举足轻重的地位。其本身就是一个大系统存在，单是军事高等教育就分有步兵学院、炮兵学院、工程兵学院、飞行学院、后勤学院、政治学院等等，这还不包括庞大的军医学院系统。在现时代，各个国家都一样，从事教育工作的军人超过以往任何时代。这些教育工作者从事的也是军事劳动，他们与其他教育工作者的劳动有态势区分，他们属于军事劳动中的重要力量，他们创造的价值是整个社会军事变态价值创造中的一部分。可能这些军人教师比其他教师付出得更多，但其劳动价值创造的变态性是不会抹掉的。即使与普通院校一样是教数学课，而不是教军事课，军事院校教师的劳动也是变态劳动。课堂与战场之间的距离是遥远的，但只要是服务于军事，二者就直接连在一起，不可避免地成为军事劳动中的组成部分。军人教师的劳动是很重要的，除去财力的保证外，国家军事力量的强弱，关键取决于教育。而且，军工生产需要的技术人员也需要培养，这方面的教育也是军事领域教育工作的特点。

军事科研工作者是又一类军事劳动者。军事科研劳动的作用对于提高国防水平和军人素质是起决定性作用的。科研是一切经济活动之魂，也是军事劳动之魂。重视科研是巩固国防和训练部队的根本保证。事实上，战争的胜负并不直接取决于战场的指挥，而是取决于军事研究人员的头脑对于统帅的作用。一种新的武器投入使用，往往会导致战争双方力量对抗中的突然倾斜。坦克的出现，飞机的军用，原子弹的投掷，都曾为其最早的拥有者创造过一度强劲的军事优势。搞军事科研，需要有大量的资金投入，二次世界大战后各个国家都在竞相进行这种投入，包括发展中国家在内，都高度地重视发展军事科技，这种状况一直延续到冷战结束之后才有所改变。科研工作者一旦与军事挂钩，一般一生就别无选择了。军事的保密性和科研的专一性必然要求军事科研队伍的相对稳定。这些军事科研劳动者也是社会劳动者的一部分，他们创造的价值是社会财富的重要部分，但同时他们也是变态价值的创造者。虽然，在他们之中，可能绝大多数人一生远离战场的硝烟，就像军工厂的技术人员和工人一样不上战场，但是他们的劳动凝结在整个社会军事劳动价值之中。现代战争已是高科技战争，科研对于战争的影响，比以往任何时期都更重要了。20世纪90年代的海湾战争结局表明，战争的对抗已经变成了科技力量的对抗，多国部队拥有雄厚的技术实力，高科技的投入使对方几乎没有招架之力，战场的胜利其实早已经由军事科研人员的价值创造决定了。

军队中的医务工作者不是普通的医务人员，他们的劳动也属于军事变态劳动。从根本上说，军医是保障军队战斗力的。因而，军医的劳动价值也是在军事劳动的总价值中实现的。军事医疗费用的支出是包括在国防费之内的，这与军队以外的医疗费支出是不一样的。与战时相比，在和平时期，军医的工作繁忙程度是不同的，且危险程度也不一样，但此时军医的劳动仍属变态，确定这一点，不是看其劳动的医学性，而要根据它们是军队整体中的劳动。在法西斯军队中，军医之恶可能更甚于普通的战斗员。二次世界大战中，侵华日军竟拿中国战俘和无辜百姓做活体解剖试验，丧尽天良。对这些衣冠禽兽的军医，称其变态，无人疑虑，而对于在战场上救死扶伤的军医，也称为变态，似乎不好理解。其实，劳动态势的划分，并不在于个人的行为，而在于其融入的社会作用，且这种划分是从人类劳动的角度进行的，凡归入军事的劳动，或为军事服务的劳动，都应纳入变态劳动的系列，不能再以任何理由变更划分标准。因为这不是讨论道义问题，不是对战争的性质做划分，这只是对人类劳动起源后的两种不同态势的劳动的划分。

军粮及其他军用物资的生产也是变态的劳动。不论什么物资，不论是农产品还是日用工业品，只要属于军用物资，生产这些物的劳动就属于军事劳动。就粮食来讲，实现市场交换就具有价值，但用做军粮，其价值是变态价值。由于不能确定生产军粮的劳动是哪些具体劳动，因此这方面的价值变态更具有抽象性。就整个社会看，总是要有一部分粮食用做军粮的，也就是说军粮的变态价值总是要在总的粮食价值中占有一定的量。对于这种变态价值，只能做理论上的区分，很难找具体劳动对号分析。

在人类社会发展的各个历史时期，战火从未平息。这其中有国与国之间的战事，也有各国的国内战争。内战也是军事劳动，但从价值创造的角度讲，内战中的军事劳动并不创造变态价值，内战消耗的劳动是无用的军事劳动。因为打内战不是国家的需要，对于打内战的军事劳动是得不到社会承认的，是没有变态价值创造的可能，即没有可能实现价值。对于国家经济来说，内战打得时间越长，规模越大，其破坏性也就越大。任何国家都经不起长期内战的折腾。打内战的结果，只能是将国家越打越穷。国内各派政治势力之间的军事冲突，其直接目的都是在政治方面，而国家经济的恢复只能是在冲突结束之后，在冲突之中无论如何在经济上都是具有破坏性的。至于土匪暴力，更是没有价值创造的，那只是对社会财富的恶性消耗。

三　无奈的代价

军事劳动的暴力性是共同的，不同的只是暴力的手段与程度上的差异。而同样是战火连天，在经济学的意义上，则其中有的是无用的军事劳动。内战的损耗必然要给国家的经济带来沉重的负担，长期的内战会使国家的经济走向崩溃。当然，长期的对外战争也会将国家的经济拖向无底深渊，但那是国家意义上存在的无奈，不是国内社会秩序的混乱。内战的悲剧就在于，不管打多少年，在炮火延及的范围内，经济的发展水平只有下降，不会上升。军事劳动的变态性在内战中也是充分显示的，但问题的核心是，不能将此视为解决国内剥削矛盾的途径，更不能认为国内大的利益集团也是因剥削问题才必然挑起战事的。我们的研究已表明，考察人类劳动的起源及至今历史辩证发展的全过程，军事变态劳动是先存在的，剥削变态劳动是后产生的，军事变态是更残暴的，对于暴力的问题是不能用剥削矛盾来解释的，暴力的存在表现的是更基础的求生欲望下的变态劳动的生存问题。在人类劳动的发展进入 20 世纪之后，运用暴力还是某些人求生的手段，他们在制造战乱的同时，也使自己生存下来。这其实在根源上是与剥削无关的，这更是直接的生存需要。剥削也是一种生存需要，只不过是已经市场化的另一种生存需要，其特点是寄生性而不是暴力性。在封建社会生产方式存在的漫长历史时期，大规模的农民起义战争胜利之后，换来的仍只是少数人的飞黄腾达，就整个社会讲，原来的农民还是农民，这些农民还是靠自己的劳作为生，生活境遇也许暂时有所改变，但总归是变化不大的，这与那些少数有功之臣的家境改变是不能相比的，也就是说战争之后，在社会经济关系上，剥削与被剥削的状况依旧。如果说思想界对于农民起义战争的后果已经可以历史地看得很清楚，那么对于现时代要用暴力去解决剥削问题的作用也会有科学的认识。一个国家的经济发展必须要有稳定的社会秩序，这是维护社会生产的必要条件，而要实现这一点，需要有效的政治管理。在社会不发达时期，国家政治受控于拥有武力的各派势力，这些势力之间存在剧烈的军事冲突，政权的取得是以军事劳动的付出为代价的。在各国的历史中，形成这样一些无用的军事劳动是难免的，不足为奇。只是，从经济学研究的意义上看，这种劳动越少，社会越发达，社会进步越快，代价是不可少的，进步也是必然的，但必然的进步会表现出代价的减少。

与内战产生的军事上的无用劳动不同，保卫国家的军事劳动具有价值创造的功能，侵略他国的军事劳动也具有价值创造的功能，因为继民族之后，国家是个人生存的整体屏障，为这一屏障付出的劳动是以国家为代表的社会承认的，所以都具有价值，即具有融入社会经济生活的变态价值。侵略他国，对于他国人民是深重的灾难，是有罪的。在战争之中，死难的人成千上万，对经济的破坏甚于自然灾害，并且使许多的人变得比野兽还要残忍。只是，这种疯狂一旦胜利，侵略国即拓展疆土、蓄养人口、标榜历史。这就是说，战争的胜利可使侵略国获得更好的生存条件。侵略性的军事劳动的价值创造是针对本国利益而言的。在这一意义上，劳动的常态性和变态性是能够得到深刻解释的，这体现了现实的人的动物性，即野蛮的动物求生方式在常态人生中的实践。为了生存，无所不为，人类的社会就是这样走过来的。在人类的历史中，打仗，侵略战争，是一种基本的社会现象，此时侵略别国的国家，彼时可能又遭受别国侵略，可谓此一时彼一时，不变的只是战火纷飞。政治经济学从理论上认定侵略别国的军事劳动创造变态价值，并不是经济学家拥护侵略者，而是尊重历史事实。科学理论研究需要假设，但更需要建立在事实认定之上。侵略是国家行为，国家的存在决定其整体利益对于每一位国民都是重要的，所以决不能单以少数政治家的意愿解释侵略战争的历史存在。没有广泛的社会基础，没有整体性的生存利益驱使，再精明的政治家也不可能挑起战事。打下江山留给子孙后代是前人的伟绩与骄傲，这不可能不刺激一代又一代人寄人生宏图于战争，而且也必然要对已得的江山誓死捍卫，有一分力量也不让侵略国得逞。而战胜国无论是灭掉另一个国家，还是迫使一个国家向它臣服，都是一次人类社会组织的震天动地的大整合，高压的统治是不可避免的，潜在的同化趋势也是必然的。血腥之后，文明还要延续。战胜国会很快建立新的统治机制，形成本国新的整体屏障，即对民众生存的保护力。所以，以常态社会观来看问题，作为一种变态劳动，军事劳动在侵略战争中施展的作用，是社会发展之中脱不掉的客观实在，其劳动是有用劳动，其变态价值的创造，不仅能得到本国社会的承认与尊重，而且由于铁血奋战之功而使卓有军功者享受到社会赐予的各种特权。在常态社会之中，具有理性的认识是不否认战火中军人的劳动价值的，这种对于价值的承认与对社会本身的承认和理解是一致的。政治经济学是从变态的军事劳动的起源和性质的分析入手，确定侵略战争中的侵略行为具有价值，相应也就扫清了对于其他军事劳动价值创造的认识困难。军事劳动是国家存在的需要，反映国家的功能与作用，所以，凡是对国家有利的，不管是侵略性的，还是非侵略性的，这些军事劳动一律是有用劳动，都能成为社会接受的行为。[①] 国家出现的无用的军事劳动是一种无奈，国家需要大量的有用的军事劳动也是一种无奈。正因为都是无奈，所以事实上不论是有用的军事劳动，还是无用的军事劳动，都是维护社会存在和推动社会进步的代价。在漫长的历史中，在环球世界，人类付出了多少这样的代价，肯定是有一定量的，但是又绝对无法确切统计。就在现今时代，即 21 世纪到来的时代，一般国家为科技进步所做的投入大约占国民生产总值（GNP）的 2.5%～3%，

① 对此，不能认为侵略战争对发动侵略的国家人民没有利害关系。

而用于军费的开支，在军事大国，竟达到国民生产总值的4%以上。即使是发展中国家，在财政各方面都比较困难的情况下，也都保持较高的军费，拥有较多的军队和消耗大量的军用物资。以国家为单位，在一年一度的劳动创造的总价值中，军事劳动的变态价值创造总要占有一定的比重，这是无奈的代价，不能光从损失来认识其存在，这些无奈反映了人类及人类社会还不能离开动物式的求生行为，人类及人类社会还是很落后的，其中无奈中的价值创造是社会承认的有效的劳动供给。

如果经济学能纯粹地讲资源优化配置，而社会的人又都是充分理性的，那么相对现实，现实就是十分愚昧可笑的，或者说，国家与国家之间的军事劳动对抗相对纯粹理性完全是一种愚蠢而又认真的浪费。在现实世界，无论哪个国家都要防止别国侵略，所以各个国家都要有国防准备，而要是没有战争，这所有的军事劳动准备都派不上用场。好在这种用不上军事准备的情况也许21世纪会出现，而在20世纪以前的历史上是没有的。自古至今，国家之间的战事频仍是不争的事实。问题在于，在经过长期的军事准备之后，真正打起仗来，最终的结局是胜者也要恢复和平，没有哪一个国家能总是靠军事劳动为生的。军事劳动是常态社会的需要，是常态社会履行保护民众而非满足民众的吃、穿、住的职能的需要。一个人生在哪个国家都应有权活下来，国家，不论是哪一个国家，对于个人的生存都起整体屏障作用。只要人与人之间脱离了直接以对方的肉体为食物的历史阶段，人们在不同国家之间的流动就不至于产生某种生存威胁。在古代社会，也是有人口流动到别国的，在中华大地上，"四郎探母"、"昭君出塞"，千古流传，不过是这种人口流动的典型故事。到了近代与现代，改变个人国籍虽不是一件容易事，但也不是根本做不到的。所以，从现在来看，国家的存在似乎并不能拴住每一个人，个人生存的整体屏障可以改换，与民族屏障或部落屏障相比，国家是宽松得多的屏障，这也是社会的一种进步。因此，若视国家为个人不变的生存整体屏障，这与现实的国家存在状况不符，尽管对于大多数人是这样的。不过，在人们普遍地还不能随便更换国籍的前提下，每一个国家的人都应自觉地维护自身的整体屏障。发达国家的人要使自己的国家更发达，对移民有严格的限制。发展中国家的人除了自己努力之外，没有别的办法使国家摆脱贫困，能够靠个人奋斗出国不归的终归是少数。然而，就是在这种复杂的社会关系结构中，各个国家的军人做出了一代又一代的人生奉献和价值创造，用他们的血肉筑成国家的整体屏障。而在英武辉煌的另一面，国家与国家之间，不打仗是劳动闲置，打仗便是破坏，这种无奈是历史地长久存在的。放眼 21 世纪，恐怕战争会大幅度减少，并且制止战争也是有希望的，但各个国家的军事劳动的配置量，从主客体的结合讲还不会有明显的下降，无论如何，历史的教训使人们对被侵略的恐惧难以忘怀。这也就是说，军事劳动作为社会存在与发展的无奈的代价，在今天的常态下还要延续下去。

在世界范围内，发达国家已经实现了现代化，而发展中国家还处于很落后的经济发展阶段，即人均国民生产总值 2 万美元以上的国家与人均国民生产总值 500 美元以下的国家是并存的。越是现代化的国家越是不愿使自己的人民频频处于战争恐怖之中，甚至一次战争也不希望发生在本土。而发展中国家也是不愿再重复落后挨打的命运，即使自己国家经济落后也不希望妨碍国防的力量，同样要回避战事。如果打起仗来，那么只能是落后的国家更落后。在这种情况下，从各个国家都要求和平的愿望出发，无论哪一个国家，还都是要积极地配置足够的国防力量。有军事劳动的实力存在，能不能真正用于战事是另一个问题，存在是必须的。关键是有了这种存在，即可向其他国家表明自己具有保卫国家的力量。当然，这种力量单从财力投入看是相差较大的。① 目前，在各个国家都要求和平的努力下，有关方面试图通过外交途径解决国际间事务。并且以此为基础，各个国家的友好交往还在军事领域中进行，即各个国家的军队之间也开始了友好的交往，从某种意义上增进了军队之间的友好关系。也许不能不说，这是人类社会在常态发展阶段整体进入现代化社会的一种标志。

当今世界，军事劳动的总量是巨大的，各国的军事力量汇集一起可震天动地。不用说普通的常规武器的火力，仅仅是各国的核弹威力已足可炸毁地球上的一切人工建筑。这些力量是人类劳动创造的，但却作为无奈的代价呈现于世。只是无奈并不完全消极，其中也有积极的作用，军事劳动确实是对推动常态社会发展有不可取代和不可磨灭的贡献。变态价值对于常态社会的贡献作用，是必须承认的事实。在军事劳动之中，实际上体现出人类生存的顽强的拼搏精神，这是常态社会的一种活力所在。政治经济学的研究中，应当重视变态价值范畴的研究，不能再对军事劳动采取无视的态度。

---

① "1997 年度中国国防费的构成为：人员生活费 291.62 亿元人民币，占 35.89%；活动维持费 265.36 亿人民币，占 31.45%。与世界其他一些国家国防支出相比，中国国防支出的总体水平是比较低的。按人民币对美元的汇价计算，1997 年中国国防费仅为 98 亿美元（1 美元＝8.29 元人民币），只相当于美国的 3.67%、俄罗斯的 61.25%、英国的 27.53%、法国的 26.7%、日本的 22.79%、韩国的 56.98%。1997 年中国的国防费占国家财政支出的 8.8%，占国内生产总值的 1.09%。"（参见中华人民共和国国务院新闻办公室：《中国的国防》，1998 年 7 月·北京）

四　价值理论的客观性

认识变态劳动，使之与正态劳动相区别，并由此树立常态劳动观，这是人类思想史上的重大发展。正因为如此，界定变态价值，运用劳动辩证法分析价值理论，对于政治经济学的发展具有重要意义。指出军事变态劳动得到社会承认，创造变态价值，这是对事实的认定，不是理论假设。进一步讲，在常态社会，价值的抽象存在只能是常态价值的存在，劳动作为整体，其有用性在整体上是常态的。因此，价值理论的发展，最重要的基础是树立与常态劳动观相对应的常态价值观。

另一方面，确认剥削劳动主体不起创造价值作用，只是被剥削劳动创造价值，剥削劳动主体是通过占有与被剥削劳动主体结合的劳动客体进而占有了这些劳动客体在被剥削劳动整体创造价值中的作用，使得被剥削劳动创造的价值既向被剥削劳动主体归属，又向剥削劳动主体归属，这也是对事实的认定，不是理论的假设。

政治经济学的常态价值理论研究揭示出上述两方面的变态机理，并非是当今时代使然，而是准确地认识事实和正确的逻辑分析的结果，也就是说理论本该早就做出这样的概括，以往没有做到只是因为对事实没有准确认识，同时也缺乏正确的逻辑分析。

最重要的是，政治经济学研究必须要从常态的劳动现实出发，做不到这一点，就不能科学地认识价值创造与价值归属的区别，就不能分清价值创造的整体性与价值归属的主体性，就可能产生由于价值只向劳动主体归属而否认劳动客体的创造价值作用，也可能产生由于价值是劳动整体创造的而模糊价值只向劳动主体归属的客观事实。

我们的分析表明，以往的研究中，对事实认识的错误是先于逻辑分析错误的。没有认识到劳动的整体性，就根本无法区分价值创造与价值归属，因而才产生进一步地混淆劳动客体作用与占有劳动客体的作用，使传统的劳动价值论难以起到基础理论作用。常态价值理论发展了劳动价值论，科学地整合了几个世纪以来经济学界关于价值认识的分歧，将价值研究推向了辩证认识的新阶段，必将起到统一经济学理论基础的作用。

在此，我们在强调发展劳动价值论的意义的同时，要进一步地明确指出劳动价值理论的认识具有客观性。马克思主义政治经济学创立以来，始终坚持认为价值理论是有阶级性的，只有无产阶级的政治经济学才能科学地坚持和捍卫劳动价值论，而资产阶级的经济学家由于阶级立场不同则不可能科学地认识劳动价值论，这也就是说，在价值问题上，固有的看法是经济学家们不可能取得统一的认识。这种传统的看法实际上长期阻碍了劳动价值论的发展。这其实是将一个经济学研究的基础认识问题转成了阶级利益与阶级意识对抗的问题，从而几乎是忽略了研究本身的事实认定和逻辑正确分析，使得本来可以用逻辑方法解决的一个中性的经济理论问题演化为一代又一代的阵营分明的不可调和的认识冲突。而事实上，无论哪一位经济学家，不管他是站在无产阶级的立场上，还是站在资产阶级的立场上，都不可否认价值作为财富的象征和作为市场交换的通约基础只能是中性的范畴，不可能也不应该出现不同阶级的认识差别，尤其是坚持劳动价值论的学者，更应该承认既然价值是人类无差别的劳动凝结，一切主观的评价都必然以客观的劳动为基础，因而价值范畴的存在是客观性的，不能以阶级性来抹煞其客观的本来性质，更不能对关于价值的认识做出主观上的阶级区分。应该看到，人类无差别劳动的抽象已经取消了这一范畴的阶级差别，对这一范畴的认识，科学性是赋予每一位尊重事实的经济学家的。阶级对立的关系并不会影响人们正确认识价值，相反，特别强调阶级性的存在对于科学认识这一范畴是极为不利的。在价值中，可能有正态与变态的区分，不会有阶级的对立。有对立关系的只能是劳动，不能是已抽象的价值。也就是说，劳动是有阶级性的，剥削劳动本身就体现阶级压迫和阶级剥削，但价值是无差别的劳动抽象，只体现为有用劳动的凝结，在商品交换意义上，价值只是一种符号表示，不带有任何对抗关系。所以，价值，作为一种认识范畴，是中性的，是客观的，是可作为经济学统一认识基础的范畴。

以上分析表明，价值理论并非是要求代表无产阶级利益的经济学才能科学地认识，而是一切坚持从事实出发的人都可正确认识的。只有肯定这一点，经济学才会有共同的认识基础。我们认为，价值理论同自然科学理论一样，是受客观性制约的，不是人们主观可以随意确定的。认识价值，只能是反映客观，客观是怎样，就只能是怎样，否则，科学的逻辑就会受到侵犯。不论何时，也不能讲为了某一阶级的利益去创造符合这一阶级利益要求的价值理论，若可以这样讲，那只能是建立现代迷信。这也就是说，科学的劳动价值论是属于全人类的，是人类经济学研究不可否认的客观事实概括，抹煞或不承认劳动价值论是对客观的不尊重或无视。

在政治经济学研究中，有关价值问题的讨论曾十分神秘和令人费解，这是历史的遗憾。可以肯定地说，早期的政治经济学研究对于价值的认识有很大的随意性，而且这些很不成熟的认识对以后的经济学家产生了深厚的影响。最早提出劳动价值论的人并没有认识劳动的整体性，而是将劳动主体活动与劳动混同。对于否定劳动价值论的学派讲，则统统是将认识停留在半途，如认为效用创造价值的没有看到效用是劳动创造的，认为供求决定价值的没有看到供求的变化实质是劳动配置的变化。说到底，以往的价值理论研究缺少对价值范畴客观性的认识，所有进入这一领域的经济学家都自觉不自觉地带有浓厚的主观色彩，这是使这一问题的讨论经历了持久战而又没有任何解决的成果的根本原因。这一历史相对近几个世纪的科学技术与工业发展而言，是十分惭愧的，这只能说明经济学界的思想落后。

五 结 语

以常态劳动观认识价值，劳动价值论阐述的人类无差别劳动的凝结蕴有丰富而生动的内涵。军事劳动的变态价值创造是价值创造中的常态特殊表现。剥削劳动的存在使价值归属趋向两种不同的劳动主体。常态的视角开拓了价值理论研究的视野。

常态价值只表现价值有正态与变态的抽象区分。正态价值是正态的有用劳动整体创造的价值。变态价值并不是所有变态有用劳动的创造，它只是军事变态有用劳动的创造，剥削变态劳动的价值完全来自于被剥削劳动的价值创造，剥削劳动主体是不起创造价值作用的，而军事变态有用劳动的变态价值创造并不完全指战场上的贡献，一切服务于军事的劳动都属于这一领域，尤其是军工生产属于典型的军事变态劳动，由于军工生产中亦可存在剥削劳动，所以在此往往存在双重的劳动变态，只是在双重变态之中剥削劳动主体也没有变态价值创造的贡献作用。

在常态价值之中，存在有益价值与无益价值的区分。有益价值表示有用劳动的创造对于推动常态社会的发展起支撑的作用。无益价值表示有用劳动的创造对于常态社会发展的作用是消极的。创造有益价值的劳动是生产劳动，即有用的生产劳动；创造无益价值的劳动是非生产劳动，即有用的非生产劳动。正态劳动中有生产劳动与非生产劳动之分，变态劳动中亦有生产劳动与非生产劳动之分，也就是说正态价值中有有益与无益的区分，变态价值中也有有益与无益的区分，这表现的是常态性。社会存在与发展的复杂性在于，社会承认无益价值创造，无益价值是必不可少的或避免不掉的，只是无益价值必须控制在一定的范围或比重之内。

在常态社会，军事劳动成果是社会的需要。无论哪一个国家，都需要有军事劳动的存在，这极少有例外。军队的强大是国家强盛的重要标志。军队创造的是国家的安全和社会秩序的稳定，这是社会生产条件之一，所以，军队的劳动创造成果为现实社会必需。军人们并非是由老百姓养活的，军人们像其他行业的人一样是自己养活自己，靠自己的劳动吃饭。只是同样，军队的数量不能过多，军人在全社会劳动者中只能占有一定的比重，这一比重视各国的具体情况而定。而且，军队必须保持一定的质量，不能光有数量。

军事劳动的历史与现实存在，是人类社会发展必须付出的代价。这是一种无奈的付出。虽然现代社会军事劳动的表现已有一定的变化，但是这种无奈还是要延续下去，无论哪一个国家都必须接受这一现实。为了自己国家的安全，即为了给自己国家的人民提供可靠的生存整体屏障，每一个国家都应主动地富国强兵。军事劳动也分为有用的军事劳动与无用的军事劳动，变态价值是有用的军事劳动创造的，但不论是否创造价值，军事劳动的付出都是无奈的代价，而且无用的军事劳动的代价付出更体现这种无奈的性质。

价值理论具有客观性。这决不是一种因阶级立场不同就不能科学认识的理论。研究价值，首先需要对客观事实准确认识，然后才能有正确的逻辑分析。任何经济学家都不能凭主观想像去创造一种为特定阶级利益服务的价值理论。价值是中性的，是客观存在的劳动的有用性的抽象反映，科学的劳动价值理论必定要成为经济学的统一的基础理论。

推进价值理论发展是艰苦的过程。常态价值理论是科学认识的成果，是建立在无可争辩的客观事实的基础上的。然而，富有文化素养的人们早就熟知的"梅尔定律"是这样指出的：如果事实与理论不合，事实必将受到唾弃。

所以，我们只能乞求例外。

第二篇

价值交换与市场作用

　　到 20 世纪末，经济学研究中的数量分析已经是很普遍了，形成这种趋势，固然是由于经济生活中本来就存在着大量的需要解决的量化问题，不论是生产值，还是消费值，都需要有数量的确定，非数量分析不能解决定量的问题，或是说无法阐明事物之间的定量关系，但更重要的是，人类社会的发展已经进入了数字化时代，电子计算机的普及与联网几乎可使所有的信息包括图像都能够通过数码传送，因而，经济学运用数量分析，以量化或定量分析求证原理，既是本学科发展进步的标志，也是富有时代特征的必然要求。但是，严肃地讲，数学的应用进入经济学领域并不是一件很容易的事，一般性的数量关系是易于反映的，稍微复杂一些的经济关系用数量分析，不可控因素太多，从而达不到运用数学研究的基本条件。可以说，将数学应用于经济研究，还需要较长期的努力，已有的探索是远远不够的。价值理论研究的科学化和系统化的成果最终是需要用数学语言描述的，但现在，我们的研究还没有达到那一阶段，只能是继续为此而努力。目前，更需要做的是数量分析的前期准备工作，即基础的定性研究工作，这是很艰难而又不可回避的工作，而且是只能做好，定量的分析运用才有实际的意义。这种基础工作是规范研究，同时也是本质性研究，这种研究要求定性准确，基本的逻辑推理不出现错误。

我们将围绕价值量的问题继续讨论价值形式，但并不是具体分析价值量的数值，而仍然是分析形成价值量的条件，探讨确定价值量的方法。政治经济学的传统价值理论研究早就对这方面的问题有似乎毋庸置疑的论断，但是，当劳动整体性确定之后，明确了价值创造与价值归属的不同，传统的认识是无法再立足的，这方面的研究必须而且只能是重新开始。对于价值范畴的新角度认识，必然引起对于价值运动的新角度认识。新的研究不仅要摆脱传统认识的纠缠，而且要切实走向科学，保证逻辑推理正确，因而其难度是相当大的。在继续进行的工作中，我们要导入市场作用分析，即明确价值量的分析是仅指商品价值研究的，到此已经不再过多地涉及非商品的劳动产品问题。由于进行商品经济研究，很自然，我们就不能只考虑价值问题，而必须同时讨论价格问题，相比价值，价格的活跃性是烦扰每一位经济学家的，在对于价值缺少科学的界定之前，很难说经济学的研究对于价格能有全面而又深刻的理解，这实质是一个问题的两个方面，价值与价格，其相关性可能是任何其他的两个经济范畴无法相比的。我们的研究目的是把握真实的市场联系，由此来分析价值的量和价格的形成原理，这样阐释清楚价格不同于价值的机理，有助于价值理论区别于价格理论。而我们的研究与以往相比最大的不同，仍然在于是以常态劳动观为认识基础的。

第七章 价值与价格

从常态角度认识，价值是常态劳动决定的人类常态社会意义上的无差别的有用劳动的凝结。常态性、社会性、无差别性、有用性，均指劳动而言，抽象地认识劳动的这些性质，就是从本质上认识了价值。但就这一理论，经济学界已经讨论了几个世纪。问题不在于从具体到抽象不易提升认识，而在于市场的复杂性很难把握。价值范畴，在商品经济条件下，是与市场紧密相连的，是与交换直接相关的，研究价值是要同时研究市场与交换的。这就涉及经济学的另一个重要范畴，价格。只要讲到市场，必然要讲到价格。只要有交换，也必然体现价格。价格与价值的关系，是市场永恒的主题。我们需要研究这两个范畴之间的关系，更需要以市场为前提进一步研究价值的形式存在和价格的涵义，这都是属于价值理论和价格理论中的基础问题。除此之外，我们还要讨论价值的不确定性和价格的不确定性。

一 价值的存在形式

对于劳动的反映，价值与价格不同，价值是抽象反映，价格是具体反映。抽象的价值反映只有抽象的存在形式，不能具体

— 110 —

化，即不可用具体形式对价值进行描述，因为一旦具体描述就是价格形式而不是价值形式。也就是说，价值的存在形式应是一种抽象的表现，即只能一般不能特殊，而且，就商品而言，离开了交换范围经济总量的确定，是无法测定价值的。

价值的基本存在形式只能抽象描述：

价值 = 抽象的劳动有用性

例如：

一件上衣的价值 = 一定的抽象的劳动有用性

这就是说，对价值形式不能理解为是可用具体的劳动产品相互相对量化表现来描述的范畴。抽象与具体的对立决定价值形式不可具体描述。只要是有直接的具体的量化表现，就不属于价值形式范畴的反映了。因此，若列出 x 量商品 A = y 量商品 B 的形式来表现价值形式，是与价值定义不符的，也是对价值的认识不清的逻辑错误。

这种错误的存在，例如：

20 码麻布 = 1 件上衣

其错误在于这不能作为简单的、个别的或偶然的价值形式看待，即 20 码麻布不可作为相对价值形式，1 件上衣也不可作为等价形式。商品的价值只能是由消耗在生产商品上的劳动抽象体现。

因而，Z 量商品 A = U 量商品 B，或 = V 量商品 C，或 = W

量商品 D，或 = X 量商品 E，或 = 其他，也是不能作为总和的或扩大的价值形式认识的。

同样，反过来，U 量商品 B，V 量商品 C，W 量商品 D，X 量商品 E，及其他，均等于 Z 量商品 A，也是不能作为一般价值形式认识的。

同理，各种不同量的不同商品，均等于一定量的货币，这也是不能作为货币形式的价值形式认识的，或是说，不能认定货币形式是最终的价值形式。作为价值形式的描述，只能是抽象的，不能这样具体化，不能用具体的商品量来相对表现价值。

而在马克思的《资本论》中，正是存在着这种表现的。[①]例如：

$$20 \text{ 码麻布} = 1 \text{ 件上衣}$$
$$= 10 \text{ 磅茶叶}$$
$$= 40 \text{ 磅咖啡}$$
$$= 1 \text{ 夸特小麦}$$
$$= 2 \text{ 盎斯金}$$
$$= \frac{1}{2} \text{ 吨铁}$$
$$= \text{ 其他商品}$$

这是一种量化的具体表现，并非抽象反映，所以是不能作为总和的或扩大的价值形式表现看待的。

例如：

---

① 参见马克思：《资本论》，第 1 卷，第 1 章，人民出版社，1975。

$$
\left.\begin{array}{l}
1\ 件上衣 = \\
10\ 磅茶叶 = \\
40\ 磅咖啡 = \\
1\ 夸特小麦 = \\
2\ 盎斯金 = \\
\dfrac{1}{2}\ 吨铁 = \\
x\ 量商品\ A = \\
其他商品 =
\end{array}\right\} 20\ 码麻布
$$

这也是具体的量化商品表现，也是不能作为一般价值形式表现看待的。用 20 码麻布充当一般等价物，来表现商品的价值形式，显然是违背价值的抽象性要求的。

例如：

$$
\left.\begin{array}{l}
20\ 码麻布 = \\
1\ 件上衣 = \\
10\ 磅茶叶 = \\
40\ 磅咖啡 = \\
1\ 夸特小麦 = \\
\dfrac{1}{2}\ 吨铁 = \\
x\ 量商品\ A =
\end{array}\right\} 2\ 盎斯金
$$

这具体地表现了一般性的货币即特殊的商品与其他各类商品相交换的形式，这一形式不能作为价值形式看待。抽象与具体是不能混同的，在对价值形式的认识上，必须严格遵守抽象性的规定，决不能将价值形式用具体的量化关系来表现。

总之，将价值形式理解并表现为具体的商品的量化交换关系，还做了简单的形式、扩大的形式、一般的形式和货币形式的区分，这是对价值范畴的抽象性认识不深刻的反映，从而这就混淆了价值与价格，以价格的表现形式取代或充当了价值形式。这表现出，在早期的政治经济学研究中，不仅对于经济生活的基本事实认识不准确，而且理论的逻辑思维还很不严谨。这事实上严重地影响了科学的价值理论研究的深入，这是以简单的具体量化关系遮掩了价值抽象的复杂性。

在《资本论》中，马克思也曾讲过："一个商品的价值性质通过该商品与另一个商品的关系而显露出来。"① 马克思这样的论述是准确的，因为这是抽象的描述，没有讲到具体的交换表现。这与其用具体的商品举例是不同的，那样举例是不妥的，实际是描述价格，而失去了价值研究的抽象性。这也可能是与当时关于价格的研究太少有关。因此，不单是在这一点上造成价值与价格的混淆，实际上在其他一些问题上也都存在着这种混淆，而这一直没有引起过研究者们的注意。我们的研究不能再做这种混淆的继续，必须始终如一地抽象地把握价值范畴，抽象地描述价值的表现，既不能用价格分析取代价值分析，也不能用价值分析取代价格分析。从其抽象性来讲，分析价值只能是行云流水，高度概括，大气呵成，由本质到本质，抓住其基本性质做分析，对劳动的抽象形式做出阐释。这决不同于价格分析。对于价格，也是有一般性的抽象分析的，但在商品本身，价格是具体的，多少价就是多少价，分析这种价格，只能是具体分析。这就是说，对于具体商品，价值也是抽象的，不由商品个量本身决定，而价格是可以指向具体商品的，并且价格也是用具体的量化关系表示

---

① 马克思：《资本论》，第 1 卷，第 64 页，人民出版社，1975。

的。20 码麻布不论与哪一种商品交换，都是一种直接的价格表现，虽然价格是价值的具体化，价格的基础是价值，商品的价值与价格是紧密的相互依存关系，但是在具体的商品交换上决不能直接讲某商品就是某商品的价值表现，这是必须十分清楚的，必须严格把握价值与价格的区别界限，不能将二者相混。在这一区别上，不应出现逻辑混乱的问题。以往的研究中是有较多混乱的，不能以其混乱的认识为依据，继续将具体的价格形式作为价值形式看待。

需要指出的是，在传统的将具体混同抽象描述的价值形式分析中，所涉及的商品交换的依据是指各种商品生产中的劳动主体付出，是假定劳动强度和劳动平均熟练程度一致下的劳动者耗费的劳动时间即社会必要劳动时间的比较。[①] 今天看来，这是不能用做一般性认识的，或是说这与社会化大生产条件下的商品交换市场的情况不相符。比如，讲 20 码麻布交换 1 件上衣，是指生产 20 码麻布的劳动者的社会必要劳动时间与生产 1 件上衣的劳动者的社会必要劳动时间相等，这种事可能只发生在小商品生产时代，那时的商品货币关系很简单，很不成熟，是不能引申用做一般描述的。使用社会必要劳动时间范畴，只表明的是劳动主体价值论或活劳动价值论，不是科学的劳动整体价值论。我们已经论证了劳动的整体性问题，分析了劳动整体创造价值的内在机理，阐明商品的价值决不只是劳动主体创造的，所以，只将劳动主体付出作为交换依据是与按商品价值交换或以商品价值为基础的交换不一致的，不能用做一般的价值交换描述。抽象地讲，应

---

① "只是社会必要劳动量，或生产使用价值的社会必要劳动时间，决定该使用价值的价值量。"（参见马克思：《资本论》，第 1 卷，人民出版社，1975，第 52 页。）

是两种商品的劳动整体作用交换，既包括劳动主体作用，也包括劳动客体作用。社会必要劳动时间范畴中的劳动只指劳动主体，从劳动的整体性界定讲，这一范畴是不能成立的，如同劳动主体价值论不能成立的道理是一样的。

二 价值的不确定性

确定价值形式是抽象的，不可具体化描述，之后，我们要讨论价值形成的不确定性问题。这种不确定性是指同类劳动成果形成多少价值在一定时期内的不同商品经济区可能是不同的，在同一商品经济区的不同时期内也可能是不同的，总体上是变化的。通常意义上的不确定性分为概率的与非概率的两大类，价值的不确定性应属于非概率的一类。对此，决不能用传统的社会必要劳动时间来理解价值的不确定性，并不是社会必要劳动时间不确定而引起价值的不确定。不仅是社会必要劳动时间范畴不适用，其他传统的关于价值界定的认识都不能延续使用。我们分析的价值，是指劳动整体创造的价值，不确定是指这种整体创造的价值的形成不具有确定性。提出不确定问题，是政治经济学的价值理论的深入，也是市场经济发展需要解决的认识问题。

从实质上说，价值范畴体现人类劳动的内在联系。这种联系分为两个大的层次：一个层次是全人类劳动之间的整体联系，这决定人类社会的整体发展水平；再一个层次是实际的商品经济活动范围内的劳动之间的联系，这是市场层次的联系。价值是不能单独存在的，它必须依附于或者说承载于使用价值，所以，决定价值的实现先要看能否实现使用价值。并且，商品的价值也不是单个商品的测算，而要看商品经济交换范围内的使用价值的实现情况，然后才能根据使用价值实现的社会承认量去确定实现了多少价值，即实现了多少劳动整体作用的抽象凝结。因此，价值的不确定性源于使用价值实现的不确定与商品经济实际交换范围的不确定。

使用价值的创造过程同时也是价值的创造过程。使用价值与价值都体现在劳动成果上，但价值是后定的，不像使用价值那样具有直接的决定性。某一劳动产品，具有多少自然使用价值是客观的，它不管别的产品的自然使用价值是多少，甚至不管同类的其他产品的情况如何，它本身具有的自然使用价值不变，不受外部的影响。而价值就不同了，它是无差别劳动的凝结，它与其他产品中的劳动凝结存在一个比较的问题，劳动整体作用的抽象也需要平均化，因而不是单一劳动产品自身能决定自身的价值。而且，在生产过程中，人们直接看到的也是使用价值的产生，而不是价值的创造。就使用价值生产来说，受各种生产条件变化的影响，结果可能是有差异的，即使是劳动者的主观努力未变，结果也会是不一样的。比如农产品，受自然气候的影响非常大，有时候就是决定性的因素，所以随自然气候的变化，生产结果会有不同，而这种使用价值创造的不同，也同时影响价值变化。只要使用价值的创造是有变化的，那么价值发生变化，无论是对单一商品，对同类商品，还是对总商品，都是不可避免的。以使用价值为载体的价值受载体变化的影响而变化，是逻辑必然。

进一步说，在使用价值的变化中，对价值不确定的影响最大的，还不是自然使用价值的变化，而是社会使用价值的变化。商品的自然使用价值创造出来以后，是不变的，是客观的，但是市场对自然使用价值的接受程度或者说评价的情况决定商品的社会使用价值。社会使用价值以自然使用价值为基础，又不同于自然使用价值，它可能是对自然使用价值虚假的超出，也可能是对自然使用价值有意或无意的贬低，即使是正确地认识自然使用价值也可能存在表现角度的差别。而价值是直接与自然使用价值关联的，对于社会使用价值的影响，主要在于能否实现社会使用价值。若实现社会使用价值，则劳动整体创造的价值能实现；若没有实现社会使用价值，则劳动整体作用的成果就成为无用劳动成果，不具有任何价值。所以，能否实现社会使用价值，对于价值的实现是决定性的。而社会使用价值的实现，在市场交换之中，是不确定的，有一定的偶然性，因此，这直接的影响就是造成价值的实现也是不确定的。

价值不是单一劳动或单一商品决定的，劳动的抽象要求平均值，平均值则是在一定的范围内实现的，即没有范围的界定就没有平均值的确定。而商品经济的交换范围是经常变化的，由于这种变化是自然存在，价值的确定受到影响，也自然产生不确定性。某一商品原先只在本国市场出售，后来出口到其他国家，交换的范围扩大了，其价值的确定在其交换范围未扩大前是一个样，而在其交换范围扩大后就是另一个样。商品有自然地扩大交换范围的趋势，或者说生产的进步不断地促使商品交换范围扩大，所以，价值的变化对于商品而言就经常地要表现出来。

即使是商品交换范围不变，同一范围内的经济总量变化对于价值的实现也是有直接的影响。经济总量的变化总是伴有一定的经济结构和劳动生产率的变化，这就使价值的确定由于抽象的平均值变化而表现出重新的评价。当然，若经济总量只是规模扩展，没有任何结构的变化，价值也可能是不变的，但实际上没有结构的变化的经济总量变化在现实中几乎是不存在的。

需要指出的是，价值的不确定性不仅体现在有形商品上，而且也是劳务商品的基本性质体现。作为劳务商品，无论是哪一类，都是无法贮存的，即都是随生随灭的，随消费而产生，随消费结束而结束，其使用价值存在的过程也就是价值存在的过程。如果说商品的价值是后定的，那么在劳务商品上这种后定性似乎无法解释。但价值是抽象的，后定不体现在具体之中，所以仍然是不能用具体的商品表现来测定价值。只是，在经济范围变化、经济总量变化、自然使用价值变化之中，劳务商品的价值也要随之变化。劳务商品一旦出现，即表明其具有社会使用价值，所以，一般地说，也存在社会使用价值的实现对于价值实现的影响问题。

从常态的角度看，正态价值具有不确定性，变态价值也具有不确定性。变态价值是军事有用劳动创造的。在一个国家内，设置多少军事劳动是有变化的，军事劳动总量的变化必然会影响到其创造价值的变化。尤其是在战争期间，军事劳动激增，社会作用巨大，其价值的创造与实现的变化无疑相应也是不同往常的。就是按和平时期讲，军事劳动的有用性也不是常年不变的，国家对于军队的经费支持几乎年年有变化，这实际上也是影响变态价值变化的重要因素。而且，这就是说，军事劳动的价值创造实质是与全社会的价值创造连在一起的，社会并不能够单纯评价变态价值，军事劳动的付出要与社会其他行业的劳动付出抽象地置于一起做比较，即劳动有用性的抽象平均是以全社会为范围的，变态价值是在总的价值创造与实现中得到社会承认的，所以，任何对于社会总价值变化的影响都是致使变态价值形成自身不确定性的因由，反之，变态价值的变化也要影响全社会商品价值的。

三 价格是有用劳动的市场实现

抽象劳动的有用性是价值，价值以自然使用价值为载体、为基础，价值的实现以社会使用价值的实现为条件。而在市场交换之中，具体的交换依据或交换标准是价格，不是价值，即交换的具体双方是按价格交换，不是按价值交换，这时不管价格与价值是否一致，实际表现出来的是价格，因为这是具体的表现，不是抽象的表现。价格具有可视性，而价值是不能具体化的。我们可将商品经济中的自然使用价值、社会使用价值、价值、价格的关系用下图表示：

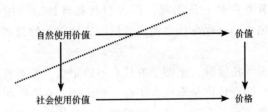

图中斜线（虚线）表示从劳动产品到商品实现即交换实现的"惊险跳跃"，实现这一跳跃后，才实现社会使用价值、抽象的价值和具体的价格，这三者都以自然使用价值的创造为基础。社会使用价值与自然使用价值是或然等值关系，即可能一致，也可能不一致，存在着可能不一致的矛盾。市场交换的复杂，商品经济的复杂，很大程度上是集中在社会使用价值与自然使用价值的不一致上。在现实生活中，这种不一致是经常发生的。价值与实现了社会使用价值的自然使用价值是一致的。价格不论在个量上还是在总量上都是与社会使用价值一致的。由于自然使用价值与社会使用价值之间存在矛盾，因此，与自然使用价值一致的价值和与社会使用价值一致的价格之间也存在着矛盾。

在价值与价格的矛盾运动中，价值是有用劳动的抽象实现，价格是有用劳动的市场实现，即价格是在市场上以具体的量实现的有用劳动确定。这种确定可能是不准确的，但却是现实的和具体的。价格是一种直接的市场关系，价格以与价值不同的形式和方式反映有用劳动成果，它们二者之间存在着抽象与具体的不同，存在着直接的依据不同，因此，价格不能被理解或解释为是价值的货币表现。传统的理论做出的价格是价值的货币表现的论断，对于价格的解释是过于狭窄的。如果说这一观点能够成立，那么在没有货币之前，或是在没有货币的地方，在没有货币的特殊环境下，似乎就没有价格了。甚至说只要交换者不使用货币，价格范畴就要被取消了。准确地讲，价格是表现有用劳动的，而价格本身也需要表现，货币可以表现价格，非货币也可以表现价格，即使说价格是表现价值的，其表现方式也决不能拘泥于一种形式，可以说凡是能够采用的具体形式，都应为价格。这是市场的实际，理论对于价格的认识必须符合市场实际。因而，对于价格的认识，不能受货币的局限，有货币存在，有价格存在，无货币存在，也有价格存在，只要有交换存在，只要有价值存在，就可以有价格存在。价值不是交换的产物，但价格肯定是交换的产物，是市场的产物，没有交换，没有市场，就不会有价格。价格在经济研究的意义上，有着与价值不同的内容，这是一个需要深入研究的领域。

价值实体是劳动，价格实体也是劳动。在坚持劳动价值论的前提下，我们不能将价格说成是劳动以外的表现范畴。我们只能说价值与价格的区别是以不同的方式表现实现了交换的劳动。这不同的方式是有矛盾表现的。曾有这样一个真实的故事：在青藏高原上，一位受到暴风雪袭击不能继续赶路的人，他身上只带有一盒火柴，这在当时是救命的火种。于是，看到他有这盒火柴的同路人愿以 1000 元的价格买下这盒火柴。可说什么他也不卖。因为他只有这一盒火柴，他也要靠这盒火柴活命。1000 元对于一盒火柴来讲，是天价了。如果我们不谈这盒火柴在当时的救命作用，只就火柴消耗的劳动而言，肯定是不多的。就是讲原先买这盒火柴的价格，也就是 0.1 元。只是这种在别地可以买到的火柴，当时在那个高原的风雪之夜里是绝买不到的，于是价格被人抬高了 1 万倍，拥有这盒火柴的人还是不答应出售，双方没有成交。仅从价格研究的角度看，1000 元价格出现的原因，不是因为创造火柴的劳动发生变化，也不是火柴的自然使用价值发生变化，而是在那个特定的环境中，这盒火柴的社会使用价值发生了变化，它成了救命的火种，因而立时身价万倍。这时候的价格反映的是原来的价值和变化了的社会使用价值，价值还是不变的，而价格具体变化和具体表现为 1000 元。如果成交，这个价格就是现实的。这是一个表现极端的例子，但是可以比较清楚地例释价格与价值的关系、价格与社会使用价值的关系、价格与自然使用价值的关系。

就名人字画来说，社会使用价值与自然使用价值的矛盾即社会使用价值与其基础的背离，是很突出的。在社会使用价值中加入了相当多的社会影响因素，而非字画本身的自然使用价值于消费者的作用所能涵盖的。在市场上，人们可以看到，一幅名画可以拍卖到上千万美元，一个大字也可以卖上万元。这种价格的产生，是以社会使用价值为依据，或者说是建立在自然使用价值基础上的社会使用价值直接决定的，价值与自然使用价值一样起基础作用，只是对于价格的现实形成不起直接决定作用。一幅名画，可能就价格讲，比一座富丽堂皇的大楼的价格还要高，可以肯定画家的功夫再深，其全部投入与建造大楼的投入相比，也是微乎其微的，只是因为有社会需求，有较高的普遍的社会评价，画家的劳动成果才能得到比大楼价格还高的价格。虽然名人字画的经济活动圈子很小，总价格在社会总产值中只占很小比重，但毕竟这是一种交易关系的存在，而且是一种价格的典型存在。现实地讲，政治经济学的研究在目前也只能接受或承认这种价格事实，而不能再去深究产生这种价格的深厚的社会历史渊源。若细究，实在是太复杂。而不深究，其实表现和解释又相对简单。有人买，有人卖，一个愿买，一个愿卖，价格就这样具体地形成了。任何一种成交，都表示的是市场行为，即任何价格都是在市场中形成的。[①] 从理论上讲，价格的市场形成或实现，标志着该劳动产品的价值实现和其具有既定的社会使用价值。

有些人对歌星漫天要价颇有微词。其实在现今世界的各个国家，这是一个雷同的或者说普遍的现象。歌星们的市场价都很高，只要其能称得上是星的，价码决不是一般水平，而且歌星的名气越大，其要价越高。持批评态度的人是白费精神，因为不管他们怎样反对，这种市场行情基本没变化，即使个别情况下不是高价，也可以肯定地说，是与反对意见无关的，可能只是其他别的什么原因使然。从经济学意义上讲，歌星的劳动是非生产劳动，是一种服务性质的以无形产品形式提供给社会的劳动成果，如何评价歌星劳动的社会使用价值是决定价格的关键。听众们愿意给歌星的劳动以较高的社会使用价值的评价，愿意接受歌星的要价，愿意以高价买票，一般讲，在这之外的人就没有批评的必要。即使这是错误的评价，也是要由评价者们自己负责的，更何况从现在看这些听众并不认为他们自己的评价有错误，社会也没有对他们的评价采取强制压下去的措施。这种对歌星劳动的评价，是一种典型的公众行为，与社会秩序并无妨碍，是少数人无法阻止和改变的。因而，歌星们的劳动价值创造实现在听众对其劳动成果的承认上，而听众对其劳动成果的社会使用价值的高评价则构成了那些不菲的价格。这是又一种价格典型。对此，无可厚非。体育商业化之后，体育明星的情况大体上也是这样。现实地获取较高的社会使用价值是产生这种高价格的决定性因素。在市场经济中形成与价值不符的高价格并不都是不可忍受的，因为

① 传统的社会主义经济体制中的计划价格也是市场关系的反映，只不过是一种可能不太符合市场要求的反映。

社会的人并非都是理性的，明星们的高要价并不违反价格形成的逻辑，也是与一般的市场规则相符的。

四　价格的二重性

具体的价格不同于抽象的价值。价格是表象的，价值是本质的，价格与价值具有这种表象与本质的差别。但是，另一方面，价格与价值还有相同点，这就是二者均为有用劳动的反映，反映的对象同一。价值抽象有用劳动，价格在市场上具体地表现有用劳动。先有劳动创造的价值，然后有了交换，才有价格的实现，同时亦有价值的实现。价格与价值，还有社会使用价值，是一起完成商品的惊险跳跃的，虽然其中起关键作用的是社会使用价值，即只有当自然使用价值能够转化为社会使用价值，价格才能成立，价值才能实现，但是这丝毫不妨碍价格在跳跃中所起的联结社会使用价值与价值的重要作用。在市场中实现的价格，并不单纯只表现价值，即价格并不单表现商品的价值方面，有用劳动是二重性的，商品也是二重性的，价格实现的是有用劳动，价格是商品的价格，所以，价格不能只反映抽象的一面，它还要反映具体的一面，价格是商品的全面的反映。价格形成的过程说明，除对价值反映之外，价格还要成为社会使用价值的直接体现。因此，在劳动二重性与商品二重性的基础上，价格也具有二重性。

价格的二重性是指：一方面价格是抽象的价值的具体表现，一方面价格又是具体的社会使用价值的抽象反映。决定价格的基础是价值，即人类无差别有用劳动的凝结，没有劳动的创造，就没有劳动产品的价格。决定价格的实现是社会使用价值，即社会对自然使用价值的评价。价格既表现了价值，又表现了社会使用价值，这是二重的表现。以往的理论只是单纯解释价格表现价值这一个方面，而对价格对于社会使用价值的表现没有概括认识，这就既可能使价格理论与价值理论相混，又会使片面性的认识掉进抽象的陷阱内不能自拔。全面地认识价格，只有从认识价格的二重性开始。

由价格二重性决定，不能只讲价格是价值的表现，更不能将价格与价值在范畴的使用上混同。在实际生活中，混用价格与价值是很普遍的，但这并不会产生多大的麻烦，不论是将价格说成是价值，还是将价值说成是价格。而在理论研究中，是一定要对价格与价值把握严格界限的。价格具体包含了比价值的抽象更多的内容，价值只计量生产劳动产品的劳动整体作用的投入，而价格在此之上还必须承受现实的社会需求对劳动产品的评价。在市场还不能达到足够理性的前提下，社会使用价值的决定很可能与自然使用价值存在很大差距，物不能尽其用，结构性供求失衡，加上许多情感因素的偏激作用，对同样的劳动投入产出的商品的社会评价可能会忽高忽低，也可能会厚此薄彼，现实经济生活的生动性于此是有充分体现的，而商品的价格也只能随之变动，无法与同等量的劳动付出相一致。在这一方面，价值总是不能直露的，而价格总是具体产生的社会使用价值的抽象。或许还可以说，价值是基础，价格是这一基础上的构成，这一构成既离不开基础，又与基础的材料有所不同。在价格形成中，偶然性的影响因素很多，这与单纯的价值抽象决不是一样的。而且，价值是在交换中实现的，但却是在生产中形成，严格地讲，价值是一个生产概念，不是一个市场概念，而价格则肯定是在交换中形成的，也是在交换中实现的，所以，价格不是一个生产概念，至多只是一个生产中需要参考的因素，价格是一个市场概念，价格关系实质体现市场交换关系，市场是价格存在乃至活跃的映象。生产是只有生产者参与的过程，在生产过程起作用的是劳动的主体与客体。而相对交换来说，参与者构成复杂，既有生产者在其中，也有消费者的进入，还有为生产者与消费者服务的中间环节的劳动者。不管怎样讲，交换不是一种单方面行为，而是有买有卖的对流。所以，价值有一种单纯性，它是众多的劳动抽象的平均值，而价格是现实的，它是交换中形成的具体，它的形成当然要考虑生产因素的作用，因为它毕竟是生产结果的表现值，不可能脱离商品而存在，但价格更要现实地考虑消费需求，购买者与售出者之间存在着对立，社会评价对于价格的确定起直接的作用。从市场现实看，一般情况下，生产者是按劳动整体投入要价，但在特殊的情况下，生产者就不能固执地要求按生产的投入成本交换，必须要有所变通，而且甚至有时变通了产品还是交换不出去，使劳动成为无用劳动，使价值无法实现。生产者可以某次交换所得低于自己的劳动整体投入，在以前以后的交换中用高于自己劳动整体投入的所得补平，而在这样做的过程中，每次交换的价格都真实地与劳动整体投入不一致。现在，有相当一部分生产者学会了追求高于自己劳动整体投入的社会评价，即学会了使自己的劳动产品获得较高的社会使用价值，这形成了市场强劲的竞争力，在某种程度上成为刺激市场活力的一个重要作用点。当然，这些有竞争力的生产者得到的社会高评价，一般情况下是以社会对于其他劳动成果的社会使用价值的低评价为代价的。因为社会的总评价是围绕社会总的劳动有用性进行的，每一种评价都是针对某一物而表现的，不可能存在空无一物的社会评价，而且，有高评价，就有低评价，高低相补，也是一般常情。应该说明，社会使用价值对于价格的确定是关键性的，价格与社会使用价值是正相关的关系，价格是抽象地体现社会使用价值，[①] 但是，社会使用

---

① 这与价格是价值的具体体现不同，价值是抽象的，反映这种抽象的是价格具体。

价值的表现是具体的，而且社会使用价值的具体中存在对价值实现的肯定，价格对于社会使用价值的抽象不同于价值对于劳动整体作用的抽象，这是一种由个别到个别的抽象，缺少价值那种一般性的规定。作为价格，只能接受市场现实，只能接受社会评价的决定作用，而不能以生产的历史对抗交换中的现实，虽然生产的意义是至上的，生产是先行的，生产中创造的价值是价格形成的基础，否则，价格本身就难以实现。价格的命运有时是很脆弱的，市场危机之中的价格一路下滑与生产中的劳动投入稳定相比可能是最为典型的脆弱表现。

价值与价格，生产与交换，既存在一致性，又有内在的矛盾。在商品经济条件下，生产是为了交换，但生产出来的产品却并不一定能交换出去，或按生产消耗的劳动等量地交换出去。这就是矛盾，就是市场上每日每时都可能发生的冲突。这就是说，在生产中创造的价值与在交换中形成的价格之间存在着现实的尖锐矛盾，这是生产与交换的矛盾之本。价值表现出人类劳动的通约性，价格表现出这种通约性的现实性和实现性，只是通约性并不能作为交换的直接依据，通约性只不过是交换实现的基础，交换的直接依据是价格，是以双方都接受的社会使用价值评价为准则的。不论交换的哪一方是否对交换满意，是否是按价值讲做到了等值，交换表现出的都是价格的具体，都是相等的带有社会使用价值具体评价的商品的相互让渡。而且，我们同样看到，只要交换物是劳动产品，交换的双方必须要衡量创造劳动产品的劳动整体投入，这个时候要看交换物的自然使用价值，从自然使用价值的创造上分析劳动投入一般，即为了要得到自然使用价值，必须要考虑通约基础的价值，价值的基础决定作用由此体现，只是，毕竟双方交换的目的不是为了价值，而是为了得到对方创造的自然使用价值，因此，就有可能又不太计较价值，而为了保证交换的成功。这里讲的是原始性的生产者之间的以物易物的交换，关系是简单的，道理是同样的。买方愿以较高的价格购买，在一般情况下，卖方是没有理由不出售的，既然是为了交换而生产的，能交换就是顺利的，能以较高的价格售出，对卖方是有利的，而且卖方也没有必要搞清楚买方为什么要以较高的价格购买这种产品。真正的市场交换或者说正常秩序下的一般市场交换是不带强迫性的，交换成功对于双方都是愉快的。在现代社会，政府对于具体的市场合法交换基本上也是不干涉的，让市场充分体现交换的自由。按一般的市场交换讲，愉快的成交是主流，人们只从成交中寻找愉快，至于成交是否符合价值交换的要求在这样的具体交换中显然是考虑的又是没有特别在意的。也许，我们可以由此推断，在这种交换中，双方可能不论哪一方都弄不太明白对方的劳动产品创造到底投入了多少劳动整体作用。在小生产商品时代，经济关系简单，可能人们只以劳动主体作用的付出来作为交换的尺度，只是这种尺度的交换在稍微发达或复杂一点儿的商品经济中就不再存在了。而且，越是到了现代化程度高的社会，不仅交换者不再只考虑劳动主体作用，就连做劳动产品生产投入的直接比较也少了，至多人们直接比的是自然使用价值，交换的媒体变成了货币，这时的交换已不是生产者相互之间把握的了，而是有各种商业机构参与，在这种市场条件下，交换者们自然而然地就要直接考虑社会使用价值，考虑社会评价，考虑价格的历史比较和横向比较问题。几乎在每个国家，都有一些奸滑的人，看懂了生产与交换的矛盾，又看到人们在复杂的商品经济社会背景下很难从个人角度搞清某种产品到底消耗的劳动量是多少，于是，钻各种法律的空子，趁机坑骗消费者。比如，一些厂家或商家扯起"打折"出售的旗号，向消费者宣传他们销售的产品价格一律打了"五折"或"六折"，甚至更大的折扣，但实际上厂家或商家的毛利润在 200% 以上。这里玩的就是价格把戏，人为地哄抬社会使用价值，再加上打折欺骗。但即使这样，这种价格也不能说不是价格，这种价格的形成并非不符合价格形成的一般原理。或者说，正因为这种价格符合市场一般要求，并未出轨，所以其才能实现，起到真实的市场交换依据的作用。问题就在于，价格并不直接按生产商品的劳动投入确定，外在因素很多，甚至气候条件、突发事件都可能成为影响某产品定价的因素。价格是根据社会对劳动产品的评价做出的，主要是当事者双方的评价，只要一种社会评价能为双方接受，价格就能成立。这其中影响交换双方，尤其是在现代，影响购买方的因素不仅多而且难以预料。所以，懂得这一点，就知道灵活地掌握价格的重要性了。价格的灵活相对于稳定的价值是市场的直接表现，价值是价格的支撑，但毕竟市场要求的是现实的具体的价格而不是价值。价值的变化相对慢，而价格在价值的基础上总是可以有较大的活跃空间。与会飞起来的价格相反，在市场上，还存在各种压低价格的情况。总之，市场上形成的价格是形形色色的，市场的复杂性充分地体现在价格的复杂上，现代人不可能做到完全客观准确地评价商品的价值和社会使用价值，加上各人有各人的生活偏好，加上社会历史环境的各种影响，使劳动产品凝结的抽象的劳动有用性与社会对劳动成果的评价之间产生一定差距是不可避免的事情，所以，形成按现实的社会使用价值为交换依据，形成具体的依据，这是价格不同于价值的基本点。全面地讲，社会评价是有高有低的，并不总是高评价，也并不总是低评价，有时高评价会落在某类商品上，有时高评价会落在某类商品的某种产品上，反之，低评价也会这样出现。也许有些商品长期是高评价的，有些商品是长期低评价的，在一个非完全理性的社会里，这些偏离较大的情况也不是不可能发生的。现实的社会容忍偏离，原因肯定是多方面的，其中重要的一点是社会习惯，人们受习惯的约束是很难摆脱的，历史一旦形成某种习惯，自然就会发出它的约束作用。从根本上说，形成这种约束，是社会还不很发达的表现。现在只能说，随着社会的发展，这种偏离的情况会逐渐地减少。然而，就市场的特点讲，偏离总是会有的，尤其是长期偏离以外的短期偏离，即一时高一时低的价格漂浮不定是常见的事，也更需要人们时时注意。一些生产者看到自己的劳动投入数倍于其他生产者，而生产的产品得到的社会评价却大大低于其他生产者，或者说，同样的劳动付出没有得到同样的市场价格，这时生产者就要考虑自身的劳动投入的改变问题了，至少有一部分生产者是要做这种考虑的，他们不想就那种状况再延续下去，可能会转产其他产品，也可能会想出别的办法，将自己产品的价格提上去。超过价值部分的产品收入是超额利润，即超额利润是超过劳动整体投入的社会平均值之外的回报，如果没有强大的外力作用即市场之外的力量起到的作用，这种超额利润在市场上只能是偶然的或阶段性的存在。不等价值的交换一旦实现，随即过去，但会给交换者留下相应的经验与教训。市场的现实表明，生产者从劳动投入时就要想到必须努力去得到社会相应的对其劳动成果的评价，其劳动在社会总劳动中占有的份额应与其在社会使用价值的总的评价中占有份额大体一致。交换者要求合理评价的努力并不能完全起到作用，再加上有意使评价抬高或压低的市场行为，市场价格的实际总是非常活跃的。从研究的角度来看，不能因为实际价格形成的多因素影响而否认价值为价格的基础，也不能因价值是基础，就以生产中形成的价值要求来具体地规范价格，实际这是可以要求但并不一定能做到的。价格不同于价值，具体讲就体现在交换的能动性上，市场的经济行为如同人们的喜怒哀乐一样丰富、活跃且多变，价格的确定是有着各种各样的具体原因和背景的。因而，做经济分析，决不能将价格混为价值，将价值混为价格，更不能脱离劳动谈价值和脱离市场谈价格。混淆这两个范畴，认识不到这两个范畴各自特定的形成条件，是经济学或者说政治经济学研究不成熟的表现。价格与价值的矛盾，是现实的存在，市场要不断地解决这二者之间的矛盾，理论上也要对这一矛盾做出清楚的认识。政治经济学研究的深入是能够达到这一要求的。

具体的价格与其蕴涵的价值相矛盾，从市场的角度讲，很重要的一点就是个人的市场交换行为可能代表了社会评价的基本内容。在简单商品生产时期，这种情况尤为明显。一个人生产出鞋子，拿出去卖，买他做的鞋子的人就直接代表社会既对他的劳动给予承认，又代表社会对他做的鞋子给予评价。就此而言，不论评高评低，在没有别的买者的情况下，只要制鞋者能够接受这种评价，双方就能谈成生意，在双方都认可的价格上成交。在生产规模较大，批量生产某一商品的情况下，买者多了，评价的人也多了，可能会评得合理一些，但也不尽然。问题在于，当一个人或少数人代表社会对商品做评价时，产生盲目性的概率是较大的。所以，越是经济不发达，生产规模小，参与交换的人少，市场范围窄，就越是容易产生交换的盲目性，使劳动成果难以得到合理的评价。社会经济发达之后，社会评价可能是真正的社会化了，合理性就会逐渐增强，盲目性就会渐渐减少。当然，市场交换中购买方做出社会评价，出售方也不是完全消极被动的，出售方也要做出积极的引导，努力让社会评价对自己有利，甚至为此要付出相当的成本与代价。如果在争取社会较高评价之中，有个人代表社会评价的，那么这也是特定环境下的特殊表现，因为总的说市场交换的运行机制需要避免这种特殊，才能是比较有效率的。

五 价格的不确定性

价值的不确定，是基础性的，是运动在社会投入劳动总量之中的不确定性。价格的市场活跃表明价格也具有不确定性。但价格不同于价值，价格运动是价值运动基础之上的更活跃的运动，因而，价值的不确定性对于价格的不确定性具有基础作用，却不能取代或替代。凡价格所涉及的劳动都是具体的，是抽象的价值蕴于其中的具体，即具体的价格表现的是具体的劳动成果在市场交换中要求对方提供的含有同样社会使用价值的劳动成果量。价格的不确定性就是指表现这种市场要求的不确定。根据价格的二重性，在价值的不确定性基础上，分析价格的不确定性，具有深刻的理论意义和普遍的市场现实意义。

价值是抽象的，其代表的劳动有用性的抽象在市场上的具体表现是价格。虽然价值对价格起基础作用，但市场的表现可能与基础有所背离，价格的直接依据是社会使用价值。只是价格不可摆脱与价值的联系，价值的不确定性必然要影响到价格的不确定性。这也就是说，价格具有不确定性，首先在于其形成的基础是有不确定性的。价值的不确定性在自身的影响所能抵达的范围和所能达到的程度上，对价格的不确定性产生作用。价值的不确定性是抽象劳动中的不确定性，这种不确定来源于劳动运动中的不确定，而价格虽然是市场表现，但若没有劳动基础，也就没有市场表现的可能，因此，劳动基础的抽象对于具体的市场表现不可能没有影响，其不确定总是要以各种途径与方式表现到市场价格的不确定上。价值是生产范畴，生产中的变化是反映在价值上的，市场反馈的信息对生产的重新安排是有影响的，而重新安排的生产必然带来价值变化，这种变化有总量的，也有个量的，所有的变化都可产生对价格的影响，尤其是大宗商品的价格变化是直接受生产状况影响的。

　　信息的不畅或者说不完全也是产生价格不确定性的一个因素。市场的信息是大量的，这是现代市场的特点，开发信息不仅需要投入一定的成本，而且需要相当的技能，不论作为交换的哪一方，对于必要的市场信息都是应该掌握的。但事实上，交换者中许多人是在掌握信息不足的情况下同意成交的。价格的不确定也就随之而产生。这是市场的运行机制与交易者的自主行为相结合的产物。前一段时间，四川的长虹牌彩电在北京掀起展销高潮，各大商场均有专门的销售柜台，而且每一家销售商都说自己是按出厂价销售的，确实一时购买者激增。人们对国产名牌彩电有了新的认识，也有了购买的欲望和实际的行动。但是，许多人不知道此时长虹牌彩电在北京各大商场按出厂价出售的价格并不一样，以长虹牌 K2588 型彩电为例，至少也有 20 种价格，据了解最低的价格是 3160 元，最高的价格是 3980 元，这其中价差为 800 多元，约占最低价格的 25.3%，最高价格的 20.1%。更有趣的是，标价 3980 元的彩电可能卖出去了，而 3160 元的彩电的销售并不具有更大的优势，这些彩电是同一厂家生产的，甚至可能是同一批产品，质量与售后服务方面也没有两样，却卖得五花八门。除去其他方面的因素不讲，北京长虹牌彩电市场上出现价格不一致，重要的一点是信息不畅，购买者并没有树立搜集信息的意识，北京的报纸曾报道过各个商场彩电价格不一样的情况，但从报纸上获取这一信息的人寥寥无几，多跑几家商店进行一下价格比较就是很精明的消费者了，在这样的消费群体面前，长虹牌彩电是能够以同样的质量和不同的价格销售的。而且，就北京的市场来说，类似长虹彩电销售的产品，还有许多，即以多样的价格出售同样的产品，决不止长虹牌彩电一种商品。甚至有的时候，紧相邻的两家商场就对同一种商品卖两样价格，也可照卖不误，较高价格的没有说卖不出去，较低价格的也没有说好卖。当然，这种情况在某种程度上反映了商家与消费者的关系，商家有一定的商誉加在价格之中，所以，不论较高价还是较低价，商家都是自有道理的，可就是不论商家讲的是什么道理，价格对购买者的要求都是一样的，较高价要求购买者付出较多，较低价可使购买者付出较少，价格的不一致没有强制购买者购买却现实地使一部分购买者比另一部分购买者多付出不少的交换物。从生产者与商家的关系讲，在信息不灵敏的地方，有的厂家可能以低价卖出高品质的产品，有的厂家可能以高价卖出低品质的产品，这都属于市场落后的表现。目前，在一些发达国家，法律明文规定厂家不得以不同价格出售同类产品，即禁止价格歧视。但是，有法律规定，也不能完全避免市场上出现同样商品的不同价格，能做到一个厂家或商家对自己出售的每一种产品保持同样价格就很不错了。厂家能打出不同价格，主要是利用市场信息不畅的条件，并且也是利用了购买者不会或不善于把握信息的空档，而且也可能是厂家有意造成信息不清的，这方面的关系很复杂。或许在信息高度发达的时代，由信息不畅而产生的价格不确定性会消失，但现在还没有这种可能，现实之中还有众多的制约条件可使信息不畅的状况延续下来。今后兴起的网络销售可能会将信息的获取变得十分简易，将信息的阻塞消除，生活在当今世界上的人都希望这一新的销售时代能早日来临。无疑，网络销售是未来商业发展的方向。

购买者对于价格是有一定的选择权的，价格的弹性表现出购买者对价格的选择情况，而对于出售者来说，对于价格的掌握也是要有一定的灵活性的。市场的实际是，绝大多数的厂家可以利用价格的变化达到销售目的。比如，某厂家销售一种新产品，如果从上市就定中价，但这种产品已经不是很新了，还是中价，可能于厂家的生产和效益并不是有利的。假如厂家对于上市的新产品定高一些价格，依靠产品新的特点，吸引购买者，未必不可以，这样厂家就可利用较多的盈利进一步改进技术，扩大生产规模，降低单位成本，从而为产品不新时定中价甚至定低价奠定基础，同时也会使本厂在这种产品的市场竞争中始终保持优势，还可以避免过度竞争，有效地防止其他厂家打进这一产品的生产领域。从另一个角度讲，厂家出售新产品，也可以实施低价战略，先以低价出售，甚至赔本出售，然后扩大市场占有率，再逐步恢复正常价格，稳定销售渠道，站稳市场。熟悉价格市场现实的人都知道，制定产品价格，尤其是新产品价格，是有大学问的。价格是商品经营学专门研究的一个领域，也是企业经营者施展才能的领地。对于经济学基础理论研究来说，只能将价格的活跃概括为价格的不确定性，将经营者灵活定价称之为经营策略，阐明厂家可以在市场上有意识地运用价格的变化达到张扬企业活力的目的。由于不同的价格都可为购买者接受，价格的不确定性表现是十分宽广的，这是市场的复杂，也是社会的现实。不论哪一厂家，用好价格的经营策略对于自身的经济效益都是很好的支持。从理论上讲，经营者想到的必须是价格不能仅以价值来衡量，价格比价值对于企业更具有现实的制约力。市场是商品生产者比试身手的舞台，哪一厂家做事漂亮，头脑灵活，行动敏捷，认真务实，哪一厂家就能获得高于别人的竞争力，从而使自己更具有生存保障。实际的价格的不确定性产生于市场交换之中，是有客观条件的，厂家的经营策略运用不过是对这些客观条件的利用，这种利用可充分展现价格不确定性的活跃空间。

　　情感的因素影响价格，也是构成价格不确定性的一个方面。购买者的情感有时就是形成价格的直接力量。对非常喜欢的某种商品，在稀缺的条件下，花大价钱也要买下，明明知道这个价格是太高的，自己付出的代表劳动一般的交换物高于购买物所含的一般劳动量许多，但还是要成交，这是不可理喻的，尤其是在二者之间相差极为悬殊的情况下，更是不可理喻的。可社会上这种事却经常发生。人的生活中不能没有情感，人类永远不能完全理智地生活，所以，在常态社会发展的现阶段，市场上出现一些不可理喻的交易，是不足为奇的。只要不是太过分，一般情况下，凭着感情的激动而购买价格高出同类产品价格许多的商品并不是特别愚蠢的行为，可能有些时候还是值得赞许的。社会对于这些珍贵情感的行为可以给予某种支持，这并不是为了厂家的效益，而是要表现出某些无关紧要的顺其自然的人生中永恒乐趣。无论何人，都不能完全生活在理性之中，理性是高雅的，但完全理性就高雅而无趣了。生活在地球上的人，哪位都不是神仙，他们都不过是会使用劳动工具劳动的动物，吃五谷杂粮，有生老病死，当然就要有浓郁的情感世界，将这种因素带入市场也是很自然的。只要不在情感上着魔，这一因素还是可以给市场以滋润的。同样，由于情感因素的作用，也可能对某些商品冷落，压低其价格。人的情感是很难琢磨的，所以，在情感的影响下，价格在市场上的表现有时让人难以理解。可就是这样，世上还真有能人和奇人，对于销售的门道摸得一清二楚，可以领导某种商品的新潮流，让大众的情感随着广告走，让厂家的货更多地卖出去，而且能卖上好价钱。这是销售方面的行家里手，确有经营魅力，但这也是价格不确定性中最不确定的方面，利用情感的有意识导引而造成市场畅销，不管力度多大，将来的波动如何，总之是有能动性的，是能够展现价格的市场品性的。从客观上讲，情感因素影响价格已是历史的必然，不仅历史不能改变，而且现实还要接受历史的延续。融入市场的情感对于价格，是无限丰富多彩的世界。

区域因素也影响价格，这是显而易见的。一个地方一个价，这是谁都能理解的，不论吃的、穿的、用的、玩的，各地有各地的价，且价差较大也是常有的事。政治经济学研究认为，这种价差的存在，是因为商品有不同的交换范围，不同范围不同价是合乎逻辑的。北京市距天津市较近，只130公里间距，汽车上高速路，只用1个多小时就能到达，而自1980年代以来，这两个城市的物价水平很不一样，北京进入世界高物价高消费城市的前十几名，天津还是保持着一般城市物价水平。普通生活用品及一般性服务消费，天津的物价几乎比北京便宜一半，物价的低廉甚至吸引了许多北京市民双休日专程去天津购物。虽说天津这一段时间物价低是与行政管理有关，恐怕今后还是要跟上北京的物价涨势，但无论何时，肯定与北京相比，还是要有所不同的，决不会像北京的物价那么高，或是说决不会与北京的物价水平一样高。东西南北中，不论国内国外，各地的价格总是要有一定的区别的，这不需要去做解释，只要承认就行。不过，流通性极强的商品价格在各地的价差不会太大，商品的流通性对于平抑各地的价格是有一定作用的。由于各地的资源条件不一样，直接影响劳动生产率，所以生产同样商品的付出和社会的评价都会有所差别，由此产生的各地价格不同是任何人都能接受的。这里讲到的价格不同，并不涉及汇率问题，也不使用购买力平价概念，只是说单一商品，是贵还是贱，从各地市场的信息反馈中一看就会明白。用牛奶举例，全世界范围内可能有成百上千种价格，每一种价格都有区域的合理性，无论价高价低，都是相对而言的，且都为当地消费者所接受。牛奶一般当地产，当地销，销往外地的，只是奶粉以及少量保鲜牛奶，这就决定了牛奶的价格必然带有很强烈的区域性。至于服务的价格，这在各地的差异就更大了，因为这里都揉有本地社会历史因素的影响作用，而且相互之间又不太好比较，所以区域性鲜明地体现于价格是顺理成章的。

供求因素的影响在价格的不确定性中是最常见的和最主要的。各派经济学大师对此做过各种各样的精辟概括。已成为常识的认识是，供大于求，价格下降，求大于供，价格上涨。也许，这种概括太笼统，但这种确定是比较实用的。供求影响价格变化的时候，可能价值没有变化或变化很小，这表明的是价格运动的相对独立性。在我们分析这种相对独立运动表现出的不确定性时，关于供求为什么不平衡的问题就不必追究了，我们分析的重点只在于供求变化与价格变化的相关性。实证研究的结果表明，某些商品的价格随供求变化有弹性，某些商品的价格随供求变化没有弹性。也许可以说，供求关系与价格变化之间的矛盾是商品市场上最引人注目的风景线。每一点矛盾都会激起价格的一种反应，而供求平衡总是短暂的，平衡与不平衡始终交替更迭，不平衡是基本态。与情感因素引起的价格变化不同，供求引起的价格变化的范围要大得多，影响的时间也会长多了。对于商家来说，可在供求上搞价格策略的点子是很多的。只是对于厂家来说，不应生产市场上已经过剩的产品，只要产品供大于求，生产者就没有价格的竞争性了，辛辛苦苦劳动得来的成果将很难满足自己维持生活的基本需要。

价格的不确定性中也存在市场投机因素的影响。哄抬价格和人为地压价，是一些头脑聪明的人惯用的手法。一切都在炒作之中，这是搞投机的人深谙之道。小小的邮票，也可炒到上万元一张，这使得投机几乎比赌博还疯狂。而就日用商品来说，供应紧张时，投机商借机囤积，加价售出，大发横财，越是紧张走俏，他们越觉得有机可乘，越可大捞一把。有的时候，在某些地区，很难说某些紧俏商品的价格不为投机商操纵，这些人捣鬼本应受到法律制裁。而在经济学的研究中更具有意义的是要说明，在常态社会，在目前的市场经济条件下，一定程度的投机是市场运行的润滑剂，投机还是不可缺少的，只是不能有过度的投机。现代经济中的期货市场，具有价格发现作用，领导市场价格走势，而维持这一市场存在的，一部分是套期保值者，一部分是投机者，市场交易中有一半的资金是带有投机性的。从历史来看，现货市场与期货市场，都从没有少过投机，有时投机还会成风，相当激烈。投机的存在对于价格的影响是直接的，每有投机出现，都必然冲击价格。只是投机有时大有时小，一般小的投机影响不大。投机者跑到哪里，就会将他们的行为对价格的影响带到哪里。

在货币经济时代，信用关系的发展是十分迅猛的。资本的虚拟化程度的空前提高更是使市场的交换关系变得极为复杂。因而，这些方面的因素对各种商品价格的影响是相当强烈的，几乎货币市场的每一微小调整都要对商品市场的价格产生不可遏止的影响。在全社会的商品中，有些商品的价格具有基础价格性质，货币市场的调整只要影响了基础价格，就会一波一波地不断向外扩展影响。货币政策的运用是经常的，而货币市场自发的变化也是存在的，这不同的变化方面都直接对商品市场起到影响价格的作用。货币市场的这种影响范围广泛，只要有这种影响存在，商品市场上的价格就不会是保持稳定不变的。价格的不确定特征在货币市场变化的影响下最为明显，任何人都可以直观地认识到这一点。

六 结　语

价值与价格之间存在着必然的联系和确切的区别，对此，政治经济学的研究不能做简单化的理解。以往理论将价格定义为价值的表现形式或价值的货币表现形式，从逻辑上讲，这是将价值与价格这两个范畴的内容重合，只在形式上加以区别。这样，就没有对价格的相对独立运动的进一步的揭示，没有阐明价格在劳动的二重性与商品的二重性基础上也具有二重性，即价格是价值的具体表现只是价格特征的一个方面，作为价格，它还有表现社会使用价值的另一个方面。价格的内容比价值更丰富，价格不论从形式上还是从内容上都不能与价值等同。

我们的研究指出，价值的存在形式是抽象的，任何具体的表现都不能称之为价值，只要是市场的具体，就是价格，而不是价值。价格是有用劳动的市场实现，这种实现是以价值为基础的，但直接的依据是社会使用价值，是社会对于商品的现实评价。

市场的复杂性与生动性很大程度上体现在价值与价格的矛盾上，这种矛盾是劳动投入与劳动产品受社会评价不一致的矛盾，价值处于矛盾的一方，属于生产概念，而价格处于矛盾另一方，是市场概念，因此，这种矛盾也集中地表现为生产与市场的矛盾，即生产与交换的矛盾。这种矛盾还是要长期发展下去的，只要市场存在，就不会停止。

价值具有不确定性，价格也具有不确定性。价值的不确定性是基础性的，价格的不确定性是价值不确定性基础之上的具有更多内容构成的不确定性。价值的不确定性取决于劳动投入与产出的变化，生产技术与交换范围的变化亦对价值有影响。而价格的不确定性受到的影响是市场全方位的，各种偶然性因素的影响都会使价格发生变化，除了供求、信用、区域等主要因素影响外，甚至情感、投机也都会产生对价格的决定性影响。

第八章 价值量

价格是不能抽象确定的，市场上成交的具体物值就是真实的价格，价格是具体的，价格体现具体的量化关系。而价值是要抽象认识的，不能具体化，即不能用具体的量化关系来表示价值。进行价格量的具体分析和价格总量的统计，是国家经济管理部门的职责，这可为每一位参加社会劳动的人和依靠商品生活的人提供有关认识自己切身利益的基本数据和材料。然而，要明确的是，价格量的统计不等于是价值量的统计，价值量与价格量不是完全对等的关系，虽然价值量的分析可参照价格量，但是不能用价格量的分析取代价值量的分析。与实际的具体的价格量不同，价值作为抽象范畴，反映抽象的有用劳动，因而价值量只能是一个抽象量，不可具体化。下面，我们专门讨论价值量问题，惟一要做出的原则性提示，还是强调所进行的是抽象分析。

一 价值总量

分析价值总量是分析价值个量的前提，或是说，价值总量分析是价值量问题研究中的基础分析。以价值总量分析作为价值量分析的起始，在此，我们仍要再次明确两个认识的基本点：一是关于价值的内涵，要坚实地肯定是人类无差别有用劳动的凝结，不能在量的分析过程中模糊这一本质规定。二是关于计算价值总量的范围，要先对总量涉及的经济范围有一种条件性的认识，不能在抽象性的讨论中仅仅由于抽象未有具体约束而随意变更认识范围。

简单地讲，价值凝结抽象的有用劳动，价值量就是抽象的有用劳动的凝结量。认识价值量与认识抽象的有用劳动的凝结量是一致的，或者说，认识价值量的落点是在认识劳动成果凝结了多少抽象的有用劳动上。必须说明的是，进入价值量计算的劳动是有用劳动，而不是一般意义上的人类劳动，即不能以无差别的劳动作为计算价值的基础，而要特别强调只有劳动成为了有用劳动即劳动获得了社会承认的有用性才能成为价值凝结的劳动，无用劳动包括已创造了劳动成果但劳动成果未能交换出去的商品生产劳动都不在价值量计算的劳动范围之内。而且，计算价值量是计算有用劳动的凝结量，不是计算动态的有用劳动，到了对劳动的凝结量计算时已经是静态的分析了。正由于价值量的计算只涉及有用劳动，我们必须分清有用劳动在商品经济中与在非商品经济状态下的不同，这就是说商品经济中的有用劳动不仅是能够有效创造劳动成果的劳动，而且是能够将劳动成果交换出去的劳动。这意味着不能实现劳动成果交换的单纯创造出自然使用价值而没有实现社会使用价值的劳动不属于商品经济条件下价值量的计算对象。因而，构成价值总量的劳动个量必须是交换实现的劳动，是获得社会使用价值的劳动。但是，我们要明确，价值量的计算一定是对有用劳动量的计算，而不是对劳动成果的社会使用价值量的计算，没有社会使用价值的劳动不是计算对象，而有社会使用价值的劳动又决不是计算其社会使用价值，这一点一定要分辨清楚。计算价值量要依据的是劳动成果，抽象的分析也不能离开具体的基础，有具体的劳动成果才有抽象的价值量计算，这种抽象计算的内容就是凝结在具体的劳动成果之中的有用劳动量。

就社会现实发展阶段而言，关于价值总量的计算范围，要实际考察商品经济圈，即商品相交换的范围，这个范围未必是地理范围，但总是以一定的地理范围为基础，而且在商品经济圈中总有一个交换的市场中心点。每一个商品经济圈，都是在市场中心的作用下，向外辐射，构成一个复杂的交换网。但一般讲，可以一个国家为一个价值总量的计算范围，即以国家的经济范围为一个商品经济圈，这不是精确的概括，只是从现有的条件看大体可以这样确定，不能再过于求细了。在一个国家内，或多或少都有一些对外贸易，存在与别国的商品交换关系，但这些在基础理论关于价值量确定的分析中是要舍去的。而如果一个国家已不构成为一个相对独立的商品经济圈，存在有几个国家联合为一个商品经济圈的情况，那么价值总量的计算范围就要以这几个国家的联合圈范围为准。确定范围的意义在于，价值的抽象要有一个总量才能计算平均值，无差别的要求是计算性质一致的劳动，抽象的有用劳动不是指个别的典型的劳动，而是必须经过一般化之后的表现，这个一般化必然需要一定范围的劳动确定。

在一定的范围内，要按照实现交换的劳动成果量，计算创造这些劳动成果的总的有用劳动的量，这一抽象的计算得出的是价值总量。没有实现劳动成果交换的劳动当然不在计算范围之内，而实现交换的劳动不论成果是有形商品还是无形商品，都在计算范围之内，不能有遗漏。要说明的是，实现交换的劳动成果未必是按价值交换的，有一些交换可能是不等价值的交换，其社会评价脱离了自然使用价值基础，但是，计算价值时，仍按其生产自然使用价值的全部劳动投入为准。这其中就存在着社会承认劳动与社会评价劳动成果的差异。计算价值量或者说认识价值根据是社会承认的劳动，并不涉及社会对劳动成果评价的高低。比如，对某商品的社会使用价值评价只是其自然使用价值的 10%，这属于很不正常的社会评价，价格的实现就是依据这一评价实现的，显然，在这种评价下生产该商品的劳动是亏本的，但是，计算价值必须按生产自然使用价值的全部劳动投入计算，不管这种劳动在市场上是亏本还是盈利。社会承认劳动是有用劳动为一个层次，社会评价劳动成果的社会使用价值是又一个层次，这是两个不能混同的层次。有了社会评价，就代表了社会承认，但仅讲社会承认还不能表示社会对其劳动成果评价的高低。有了社会承认，劳动就是有用劳动，进入社会有用总劳动的范围，成为价值抽象的凝结部分。而社会评价只针对价格而言有直接的现实意义，高评价对应高价格，低评价对应低价格，并不影响价值的抽象计算。

劳动成果表示劳动的凝结，具有社会使用价值的劳动成果表示有用劳动的凝结，抽象的劳动成果的价值表示抽象的有用劳动的凝结。从总量上讲，价值凝结的劳动与社会投入的劳动是两个不同的量。在社会劳动投入中，除了有形成价值的有用劳动外，还有无用劳动的存在。社会投入劳动与有用劳动的不统一，是比自然使用价值与社会使用价值的矛盾更基础的矛盾，这一矛盾也是长久存在的。在现实社会，至今有一些人不懂得商品经济条件下价值实现的特点，总是以为干得越多，获得的价值就越多，或者说，以为多投入，多产出，就创造了更多的价值。其实，仅就这一层次而言，多投入劳动，多产出劳动成果，并不等于多创造价值。只有劳动成果能够交换出去，价值才能实现，若交换不出去，就没有价值。价值虽然是在生产过程中创造的，但却是在交换中实现的，看不到交换的作用，就会陷入盲目生产的泥潭。有了交换，再讲社会评价，即价格是高还是低的问题，那就是更具体的效益问题了。经营要重视价格，但劳动要实现价值，必须要成为有用劳动，价值的计算是只纳入有用劳动的。而且，实现价值只是指一次交换后的实现，即劳动成果只实现一次交换就可使劳动成为有用劳动，如此价值计算，对于交换的次数、环节和渠道都不关注，其要求只是必须成为有社会使用价值的有用劳动，即使交换是亏本的，是没有意义的，都不在考虑的对象之内，测量价值的总量，在一定的范围内，只计算实现了交换的劳动成果内含的劳动投入量。

确定社会承认的价值实现的商品之后，根据一定的范围，可抽象地计算价值总量。一般讲，这是既定范围内一定时期的有用劳动实现总量。指明一定时期是重要的，没有时间限定，也就没有量的概念。事实上，有多少有用劳动，就有多少价值，价值是与抽象的有用劳动等义的。在社会总劳动投入中，要确定有用劳动，就要排除无用劳动。无用劳动就是没有劳动成果的劳动和有了劳动成果但劳动成果未能实现交换的劳动，从总量关系上排除无用劳动不是困难的问题，至少抽象地排除不存在任何障碍。但在区分有用劳动与无用劳动中，需强调的是劳动的整体性，即进入价值计算的劳动是劳动整体，有劳动主体也有劳动客体，价值凝结的是劳动整体作用，不是仅为劳动主体作用，肯定劳动整体创造价值，计算价值量就合乎逻辑地要概括劳动整体投入，不能对此模棱两可。以前认为只有劳动主体的活动时间是可比较的，其他一切都不能做比较，将价值确定为劳动主体的活动时间是简单的和单纯的，只是并不符合实际，而且，在某种程度上，这也是将价值的抽象具体化的做法，与抽象认识的基本原则不符合。认识劳动整体作用比单纯认识劳动主体作用要复杂得多，怎样认识是需要研究的，其中涉及多层换算问题，不能因为这种认识太复杂而回避这种计算，不论怎样，抽象地计算价值量必须解决对劳动整体投入的认识问题。

概而言之，在一定的商品经济范围内，排除了无用劳动，即排除了未实现交换的劳动和未取得劳动成果的劳动，其余凝结在商品中的无差别有用劳动的抽象，构成价值总量。

形成价值总量，从劳动整体角度认识，包含有3个方面的作用：一是这一范围内所有的有用劳动中的自然条件作用，其中最主要的是土地等资源的作用；二是这一范围内所有的有用劳动中的资产条件作用，包括机器、工具、技术等等方面的作用；三是这一范围内所有的有用劳动中劳动者投入的体力和智力的作用。这3个方面的作用是分别从各个具体劳动的整体作用中抽象出来的。这样抽象可以进一步研究自然条件作用和资产条件作用在总的劳动整体作用中的比重，这两个方面的作用合起来是劳动整体之中的劳动客体作用。在现代工业生产中，劳动客体作用占的比重较大，支配着生产，构成时代的主流与特色。而在一些生产水平较低的劳动中，劳动客体虽也起一定的支配作用，但相对作用的比重低，即劳动主体的投入作用是较大的。不过，在对价值总量的认识中，有关劳动主客体的作用比重构成问题并不重要，重要的是要计算这3个部分的总投入量及其作用。需要明确的是，凝结的有用劳动并不能理解为单纯的自然条件、资产条件及主体条件的投入，而是指这三大部分投入量在劳动中形成的整体作用，即凝结的不是投入品的量而是投入品的作用，并且是一种合力的作用。必须要分清投入品与投入品的作用。由于作用是合力的，其结果与投入是不等量关系，一方面各种投入一般情况下都要求有新的创造作用，另一方面3种作用的合力也总是要大于这3种作用的投入品的本身单独存在的作用力的。

总之，价值表示抽象的有用劳动的凝结是指劳动整体作用的凝结，而不是总投入量的凝结。因此，关于价值总量，我们大体可做如下概括性描述。

一定商品经济范围的价值总量 = 该范围内抽象的有用
劳动整体作用的总和

严格地讲，对于一定的商品经济范围只能是抽象地认定，难以具体划分。国家与国家之间的经济范围区分是实际的经济量的区分，可以大体上作为抽象认定的各个不同的经济范围，但这与理论上的抽象认定的范围还是有所不同的。而在分析之中，一定要以认定的范围为限，对于一些实际中的复杂关系只可做出抽象意义的判断，至少在目前阶段内还是难以做出实证的。

进入劳动整体作用的三大部分投入，其中资产条件是完全市场化的条件，自然条件的投入一般尚未完全市场化，政府存在一定的行政约束，而劳动主体则主要是依赖于市场发挥作用，即劳动力市场的存在是劳动主体寻找与适当的劳动客体结合的现实途径。由于劳动主体作用与劳动客体作用存在一定的可互换关系，所以，分析劳动投入的作用大体上可以用一种抽象的单位描述，但互换替代的分析依据只能是市场表现，抽象有用劳动总量的认识也要参照市场实际。

二 价值个量

价值个量是指价值总量的等份划分的个量组合。计算价值个量，必须先计算价值总量，总量的认识是在先的，也就是说，不能只对单个商品计算价值量，没有对该商品所处经济范围的价值总量认识，就无法确定该商品的价值个量。计算价值总量之后，要划分价值等份，这种等份是总量的等份，表现总价值划分的基本单位，每一等份与每一等份所含的劳动整体作用相同。科学地认识价值总量是科学地认识价值个量的条件。先认识总量，后认识个量，这一顺序是不能颠倒的。

价值个量所指的个量是指单位劳动成果的个量，即单位商品的个量，不论商品的单位怎样确定，其确定的单位就是经济学研究的价值个量单位。每一单位商品含有一抽象的价值个量，所说商品的价值就是商品的价值个量。传统的价值理论将价值个量等同于生产商品的社会必要劳动时间，我们已经阐明是不符合事实的。认识价值个量，是在认识价值总量之后，划分价值等份，通过确定每一商品占有多少价值等份，来确定价值个量。

我们可将价值个量确定描述如下：

$$价值个量 = \frac{价值总量}{抽象划分的等份量} \times \frac{某类劳动成果占有的等份量}{某类劳动成果数量}$$

$$= 价值等份 \times \frac{某类劳动成果占有的等份量}{某类劳动成果数量}$$

$$= 价值等份 \times 某类劳动成果个量占有的等份量$$

$$= 价值等份 \times x$$

$$= x\ 价值等份$$

以上是一种抽象分析。对于价值个量的计算只能是抽象的，不能具体量化。长期以来，有一些研究者总试图做出精确的价值计算结果，这其实是未能把握价值的抽象性质，当然是得不到预期结果的。因为不要说精确的计算难以进行，就是算出来精确的数值，这表现的也决不是抽象的价值，而只能是具体的价格。

由以上分析，我们可以看到，原则上讲价值是人类无差别有用劳动的凝结，但在有针对性的经济分析之中，实际的人类劳动是以一定的商品经济范围的劳动为限的，即无差别具体地体现为一定范围内的无差别，劳动的交换是有范围的，因而在不同范围内，可能同类劳动成果的价值是不一样的，也就是说，价值个量在不同的商品经济范围可能是不等量的，即使生产这种商品的劳动投入完全一样也可能出现不一样的结果，因为不同范围的商品各自含有的价值等份不同，价值等份的含量在不同的范围即不同的价值总量中可能是不一样的。

现今，全球经济一体化还是一种趋势，远未成为现实。各个国家自成一体形成一个商品交换范围，国与国之间的贸易往来并不能触动各国经济的固有体系。欧洲的国家在这方面走在了世界各国的前面，欧洲经济共同体的形成与发展已经打破了以国为本的商品经济圈。所以，除欧盟外，我们所做的抽象的价值分析认定的商品交换范围，如果要与实际相联系，那就只能以各个国家的经济总量为界。就此而言，各个国家的商品除了价格不同以外，同类商品甚至同等劳动投入的商品也可能其具有的价值个量不同。

认识不同范围内的价值个量的不同，对研究现实的经济运行具有深刻意义。在人类的生存中，科学的抽象认识能力越高，实际就越能更深刻地认识具体的问题。反之，抽象上不去，或达不到应有的揭示本质高度，对于具体的实际问题就看不透，就不容易找到解决问题的办法。就此而言，人类的能动的自觉性依赖于自身的抽象思维能力，或是说取决于认识的抽象能力。抽象分析价值个量，是对社会经济运行中的一种客观性进行探索。依据这种客观性的抽象分析，我们才能比较确切地认识和把握不同地区或国家的经济优势与劣势所在。这种分析中揭示的原理可引导实证的分析研究走向深入，通过价值比较，依据价值个量分析理论，对具体的国民经济之间的差别就能一步步地研究透彻，这对于促进各国的经济发展是有现实意义的理论指导。

在价值个量中，不管单位大还是小，也不管价值量大还是小，都具有劳动主客体两个方面的作用。劳动总量确定之后，劳动客体的作用是统统进入价值总量的，劳动主体的作用也是统统进入价值总量的，因而划分价值等份，每一等份之中都要包含劳动主客体的两个方面的作用。所以，价值个量表现的是劳动统一体，即劳动整体作用的个量化。值得注意的是，劳动主体在价值个量中的作用表现，在现代市场经济条件下，不能用单纯的劳动时间计量，或是更准确地说在某种程度上不能以劳动时间做单纯的比较。劳动有简单劳动与复杂劳动之分。如果生产同一类产品的劳动中，有的劳动的劳动客体复杂，劳动主体技能高，劳动生产率也高，这样的劳动相比其他劳动就是复杂劳动，相反其他劳动则为简单劳动。如果是生产不同类产品的劳动，那么能够生产技术难度大的产品的劳动，相对讲是复杂劳动，而技术系数低的劳动则为简单劳动。无论何时，简单劳动与复杂劳动都是同时存在的，而且具有相对性，复杂劳动是相对简单劳动而称之为复杂劳动，复杂劳动是分为各个时代的复杂劳动的。因而，复杂劳动与简单劳动的历史演变就是始终包含在这种相对性之中。相对简单劳动，复杂劳动除了劳动客体不同外，更主要的是劳动主体的技能水平不同。在商品经济发展的很长历史时期内，复杂劳动与简单劳动是可以按劳动效率换算的，即复杂劳动是多倍的简单劳动，这种换算的存在，根本在于劳动主体之间在技能质上没有差异，是相同技能质下的复杂与简单之分，复杂相对简单来讲也并不是非常复杂的。由于技能质相同，劳动之间有可比性和可换算性，这就是传统理论认识到的复杂劳动与简单劳动的关系。而到了现时代，由于新技术革命的作用，进入经济全球化社会，人类劳动的复杂程度极大地提高了，由量变到质变，产生了新的技能质的复杂劳动，这种劳动的复杂程度是原先的简单劳动不可相比换算的，也是原来的复杂劳动望尘莫及的，其创造作用具有开辟人类生存新天地的巨大意义。从人类劳动整体来说，这种新质复杂劳动不能同旧质劳动做倍数的换算，因为旧质的劳动根本达不到新质劳动作用的境界。如果未出现或者说不存在这种新的技能质劳动，那么就劳动主体作用来说，可以简代繁，统统化为标准的工作时间，而现实是已经存在这种新质劳动了，而且今后将占据主导地位，所以，完全按工作时间衡量劳动主体作用就不行了，也许在一定的范围内现在还可比较劳动主体作用的时间差别，但从长远来看，这不是一个简单的换算问题，不能仅以工作时间为劳动主体作用的认定依据。这也就是说，在旧的技能质的劳动之间还可做劳动主体工作时间的比较，而在新旧质的劳动之间，则不能再做这种比较了，所以总的说是不能比较的，今后会一直这样的。

用既定的价值，获取更多的自然使用价值，是人类劳动的永恒追求。人类劳动的终点是追求自然使用价值，而不是价值，价值是抽象存在的，因而不是人类具体生活的需要，讨论价值，只是抽象地分析人类经济生活中的生产与交换关系的需要，一旦进入具体的实际运行分析，价值的分析就只具有指导意义了。由此说明，具体劳动与抽象劳动的关系，具体劳动是根基，抽象劳动是承载于具体劳动的，这二者之间的关系不能颠倒。但从研究的需要讲，应后做具体分析，先做抽象分析；后做自然使用价值分析，先做价值分析；即要先抽象后具体。经过抽象认识价值个量之间关系，就可以说，在同一商品经济圈内，即在同一价值总量下，只是价值等份多少的关系，个量间的差异就是具有的价值等份多少的差异。不论是同类商品，还是不同类商品，其价值个量，都是用价值等份的多少来表示，具有价值等份多的价值大，具有价值等份少的相对价值小。同类商品的价值等份是同样的，比如说同样质量的小麦，每一吨具有的价值等份一致，这不管生产时的消耗劳动实际是多少，也可能有的地方生产一吨小麦要比其他地方多付出 1 倍的劳动量，这是只在一定的范围内按劳动成果计算价值等份，即计算价值个量。这是劳动整体作用平均化的体现，也是高度抽象的认识。而非同类商品的价值等份可能一致，也可能不一致，很多情况下是不一致，价值等份一致的表示价值个量相同，价值等份不一致的表示价值个量不同。由于各类商品的价值等份是按本类商品的数量平均化的，在非同类商品之间的价值比较中更看不到实际劳动的消耗和组合情况。价值个量的比较只依据价值等份的多少，而价值等份是抽象劳动的平均化，是中间值的划等，所以价值个量是抽象地确定，抽象地比较。对于这种抽象，目前看无法用实例验证，验证只能使用逻辑的方法。但这种抽象的认识，只要前提确定准确，或者说对于基本的客观事实认识准确，逻辑分析过程无误，认识的结果就不会有错误。也就是说，虽然价值分析是抽象的，但不出现逻辑错误，认识是可靠的。我们对于价值个量的分析，是建立在这种可靠的逻辑认识基础上的。

价值个量不等于价格个量。价值个量要按价值总量平均化的价值等份计算。价格个量则是市场上实际确定的社会使用价值的体现。价值个量是总体抽象后取平均中间值比较的结果，价格个量则是市场上具体的个别的交换要求的实现。价值个量的抽象性决定价值个量无法做具体的描述，计算价值个量也只能是抽象地计算，大体上确定，计算只起到本质揭示作用，不表现出具体的数量关系。价格个量的具体表现决定价格个量不是一种计算的结果，或者说不能是用计算的结果确定的，价格只是在市场上通过交易双方的认可而实现的，甚至计划价格的实质也是这样的，模拟计算的价格并不表示实际成交的价格，也不具有交换的意义。确切地讲，所有价格个量都是真实的市场交换结果的表示。传统的理论只讲价格随劳动主体的社会必要时间的确定值上下波动，或者说围绕价值波动，一方面对价值的认识脱离劳动的整体性，以割裂整体的抽象替代了抽象的真实，缺乏对价值的科学认识和理解；另一方面对价格的研究也过于简单，没有接触到市场实际，没有深入地研究价格形成的直接依据及其存在的相对独立性。也可以说，传统的认识实际上并没有分清价值个量与价格个量的区别，没有搞懂它们各自不同的形成机理。在很多时候，由于人们固有的观念是价格终归不会脱离价值，就在研究之中混用价值与价格概念，甚或将价格个量直接等同于价值个量。而在此，我们既要重新定义价值个量与价格个量，又要特别地强调价值个量与价格个量的不同点。缺乏对价格个量的准确认识是缺乏市场知识的典型表现，而缺乏对价值个量的科学认识则是价值理论研究不成熟的一个方面。

在认识价值个量与价格个量区别的同时，我们还需重视研究这两个范畴的内在联系。价格的二重性之一是对价值的具体表现，即以价格的具体表现价值的抽象，在一定程度上对价值做出相应质的反映。价格的反映是具体的，可能具体地高于价值，也可能具体地低于价值。但从市场交换的主流来讲，价格个量与价值个量的关系是不断地靠拢又不断地背离，两种个量都始终处于调整之中，只不过有的时候有的方面调整值大一些，有的时候有的方面调整值小一些。这是因为在价值与价格之间存在着社会劳动配置的内在的调节。如果价格个量在一段时间内大大低于价值个量，那么超过了一定的承受能力，其劳动就会部分地或全部地退出这类产品的生产领域，以至于引起市场变化，对这种产品的供求重新做出评价，或是在一定的承受力下，生产这种产品的厂家能够使价值与价格趋于一致。同样的道理，如果价格个量在一定时间内大大高于价值个量，那么持续一段时间后，就会有新的劳动进入生产这类产品的领域，从而由于竞争激烈而使价格降下来，也可能会产生主动降价，或价值上升的情况。虽然在市场上交易的人们可能并不知道价值个量应该是多少，但是人们从自己的劳动投入与收益的比较中还是可以感觉到价格个量是不是严重地偏离价值个量。而市场的走势就是在交易者们的不断自行调整之中显示出来，可能有时的调整过程长一些，动作慢一些，但决不会不产生调整，这种调整的产生是市场的必然。所以，就商品市场的主流讲，价格个量是随着交换波动的，价值个量的波动对于价格个量的市场波动起内在的决定作用，价格个量的波动既是市场交换关系变化的反映，也是价值个量存在变化的真实的表现。但在理论上必须明确，即使价格个量是价值个量比较贴近的反映，价格个量反映的也是价值等份平均化之后的个量，并不一定或很少可能是商品生产实际消耗的劳动，除非这种商品实际消耗的劳动恰恰等于平均值。不过，体现波动的价格个量和需要贴近反映价值个量的价格个量并不是市场上价格表现的全部，在历史的和现实的市场上，始终存在着长期背离价值个量的价格个量，有的高，有的低，不管高低，都基本不动，长期不变，从目前来看，这种情况还要长期延续下去。这是不能用一般的价值理论解释的。比如，历史文物与名人字画，其价格个量用价值个量无法解释，但长期存在，总是价格居高不下。正是由于有这样的特殊的市场领域，价格的运动才特别地显示出独立性，即这是价格受市场制约的不同于价值的性质。只是，除了这些特殊的价格领域之外，大部分的价格个量是可以联系价值个量情况进行分析的。只要明晰市场波动的原因，沟通价值与价格的联系并不是很困难的。至于价格个量本身，在价格体系之中，也存在因所处的具体市场环境的差异而有所区别的情况。如果市场秩序是稳定的，供求状况并无突出矛盾，那么价格个量就可以体现在较大范围内稳定的水平上，即价格个量的变化较少，变化辐度较轻，这是较好的市场环境，有利于价格关系成熟发展。相反，在市场环境不好或不太好的状况下，特别是市场上出现了猖獗的投机，同种类商品可能会出现许多种价格，且价格的波动变化强烈，这时候的价格个量走势不是能用价值个量的关系解释的，这是价格个量运动中产生的市场不规范问题。

在理论上，我们需要研究价格个量与价值个量不相等的问题。从深层认识市场，价值个量的分析是这一研究的基础。而现实地讲，对于价格个量的分析与比较，更有助于价值个量研究的推进。

三　特殊的个量价值

在现代社会的经济生活中，各国政府承担的工作范围广泛且直接对各行各业的生产经营产生影响。就国民生产总值来说，一般情况下，政府支配的比重约占 25%。这说明现在政府并不只是有政治行为，其介入社会经济生活，已是现代社会的基本特征。但在传统的价值理论观念下，马克思主义政治经济学的理论认为，承担经济管理工作和其他工作的政府公务人员均是不创造价值的劳动者，这些人只消费价值，也就是说政府公务人员的劳动被排除在创造价值的劳动之外，甚至有的人认为政府公务人员是靠工人、农民养活的，吃了农民的粮，穿了工人做的衣，就应该为工人、农民服务。现在看来，在商品经济条件下，一切生活需用品讲究交换，交换者要有自身创造的能用来交换的价值，焉有一大批人不创造价值、靠别人的劳动养活的道理。政府公务人员是劳动者，不是寄生虫，他们是要靠自己的劳动生存，也就是要靠自己创造的价值生存，他们与其他劳动者之间只有社会分工的不同，没有被养活与养活的关系。近些年来，特别是社会主义国家改革开放之后，越来越多的经济学理论工作者改变了原先的认识，开始承认包括政府公务人员劳动在内的非物质生产领域的劳动是创造价值的劳动。无论怎样说，理论的发展需要有这样的认识转变。政府公务人员从事的是社会管理工作，创造的是社会生产条件，其劳动付出是整个社会劳动中必不可少的一部分，政府公务人员正是靠其劳动成果具有的价值才实现与其他劳动者的劳动成果交换的，由此才获得自己生存必需的衣、食、住、行等基本条件。从价值的创造讲，政府公务人员的劳动本质上与其他行业的劳动没有差别，并都具有整体性，都是劳动主体作用与劳动客体作用的统一。但是，从价值的交换讲，政府公务人员劳动的交换实现与其他行业的劳动交换存在着明显的区别。其他行业的劳动者大都直接或间接地通过市场进行交换，而政府公务人员的劳动却不是通过市场交换的，这在各个国家都一样，这方面的交换是政府用行政手段强制实现的。这是一种整体性交换，是依靠税收来将政府公务人员的劳动与社会其他各行业劳动的一部分实现交换的，政府公务人员向社会提供的是社会生产条件，需要这一条件的其他行业劳动者用自己的劳动成果的一部分与其交换，货币在这其中起到媒介作用。所以，从理论上来认识，国家税收是主体有偿性的。这种强制实现的整体交换体现出政府公务人员劳动的价值个量的特殊性，即政府所有公务人员的劳动是一个统一的个量，这个价值个量含有政府所有公务人员的有用劳动。也就是说，政府公务人员劳动的价值创造，是一个以国家为范围的整体性的特殊的价值个量。这一个量的价格实现是政府的基本税收量。这一个量的价值实现是靠政府的行政手段运作的。这种交换的实现不同于一般的市场交换关系。需要说明的是，政府公务人员的范围从广义上讲包括大量的准公务人员即所有由政府开薪的人员。

社会对于政府公务人员劳动的需求是有一定的客观限度的，这方面的劳动投入要与整个社会的劳动配置相适应，不能投入过多，也不能安排不够。当然，客观的限度是有幅度的，并非多一点儿不行，少一点儿也不行，一条线切下来。政府提供的劳动成果是社会生产条件，这是一种时时更新的价值创造，也是一种系统工程效应，不论国家多大，这一创造要求和这一系统存在是不变的。国家在这方面的劳动投入量应满足社会最低需求。如果政府公务人员的劳动在满足社会最低需求之上还有一定的贡献，那是合理的和正常的。国家的投入一般讲不应超过社会最高允许量，超过了要造成浪费，危害社会经济的运行。所以，遵从客观要求，在适当的幅度内投入政府公务人员劳动，对于国家经济是十分重要的。这种投入的自觉性越高，说明国家经济的管理与发展越成熟。这就是说，在客观限度的制约下，社会对于政府公务人员劳动的价值个量实现提出了相应的理性控制要求。毫无疑问，在国民经济的运行中，这种控制是一种政府直接操纵的并可有效操纵的控制。或者说，这是一种似乎可有效直接控制价值而不是价格的控制。因为在社会秩序正常的条件下，政府公务人员劳动创造的自然使用价值与社会使用价值不会存在太大的差异，所以也可以说政府的控制是在直接的价值层面上进行的，即在劳动投入方面做这种调控的。但是，只要是具体的量化关系，即使价格与价值一致，我们也要确认是价格关系，而不是价值本身。不过，其他任何方面的调控都不会有这种调控的直接性强烈。积累这方面调控的经验是重要的。做好这种调控可影响价值总量与价值个量结构。当加大政府公务人员劳动投入时，可能并不改变价值总量，改变的只是价值个量结构，政府公务人员创造的价值个量加大了，而其他方面的价值个量的数量相应会减少。当减少政府公务人员劳动投入时，只要价值总量不变，那么就会相应增加其他方面的价值个量。这种调控实现的作用，是依赖于政府公务人员巨大的价值个量单独存在的。进一步讲，政府公务人员的劳动也是整体性的，投入这方面的劳动，也要既投入劳动主体，又投入劳动客体，控制劳动主体投入量是一种控制，控制劳动客体投入量又是一种控制，也可同时做主客体投入量的控制，这些控制都能影响最终形成的价值个量。对此，只要能做到其价值个量实现基本正常，就是很不容易和很不错的了。强调政府公务人员劳动量的价值个量受客观性制约的意义在于，并非这方面的劳动配置越少越好，社会应从劳动配置整体出发做好这方面劳动投入的自觉控制，以保持其价值个量实现的适当值。

在政府公务人员的劳动中，广义地讲，包括军事人员从事的军事劳动。军事劳动的创造是变态价值，因而政府公务人员劳动的价值个量是典型的常态价值个量，与其他方面的价值个量相比，这是其特殊性的重要表现。变态价值是军事劳动的成果表现，在常态社会，创造变态价值的军事劳动在各个国家都是合法存在的，或者说，国家承认使用暴力的劳动是有用劳动，这一劳动就是有变态价值创造的。在国家的财政支出中，有一部分是国防费用，换一个角度来认识，这就是国家军事劳动创造的变态价值的具体表现，如果说政府公务人员的劳动是可调控的，政府的财政开支也是可调控的，那么这其中就包括对军事劳动投入的调控。一般地讲，变态价值在政府公务人员劳动的价值个量中有一个可以伸缩的值。军队的设置多少是比较难以准确决定的，大体上有一定的限制幅度。现代社会，军队不仅要求数量适当，而且要求质量有保证。这方面的投入要视国家财力能负担为警戒线。但在战争时期，那是更特殊的，全国的主要财力要用于军事，任何方面都要为国防让路。为了战争的胜利，国家可以倾尽一切。而和平时期内，国家必须考虑尽力减少军事劳动投入的问题。如果军费开支过大,军工生产比重过高,社会经济的发展就将受到影响,国内政治也将因此而不稳定,人民会产生一定的不满情绪。所以,对于军事劳动,在政府的劳动投入控制中,是一个特殊中的特殊问题。从理论上讲,国家最好按社会需求的下限安排,尤其是欠发达国家,更要十分注意这方面的劳动投入不要过多,因为现代社会已与古代社会和近代社会有所不同了,战争的破坏作用或者说军事劳动的直接抢掠作用在现时代已经降得很低了,以打仗而致富在今天似乎是不太可能的,① 现代社会军事劳动的主要作用是武力威慑作用,发动战争主要是针对国家主权利益的维护,通过战争消灭别的国家已为国际社会不允许。最能说明这一点的是,第二次世界大战之后,所有的战败国都保留了下来,而没有给予摧毁。现在,这些国家又都迅速发展起来,成为了世界强国。所以,现实地考虑,相对减少国家的军事劳动投入并不是一种失策的选择。眼下,东西方世界的冷战时代结束了,军事威胁的压力相应地缓释了,根据这种世界形势的变化,及时地调整本国的军事劳动配置,减少一些这方面的价值创造,将有限的人力、物力用在经济发展更需要的地方去,应该说是明智之举。而且,从未来的军事劳动发展前景看,军事装备全部都要更新换代,军队的组成重质不重量。如果再幻想用土枪长矛打败洋枪洋炮,那么就可能再演出历史悲剧。当年,侵华日军在中华大地上横行,中国军队难以抵挡,其武器装备相对优于中方是不可回避的一个重要原因。而最后,反法西斯阵线取得了全面的胜利,美国掷向日本本土的两枚原子弹,也确实起到了促使日本早日投降的作用。如果军事装备上不去,军队的质量就上不去,要

---

① 早期的美国政治家本杰明·富兰克林认为:"战争是掠夺"(参见马克思:《资本论》,第 1 卷,人民出版社,1975,第 187 页)。

想取得战争的胜利是很困难的，单纯的反侵略意义不能从根本上解决战场上的胜负问题。自古以来，若没有侵略战争的得胜，就不会有大国的，这是历史早已证明的事实。

变态价值中并不体现无用劳动。无用的军事劳动是常态社会无奈代价付出的附属品。合法的军事劳动成为无用劳动是一种损失和浪费。非法的军事劳动存在将会使社会乱序，可能引起社会治理机构的重新组合。

特殊的价值个量的实现不是由市场直接决定的，对这一个量劳动的社会承认和社会评价均由政府代表社会做出。对于这种劳动投入，是由政府安排的，但最终实现的价值个量具有多少价值等份，还是要取决于价值总量的实现量以及价值等份的分割情况。在现实的市场经济中，政府公务人员的价值创造对于社会的发展具有重要的作用，其特殊性的存在已使这里成为了一个经济学研究的专门领域。

四 剥削劳动主体与被剥削劳动主体的价值分割

由价值总量的确定到对价值个量认识，都是抽象的经济学分析，这是揭示价值量的两个层次的研究。价值个量的创造者虽然以价格实现市场交换，但实质是得到自身劳动整体创造的价值的归属。价值个量，不论大小，都只归属劳动主体。在常态社会，价值归属分为 3 类：一是向剥削劳动主体归属，二是向被剥削劳动主体归属，三是向无剥削劳动主体归属。需要明确的是，向剥削劳动主体的价值归属，并不是讲剩余价值的归属。剩余价值概念是与传统的劳动主体价值论相对应的，在价值理论科学地发展之后，即在劳动整体价值论建立后，不能再继续使用传统的剩余价值概念。有关剥削的问题。在科学的价值理论中，是以变态劳动来表示的。

价值的存在应以价值个量的存在为单位，价值的归属也要考虑价值个量单位，而价值个量本身是不可分割的。劳动整体创造价值，其中虽然既有劳动主体作用，又有劳动客体作用，但是不能将这两种作用分别直接换算成价值，不能说劳动主体创造了多少价值，劳动客体创造了多少价值。凡是价值，必然要求劳动主体与劳动客体的作用统一。价值个量之中都是包含着这两种作用的，决不能是只有一种作用在内。价值个量的不可分割的性质就是由劳动整体作用的不可分割性决定的。因此，现实的常态社会经济生活中出现的价格个量既向剥削劳动主体归属并又向被剥削劳动主体归属是一种变态，这割裂了价值个量内在的整体性，使之变态地满足了向剥削劳动主体归属价值这种剥削性归属的寄生性要求。这种变态的剥削性归属表现为一种市场强制，即是通过市场关系强制地实现剥削劳动主体逼迫被剥削劳动主体与其对价值个量进行分割。以劳动客体作用与劳动主体作用在劳动整体作用中各自占有的比重为依据，使剥削劳动主体能够按照市场上的价格确定方式相应地实现价值个量中的一部分向其归属，而使另一部分向被剥削劳动主体归属。在这里，我们不再深入讨论剥削劳动存在的客观性以及剥削的发展趋势，只是对被剥削劳动的主客体作用的区别做简略的说明。

劳动主体与劳动客体在劳动整体创造价值的作用中都具有必要性，即这种创造既不可缺少劳动主体的作用，也不可缺少劳动客体的作用。这种客观存在的必要性决定劳动主体与劳动客体之间不可完全替代。而不可替代的部分即意味着相互不能换算，由于不能换算，双方就无法比较，所以，在必要性方面，劳动主体与劳动客体无法区分各自在劳动整体创造价值中的作用不同，只能是认为彼此相等。这样，在抽象地认识价值归属中，这种相互不可替代的必要性作用就可相等地舍弃，即不计算劳动主体作用的必要性了，也不计算劳动客体作用的必要性了。尽管这两种作用的必要性都是客观存在，但在这种抽象的分析中可以不再考虑。于是，在这样的抽象认识的前提下，劳动主体作用与劳动客体作用各自比重的确定所需要的相互比较，就落在了可替代性上，即在这一部分用劳动主体作用可替代劳动客体作用，用劳动客体作用也可替代劳动主体作用。这样，就可换算出相互的差别来。比如，用10个人工可替代一部机器，那么就可认定10个人工的作用与一部机器的作用相等，投入了一部机器的剥削劳动主体就可依此要求取得与这10个人工一样的价值归属，即使劳动成果只有一个，即价值个量为1，这种归属的要求也要相应划分出双方各自的价值量，并寻求相应的价格表现出来。这里就不讲必须要有劳动主体，也必须要有劳动客体，即不再强调投入品的必要性，只强调投入品的可互换替代性。为了实现市场分配的剥削劳动主体收益和被剥削劳动主体的投入回报，只能是用替代的办法来换算各自的作用，取得一种统一的衡量标准。如果说创造一个价值个量，用去了100个人工和10部机器，其他条件暂且都抽象掉，那么按10个人工等于一部机器的标准换算，这个价值个量创造中的劳动主体作用与劳动客体作用的比重是相等的，即各自50%。假设如此，那么归属剥削劳动主体与被剥削劳动主体的价值个量分割也是各自50%。总之，抽象地进行分析，劳动主体与劳动客体在劳动整体创造价值个量的作用中的比重区分，要舍去各自的必要性，只以可替代作用进行换算，然后就可大体上确定双方实现归属的比重，并以此为依据决定剥削劳动主体和被剥削劳动主体各自获取价值归属的权力。在实际生活中，这种归属是以价格表现的，抽象的过程是看不见的，具体的实现是市场化的，价值归属的变态分割是内在地决定着剥削与被剥削对立双方的利益得取的。

以市场的角度来看，在变态劳动的支配作用下，价值个量必须分割，破坏了自然的必然决定的价值个量的不可分割性。这种既向剥削劳动主体归属价值，又向被剥削劳动主体归属价值的关系，是非常复杂的。由于价值个量的分割是以价格为表现的，价格的活跃乃至价格的相对独立性直接影响价值向两种劳动主体的归属。在剥削劳动主体介入市场后，被剥削劳动主体的以价格表现的价值归属是由剥削劳动主体先行决定的，这形成了一种市场契约，或者说是剥削劳动主体给被剥削劳动主体工作报酬定下的价格契约，这种契约是长久以来的市场存在，发展到今日已很规范和有法律保护的。这样，因为约定价格在先，在实际运营中，不排除剥削劳动主体超过其占有的劳动客体作用得到价值归属，除去价格与价值的偏差外，这超过的价值部分不属于剥削范畴，而属于常态社会下的不当得利或机会收入。若是当初立约时有意欺骗，或强迫接受不合理条件，出现超出剥削的收入是不当得利，即这是不符合剥削准则的得利，这种得利在常态社会正常的法律规制下也是不允许存在的。若当初立约时，确实不可预测，拿不准，含有一定的风险性，那么尔后出现超出剥削量的收入是剥削劳动主体的机会收入，或者说叫做经营风险收入，这是有机会的选择性因素作用的结果，不是赌博，也不是投机，但确实选择性起到了作用。剥削的定义是通过占有劳动客体而占有劳动客体在劳动整体创造价值中的作用获取劳动成果。所以，不属于剥削成因的收入不应列为剥削收入，只能说是各种超剥削的经营收入。当然，有这种选择的存在，事实上不排除相反的另一种情况出现，这就是剥削劳动主体得不到足够的剥削收入，即他们得到的价值归属低于其占有的被剥削劳动客体在劳动整体创造价值作用中的比重，甚至得到的很低，或者完全经营亏本。如果是仅低于应得的剥削收入，那么就是说剥削劳动主体对被剥削劳动主体未能实现完全的剥削，在剥削与被剥削之间留有一定的空间。市场上的变化，价格的波动，有时候很容易使剥削劳动主体得到机会收入，有时候也很容易使他们血本无归，这在某种程度上甚至不是他们自身能左右的，更不是他们自身所希望的。在资本主义时代，资本的经营是有很大风险性的，并非投资一定成功，因而剥削是或然实现的，而且实现的程度也有差异，不是所有的剥削都能达到100%。这里要说明的是，最高的剥削水平是100%，不可能超过，超过的收入不属于剥削收入。对此，传统的观念必须改变，因为剥削的程度测定不可能是资本收益与工人工资的对比关系，在高科技下，人工费用很小，收益很高，按传统的理论是根本讲不通的。

必须指出，在剥削劳动是社会存在和剥削劳动主体能得到价值归属的时代，在价值个量的分割上，剥削劳动主体与被剥削劳动主体所处的地位是不平等的。一般来说，剥削劳动主体居支配地位，具有主动性；而被剥削劳动主体则居被支配地位，是受动的一方。尽管价值完全是被剥削劳动创造的，但剥削劳动主体的支配地位是不变的，并且总是现实地起到支配作用。形成这种格局，是由人类劳动的整体发展水平决定的，是劳动内部矛盾发展的结果。在这一发展水平上，决定有剥削存在，必然就决定剥削劳动主体有支配的地位和作用。现实市场的复杂并不妨碍剥削劳动主体利用自身的支配地位，想方设法操纵价格，使自己的剥削达到目的和最好能够超过剥削得到更多的经营收入即社会财富。剥削劳动是变态劳动，具有寄生性，也具有现实性，当剥削劳动主体比较熟悉市场经营之后，其变态性质决定的恶性存在就会使它所具有的支配地位发展成为一种恶的温床。古今中外的历史事实充分地证明了这一点。但辩证地认识问题，在这同时，剥削劳动主体利用其支配地位也在另一个方面推动了人类社会文明的发展，尤其是当剥削的行为越来越社会普遍化了和越来越走向规范时，尽管剥削的手法和技巧也趋于复杂和成熟，但从总体上讲是能够将剥削较好地控制在对常态社会经济运行比较有利的范围内。并且，现代社会的法律方面的完善与健全也比较现实地使剥削与被剥削的关系不演变为社会暴力的对抗。这也许是市场自发意识和自发行为的进化，但自觉地认识剥削的存在，从常态劳动观和常态社会观出发，是会更深刻地领悟剥削存在的历史性以及剥削与被剥削之间的矛盾不是暴力运动所能消除的。

在人类社会发展的现阶段，剥削劳动的存在是极为普遍的，因此，价值个量出现分割的内在要求是市场关系的一般抽象。价值运动在这种市场状态下，从个量到总量，再从总量到个量，始终伴随着变态的归属，即价值的归属是向劳动主体归属，但必须是既向剥削劳动主体归属，又向被剥削劳动主体归属。这也就意味着在常态社会发展的现阶段，市场的价值实现基本上是与剥削的实现胶合在一起的。研究价值，也就必须研究剥削，这是逻辑的和现实的统一。在现实的经济生活中，有许多实现了价值的劳动创造并不一定有利于社会的存在和发展，尤其是在剥削劳动处于主流之时，为了剥削的利益，为了竞争的成功，在变态性质的驱使下，市场难免不产生价值个量创造上的迷失与浪费，或价值变态归属中引起社会动荡的激烈冲突。面对这一切，在人们尽了所能达到的为实现社会进步的自觉努力之后，似乎还是应该理智而坦然地接受。

第九章　价 值 交 换

　　广义的商品市场就是交换关系。但是，现在通常人们理解的市场关系似乎仍是指政府强制交换以外的关系存在，并没有将政府公务人员特殊的整体的劳动交换划归到广义的商品市场交换关系之内。这就是说，在人们理解的商品市场关系范畴中，还是存在着将广义的交换关系与狭义的商品市场联系起来和超出这种联系的区分。而在事实上，严格的广义的交换关系无疑是存在的，即商品市场的范畴既不局限于具体的场所、地点，也不仅限于个别的、自发的、企业化行为的交换，商品的市场关系等同于所有的劳动产品的交换关系，并不限于具体的交换表现形式，政府公务人员的劳动成果交换必然要包括在广义的交换关系之中，不能被排除在商品市场关系之外。在经济学研究的意义上，交换是商品经济的产生条件和存在基础，离开交换没有商品的存在，离开商品是空谈交换。商品的市场交换，沟通了劳动者的勤奋与智慧，丰富和繁荣了人类的生活，促进了社会的进步，是社会经济关系中的重要环节。交换表现了劳动产品的所有权转移，经过交换的劳动产品才能成为商品，在这其中，交换是一种惊险的跳跃过程，价值、价格、社会使用价值都要在交换中实现，或者说没有交换就不能实现，所以，长期以来经济学界是将交换这一环节作为重要的研究内容。经济学家们早就明确地指出，交换是实现商品的先决条件。[①] 在以往的理论研究中，有关交换方面的问题引起了许多学者的兴趣，积累了相当多的思想，但是，从今天来看，已达到的研究水平和已完成的认识成果距离科学地系统地认识交换问题还相差较远，至少在讨论的深度上还很不够。其中特别需要指出的是，过去所作的商品交换分析仅限于为得到自然使用价值的交换，对于不是为了自然使用价值的交换和不是实物性商品的交换以及货币信用形态的交换，大都尚未从基础理论层次考察。从逻辑上讲，这是广义的交换关系研究没有明确的疏漏，是交换研究没有从商品交换分析迈进到价值交换分析的表现，也是抽象的价值分析在交换问题上还没有充分展开的史前期。

马克思认为："商品所有者的商品对他没有直接的使用价值。否则，他就不会把它拿到市场上去。他的商品对别人有使用价值。他的商品对他来说，直接有的只是这样的使用价值：它是交换价值的承担者，从而是交换手段。所以，他愿意让渡他的商品来换取那些使用价值为他所需要的商品。一切商品对它们的所有者是非使用价值，对它们的非所有者是使用价值。因此，商品必须全面转手。这种转手就形成商品交换，而商品交换使商品彼此作为价值发生关系并作为价值来实现。"[②] 在这里，马克思描述的是最初始的商品交换关系。现在，需要辨析的问题是：怎样理解马克思所讲的商品使用价值？怎样理解马克思所讲的交换价值？怎样理解一切商品对它们的所有者是非使用价值，对它们的

---

① "在交换过程中，各种不同的劳动产品事实上彼此等同，从而事实上转化为商品。"（参见马克思：《资本论》，第1卷，人民出版社，1975，第105页。）

② 马克思：《资本论》，第1卷，人民出版社，1975，第103页。

非所有者是使用价值？为什么马克思在这里讲到商品交换，却不认为其中包含价值交换？

政治经济学的基础理论研究是抽象的研究，需要有严谨、准确的抽象分析能力。在价值与使用价值未能从理论上做抽象的区分界定时，人们对商品的交换基础和通约性质还是一无所知。当经济学家只讲使用价值，而未将使用价值区分为自然使用价值与社会使用价值时，理论对于使用价值的认识还是很笼统很模糊的。社会使用价值范畴的确立对于价值理论研究是有重要意义的。社会使用价值与自然使用价值的不同是，不表示商品本身固有的用处，而是代表了社会对于商品的承认与评价，有一定的主观性，也有一定的偶然性和盲目性。但社会使用价值又是商品的客观属性，是建立在自然使用价值基础之上的。所以，马克思讲的商品的所有者的商品对于所有者没有使用价值，应从两个方面去理解。一是商品的所有者的指称在此强调的是商品的生产者，或是拥有商品准备去市场交换的人，这里的所有者是从狭义上与使用者对立的，而其实商品的使用者未必不是商品的所有者。不论是售出商品的人，还是买到商品的人，都可以称之为商品的所有者，就某一商品而言，在前售卖商品的人是这一商品的所有者，在后，买到这一商品的人是所有者。因而，如果不明确马克思讲的商品所有者是指商品的生产者，就不能准确地理解商品的所有者与使用者对于商品的使用价值的不同态度，不能理解马克思讲的所有者没有使用价值。二是这里讲的使用价值是指社会使用价值。在一般情况下，马克思对于使用价值的强调，总在于社会性上，这就是说马克思认为凡是商品的使用价值都是社会使用价值。无论什么商品，它本身固有的用处是不变的，生产商品的人不用这些商品，也不能说商品对于他们没有自然使用价值，这是不随社会变化改变的。所以，马克思说的商品生产者不需要的使用价值，要做自然使用价值与社会使用价值的区分，自然使用价值是存在的，是不变的，而社会使用价值则由于社会的人的角度不同而有不同的认识，不需要某一商品的人尽管不否认其自然使用价值，但是也不给予社会使用价值的确认。由于商品的生产者不消费自己生产的商品，他们生产的商品是供给别人使用的，因此，商品生产者对于商品不能自己做社会评价，而需要购买者做出社会使用价值的评价，购买者实质是代表社会给予生产者的商品以社会的承认和社会使用价值的确认。马克思讲的商品所有者的商品对他没有直接的使用价值只可是没有社会使用价值，不需要自然使用价值不等于说对他们没有使用价值，认识到这一点，就可以搞清楚不需要自然使用价值是等于说没有社会使用价值，而不是等于说没有自然使用价值。

关于交换价值，马克思认为是作为价值形式存在的商品之间相交换的量的表现。对此，还是存在价值与价格的区别界定问题。马克思所讲的交换价值实际上是以实物形式表现的或者说以物直接交换的商品形式表现的价格。因为这指的是很具体的交换量，而价值则是抽象的及不是个量关系本身能决定的。只要是具体表现出来的量化关系，就是价格，这是不能与抽象的价值相混淆的。所以，对以物易物的相互表现，不能理解为相互间是一种交换价值的表现形式，必须明确这是商品价格的一种表现形式。马克思所说的交换关系的涵义，不过是强调商品的交换要以商品所有者各自拥有的劳动产品作为取得对方劳动产品的条件，各自生产的劳动成果内含有可以交换出去的价值，这些价值是在劳动生产过程中创造的，但却是在交换中实现的，即离开交换就不会有价值的实现。

至此，在理论上应特别明确，在市场交换中，任何商品对于它的所有者来说都是既要交换使用价值又要交换价值的。如果认为交换只是使用价值的交换，价值不交换，那么无疑是破坏了使用价值与价值的统一，不符合逻辑的规定。认识商品交换，必须从市场事实出发，不能只做主观的推测。以为使用价值是对方需要的，交换出去为对方所用，而价值是无差别的，双方都有，即可不必交换，这就是没有看到一定的价值必须依附于一定的使用价值才能存在，价值的无差别并不意味着价值无依托，使用价值要交换出去，价值也一定要随之交换出去，因为交换必定是商品交换，商品的二重性都在交换之列，不是想像中的单纯的商品的使用价值交换，现实中不可能存在只交换使用价值不交换价值的交换。如果既肯定商品具有二重性，又不承认价值与价值之间的交换存在，只以为交换就是使用价值的交换，那么怎么能在商品的二重性上讲通交换。这也就是说，一个商品的生产者或所有者，他拥有某商品，就是既拥有该商品的自然使用价值，又拥有该商品价值的，进入市场交换，只要成交，就是既要将自然使用价值让渡给对方，又要将该商品的价值让渡给对方，然后得到对方的商品，即得到对方让渡的自然使用价值与价值，并由此让渡实现各自商品的社会使用价值。

所以，概括地讲，在政治经济学理论创建初期，关于交换的认识还是表层的和简单的，当时的经济学家们还不能抽象地准确认识价值交换的市场关系，其运用的交换概念是不包含价值交换的商品交换，是相当片面的对使用价值交换的强调。这种初期的认识不可能完整地解释市场交换关系，仅仅产生不多的朦胧的社会使用价值意识，且表达不清楚，也没有能够广泛地运用到小商品生产以及小商品生产以后的市场交换的分析中。

也许，我们应该再次强调，理论研究的宗旨是要遵从逻辑的制约。如果不承认基本的形式逻辑，以为高级的辩证逻辑可以不管形式逻辑约束，是根本错误的。离开基本的逻辑制约，人类就对最简单的事实也难以分析。认识商品交换，就要认识价值与使用价值的统一关系，不能此时讲统一，彼时又不讲统一性的制约，将交换只局限于自然使用价值之上。而且，对于交换后实现的价值，不能解释为创造者的自我保留，只要保留自己创造的价值，就不可能有任何商品交换出现，也就是说，不实现价值交换，就等于没有商品交换。

讲到价值交换，重要的是界定清楚，交换的不是劳动主体作用。价值是人类无差别有用劳动的凝结，不是无差别的劳动主体作用的凝结，这是必须分辨的。以劳动主体作用为价值源泉，本身是不合逻辑的理论认识，再加上不合逻辑的推理，认为这种作用不会被交换出去，会留给创造者本人，就更是将关于交换的研究引向误区。我们不排除历史上曾经存在只以劳动主体作用为依据的商品交换关系，而且在今天这个时代中这种方式的交换也还没有完全绝迹，只是应该指出，凡是以劳动主体作用为交换依据，除了表现原始的劳动意识和落后的市场关系外，还带有两个限定条件：或劳动客体很容易得到，对劳动客体没有直接的所有权要求，交换双方都只看重自身劳动主体的付出；或劳动客体的作用在劳动整体作用之中相对较小，劳动成果的取得主要依靠劳动主体的作用。从现实生活看，这前一条件可能不存在了，但后一条件至今未消失，只不过不典型。因此，对于市场交换的主流分析，有关只以劳动主体作用为依据的情况是基本排除的，在理论上必须认定商品的交换包含价值交换，商品的交换以劳动整体作用为交换基础。

在现代市场经济交换中，以物易物的交换是很少量的，为求其自然使用价值即直接为用某种劳动产品的自然有用性而与生产者进行交换的情况也不占较大比重。就目前的状况看，除去劳务商品的交换，在正常的情况下，绝大多数生产者是将自己的劳动产品同商业劳动者交换，商业劳动者再将这些产品转卖给需要这些产品自然使用价值的消费者。而且，在商业劳动中，往往是多环节存在，商品要经过多次交换倒手之后，才能抵达消费者手中。商品劳动的存在，是社会分工的必然，在合理的限度内，商业劳动构成市场交换的中间组成部分对于提高整个社会的生产效率与方便人们的生活是有利的。而且，有商业介入的交换过程，在现代市场上已是以货币为媒介。但我们要看到，商业劳动者以各种形式与生产者交换劳动产品，既承担商业风险，也与生产者与消费者的直接交换有所不同。商业性的交换，可有效扩大商品的交换范围，若缺少这些市场中间环节，商品的交换向外辐射的范围就不会不断地延展。商品是随着商人的足迹走遍天涯的。在商业性交换中，商业形成各种专业分工，商人们都有自己熟悉的行当，他们可用专业的眼光对商品进行比较，从市场角度选择交换对象，商人不仅要考虑商品购进后还要卖得出去，而且必须算清细账，维护自身的利益。商人不是商品生产者，无法拿自己的劳动产品与生产者做比较，商业劳动是劳务生产，属于服务性质，商人不能以自身劳务做交换法码去换取生产者创造的劳动产品，商人所能做的，是对不同生产的不同产品进行比较，这种比较具有社会性，在一般情况下，其比较的结果是有把握的。对于特殊时期奸商的投机或欺诈行为，不可作为商业劳动的一般作用分析。在信息不畅和交通不便的时代，商人们的长途贩运获利颇丰，而在信息高度灵敏通畅和交通已非常便利的现时代，商人的经营也可获得可观的利润。总的说来，高明的商人是精通交换之道的，他们以专业的眼光和执著的努力建造了繁荣的市场，并能从中实现自己劳动的高价值。时至今日，商业劳动是创造价值的劳动，这已成为经济学界的共识，而在上个世纪，这一点是为传统的劳动价值理论所不容的。现今的理论发展，已经扫清了人们认识这一问题的理论障碍。尽管这是一个不太复杂的问题，是从市场实际出发不难认清的问题，但理论界却为此付出了上百年的代价。而实际上，人们对于商业劳动价值的承认，也就是对商业劳动的社会交换作用的肯定。现在，商业的发达已是市场发达和经济发达的重要标志，商业劳动的复杂程度也已随着科学技术的发达而有较大的提高。

为卖而买，是商业性交换的一般特点。商人们在进货的时候必须想到卖的问题，若估计卖不出去，他们就不会进货，他们不愿将货物买进然后压在自己的手中。所以，在这种交换中，虽然是商品的完整交换，是使用价值与价值一同交换，但对商人更具有经济意义的或者说商人们更关心的是价值交换，是如何不使价值的流通停滞，即如何将价值尽快地转给消费者及如何卖价高于买价，更多地得取商业利润。由于突出价值交换的意义与作用，这使商业交换明显地有别于为用而买的市场交换，在消费者看来，商品的自然使用价值作为社会使用价值的基础是很重要的，因为不管主观评价如何，消费者最终要使用商品的自然使用价值，而商业交换则更注重比较不同商品之间的社会使用价值，他们惟恐在这方面有闪失，而使经营中的商品的价值交换发生障碍。这使商业性的交换可能变得很怪，甚至，有的时候，商人们要想出各种托市的高招，[①] 来维护市场的繁荣。从理论上讲，商人的一切努力都是为实现价值交换，商品的使用价值在他们手中不过是不得不接受的附属品，他们交换使用价值的目的是为了实现他们劳动的价值。商人的买与卖都要看对象，他们要琢磨卖给谁和向谁买。在商人买的过程中，他们寻求最低价格和相对好的

---

① 在 20 世纪 50 年代，法国白兰地酒打入美国市场，是借助给美国总统祝寿送酒的办法启动的。

货物，要求供货方提供尽可能的优惠条件。而在卖的过程中，商人追求最高价格和相对多的买主，竭尽全力为买主提供服务。在这一买一卖的过程中，商人实现的利润并不一定都是自身劳动的价值创造，而可能有一部分来自于经营机遇，即源于价差超过正常收入而得取的收益。对于市场来说，如果都卖高价，或都卖低价，结果是一样的，而要是有人卖高价，有人卖低价，这结果就不一样了，显然，卖高价且能卖得出去的是收益高的商人。在价格上，充分体现商业竞争，这种竞争有时是很残酷的，商场如战场，是市场经济条件下每一位经商者都不可忽略的理念。商人们对于价值交换的重视，在某种程度上促进了市场的发展，加快了商品的流通。

在商人之间，即在商业性交换的相互制约之中，社会的商品交换的风险多半转换成了商业风险，商人在市场上无不要承担这种风险。为卖而买的商人若买不到他所需要的货物，他的经营就无从开始，他就起不到商业性交换的作用。而买到货物的商人若卖不出去他的货，他就得不到任何利润，甚至可能为此而破产。商品的价值交换经过商业化的处理，就成为了商人的奋斗史。每一次卖与买，都是一次奋斗，一生的卖与买，是一生的奋斗。有些商业企业的奋斗史可作为后来的经商者学习的教材。在市场供大于求的时候，商人的日子不好过，因为这时许多商品卖不出去。而在市场求大于供的时候，商人的日子也不好过，因为这时许多商品是紧俏的，商人们也难以得到货源。因此，从商业性交换的角度看，商人们也希望市场供求平衡，商人不处于或难买或难卖的地步，商业利润稳定。商人们关注市场环境，从其利益出发，就是为了更好地实现价值交换。在现时代，对一般商品，政府是允许商人自主经营的，而对特殊商品，政府要实行严格的控制，并不完全放任市场。在对外贸易方面，政府要发挥海关作用，严厉打击走私行为。在政府的允许与控制下，商业劳动对于社会的经济稳定起到重要作用，也就是说，商人们从价值交换出发为社会的商品交换更好地实现承担了本身的社会分工应尽的责任。

现实生活中的价格是多样性的，即使同样的商品，在同一城市中，价格也可能千差万别。从价值交换的角度来认识，要求商品出售时的价格统一，似乎只能局限在一定的范围，附有特别多的条件。而一般地讲，只要市场交换中加入了商业劳动，价格的变化也要随商业劳动的附加多少而变化，因为在商品价格中要加入商业劳动的价值实现的部分。在商业性交换中，中转的环节越多，所附加的商业劳动越多，到商品卖到消费者手中时，从价值讲已经远远不是生产者的劳动付出量了。这就是说，有商业劳动加入的交换，商品的价值是由两个价值个量构成，一个是生产商品的价值个量，再一个是商业劳动的价值个量。这两个价值个量是同时交换的。并且，同样的商品由于商业劳动中转实现的价值个量不同，也可能形成不同的价值。而就价格来说，由于有不同的商业劳动的创造作用，其变化可能更多，不论价差多少，总之不同的出售单位很难有不存在差价的。市场交换的复杂，也体现在这两种价值个量同时交换的复杂上。如果附加的商业价值个量过高，那么实际上是整个社会的浪费。作为为了实现交换的劳动服务，一定要适可而止，不可过多，不然就本末倒置了。对于商业劳动来说，追求附加价值个量的量大是不对的，这是商业高成本的表现，商人们应追求的是自己总投入劳动实现的价值个量的数量多，这说明商业劳动的服务得到社会的承认是很多的。在此，抽象地断定这一点，对于具体地分析商业劳动实践，是有指导意义的。

还要明确，商业性的交换，为卖而买的全过程实现，对于商业劳动来说，是为消费者服务的。最后得到商品的消费者支付全部商业附加劳动的价值。这是浅显的事实，也是复杂的概括。这就是说，商人追求价值交换，而商业劳动创造的价值是由消费者承认并评价的，商业劳动者的报酬是由消费者支付的。价值运动于市场之中，从不平息，商人既追求价值交换，又追求自身劳动价值的实现，核心的一点取决于消费者需要。消费分为生产消费与生活消费，商业劳动的服务对象包括这两类消费者。虽然从社会生产的角度讲，所有的社会劳动最终都是为生活服务的，但具体到商业劳动，直接的服务对象还是要包括生产消费者。或者说，商业是为买家服务的，买家中有生产消费者，商业就要为生产消费者服务。而且我们必须明确，商业劳动即使是为生产厂家做推销，实质也是为买家服务的，这不能用表象来解释。商业的实质是代买而不是代卖，价值的交换，就是一买与一卖，但并不存在代买与代卖的并列，因为是代买还是代卖，最终要由劳动归谁承认来决定，商业劳动的价值实现是由买家决定的，所以才只有代买关系。凡从事商业劳动的人，只有清楚地认识代买关系这一实质，不为市场表象迷惑，才能切实发挥好自身劳动分工作用，最大限度地减少商业无用劳动，以较好的工作质量，实现自身在价值总量中应有的价值。

商业劳动是一种劳务性劳动，商业劳动的劳动成果就是商业劳务。除了商业劳务外，在第三次产业中，众多行业的劳动成果都采取劳务形式存在。劳务作为商品进入市场交换，与实物型商品的交换，是或多或少不同的。劳务是不能贮存的，是边生产边消费的，在生产之前有必要的准备，在交换之中体现直接的买与卖的关系，即使加入中间环节的服务，也是不倒手的牵线作用。但同实物型商品交换一样，劳务的交换是劳动整体作用的交换，是包含有价值交换的商品交换，其中必定有劳动客体作用以一定的价值形式的组成部分进入交换，并不仅仅是劳动主体作用的交换。作为经济理论研究，必须明确地将劳务成果与活劳动区别开来。从价值概括的角度认识，劳务是劳动的成果，是劳动整体作用的结果或凝结。而活劳动则只是指劳动整体作用中的劳动主体作用的动态存在。任何活劳动都是不属于交换内容的，交换的只能是劳动成果，而活劳动是构成劳动的要素或一个方面。与劳务相此，活劳动不具有成果性。劳务的交换是价值的交换，在交换的本质意义上，我们必须有这样的认识。在社会目前发展阶段，由于第三次产业飞速发展，劳务的交换已成为一些国家的市场交换的主流，这是现今商品交换的一大特色。劳务型商品的交换，除去直接性之外，与实物型商品的交换一样有价值基础要求，这是必须从理论上确定的。而劳务的交换同时也是使用价值的交换，劳务的使用价值也有自然使用价值与社会使用价值之分，其交换与实物型商品的交换略有不同。劳务一旦实现交换，即被社会承认，劳务的自然使用价值与社会使用价值是一同实现的。这不同于实物型商品，先有自然使用价值的实现，再有社会使用价值的实现。在劳务的交换中，自然使用价值依然是价值的载体，价值的交换是随自然使用价值与社会使用价值的交换一同进行的。所以，劳务的价值交换是直接寻求消费者的交换，有了消费的需求，才能有价值的创造与实现。也就是说，在劳务交换中，没有为卖而买的存在，有的只是为用而买。而且，现在的劳务交换，一边是劳务，另一边是货币，很少有实物参与，也很少有劳务与劳务直接交换。由于劳务直接体现劳动过程，因而，当劳务被购买之后，劳动过程开始，抽象地认识这一劳动凝结的过程，可以看到这正体现的是价值交换的本质，比其使用价值的交换更具有一般意义。当然，一般地讲，现实中的交换，是以使用价值的交换为目的的，劳务的交换并不例外。

商品的交换，不论是实物型商品，还是劳务性商品，现在都是以货币为媒介交换的。而货币与货币的交换，以及各种有价证券和各种产权证的交换，则是商品的使用价值与价值统一交换过程中的价值交换的相对独立运动，也是市场发达后以信用形式表现的价值交换在经济生活中的特殊反映。现代银行制度已经将这种似乎单纯的价值交换运动刺激得鲜活腾跃和五彩缤纷。银行并不接触实物型商品，银行本身是提供金融服务的，是一种劳务劳动组织。银行的作用是市场交换的中介，而且是最广泛和最基础的中介。经过银行的中介，物与物的交换不仅可转换成物与货币的交换，而且还在复杂的交换过程中完成一系列的货币交换，使劳动产品的生产者距消费者的遥远距离和复杂过程在信用的形式上高度浓缩，并以单纯的价值交换形式作为过渡性表现。贵金属成为货币，是停留在银行金库里的交换媒介，到了现时代，这种特殊商品的特殊作用早已经高度形式化了，不再具有直接的市场交换媒介的作用。但现代银行仍然凭借贵金属的货币职能，以贵金属为依靠条件，介入市场的价值交换之中。严格地讲，银行的一切具体操作都属于价格的直接干预工作，不能与价值运动直接划等，只能说其价格工作中内在地体现价值交换的要求。银行以货币化的中介服务参与市场价格的形成与实现，就此发挥货币在市场交换中的作用。从货币到货币，表层上运行的是价格关系，深层中体现的是价值交换，银行的现代市场作用只是越来越强化这种实质为价值交换的货币中介作用。假定，一种劳动产品从生产者出让到消费者购买，中间需要 10 道环节，即要有中转交换 10 次，其中每一次都是货币对货物的交换，那么，在物的交换过程中，货币的中介服务就要全仰仗于银行来支撑，若银行的作用不到位，交换的进行就会不顺利甚至难以完成。到了 20 世纪末，银行在市场交换中的作用已经上升为中枢作用了，整个社会的劳动产品都在流动之中，整个社会的价值交换的相对独立运动都要依赖于银行的作用，银行已经通过对价值交换的控制而对整个社会的市场交换实施了控制。货币与银行，是价值交换的载体与象征。价格与价值的关系，货币对交换的作用，都在银行的业务运营之中体现。直接的物与物交换所产生的价值交换要求，抽象地融汇在银行的中介作用之中，很难再看出朴素的劳动关系，银行的作用已使货币运动复杂化，使复杂的市场交换能在价值交换的带动下有序地实现。

贵金属货币具有世界货币属性，而各国发行的纸币并不单纯是贵金属的符号，还负有代表本国劳动创造的价值的使命。在市场交换关系的历史变迁中，目前价值交换的典型表现是各国货币之间的交换，即外汇的买卖。一般发达国家货币都已进入国际外汇市场，有些发展中国家的货币还没有进入这个市场，但早晚各个国家的货币都会相聚于国际外汇市场，这是市场发展的大趋势。现在，凡加入世界贸易组织的国家与地区，都自动实行货币开放，国际间每日的货币交换量巨大。如果各国的货币都只表现贵金属价格，那么外汇的买卖就毫无意义。所以，关键还是各国的货币都有反映本国劳动价值的功能，而各国的劳动在质上和在量上都有区别，因此各国货币的价格就随之要呈现差别，加上投机因素，这一市场的表现总是波澜起伏的。尽管当今世界信息的传递已极为迅速，外汇的买卖已集中在各大金融中心城市的专门交易场所中进行，但聪明的交易者还是能够从外汇的买卖中盈利，甚至有的巨头为了获取暴利，不惜制造人为的市场波动。外汇买卖的风险本来是对所有进入这一市场的人都存在的，但事实上这种风险只落在没有头脑和根基并且轻举妄动的人身上。而就国际外汇市场体系来说，它表现出的价格起落不仅表现货币之间的价值关系，而且反映各个国家的经济发展情况。劳动创造的价值在外汇的买卖中不是直接体现的，任何从事外汇交易的人和研究的人都不会从外汇市场看到价值运动，但价值交换的关系在外汇买卖中是必然存在的。货币是价格的表现，价值是价格的基础，所以，价值关系与价值交换的变化不能不影响到货币运动。只不过，现在人们的认识还很难把握价值与货币之间的运动关系。市场上的外汇买卖是价格运动，价值在其中起作用但价值起到的作用目前还很难分析。从市场表层看，外汇市场的投机作用好像更明显一些。炒买炒卖外汇的人几乎可以依据这一市场为生，价值与使用价值的相对分离造成了特殊的市场空间，形成了这些人的生存条件。

从货币为中介的交换中，我们既可观察到价值交换的抽象存在及其相对独立性的表现，又可看到这种中介服务使商品的使用价值交换更为便利的直接性。这就是说，在货币进入交换以后，价值交换可更好地实现，同时价值交换的作用是有利于使用价值交换实现的。在一些中间环节，使用价值往往被置于次要位置，这是市场的复杂与扭曲，也是市场上的真实。对于并不顾及使用价值的交换，并不是没有使用价值的交换，而只是没有将使用价值在交换中突出出来，交换者所重视的只是价格与价差。货币的使用可使人们更方便地打价格战，灵活掌握价格，从中实现交换的利润。同样，在商场上，有胜家，也就有败家，由于货币的作用，使得交换吃亏的事也是经常发生的。但总的说，胜家与败家，基本是可以抵消的，货币的介入主要还是有利于市场交换的实现，用货币购买比用其他任何商品实物购买，都是方便的。货币的购买方式对于消费者是普遍的，在用货币而不用他物交换的情况下，货币可以起到比较简捷地衡量价值与价格的作用。消费者自身创造的价值用价格表现，都以货币工资或货币的其他种形式收入为消费者所拥有，他以货币购物就是用自己的价值去交换别人的价值，在他需要的使用价值面前，他要计算的是价值关系，虽然使用价值交换是目的，社会使用价值是价格依据，但只要是使用货币购买，他就会考虑到价值问题，因为这时他给予对方的不是使用价值，而仅仅是价值的符号。如此正常的交换，使价值作为交换基础的作用很实在地体现出来，也使消费者为了得到使用价值而交换的目的更为突出而明显。市场发展到货币交换是高度发达的体现，市场上的以货币购物不属于纯粹的价值交换，但这种交换关系更普遍或更是市场上的日常表现，借助于货币，购买方的要求已相当简化，只要价格能接受，就能买到自己需要的使用价值，这也就是说，价值交换虽然不能具体地表现为市场作用，但在以货币为媒介的任何使用价值的交换中都可觅见价值在交换实现中的作用。

货币介入交换，货币本身需要流通，货币的流通就是信用关系的建立。在商品交换中，建立信用关系就使得交换的进行不必时时处处有纸币跟进。在一定的时间内，货币的中介作用可以隐蔽在信用关系之中。这种信用建立的范围，并不只包括银行信用，商业信用也在其中。先卖出商品，等过一段时间再收回货款，或是说，先买进商品，等过一段时间再支付货款，这就是商业信用，这也是一种价值交换的相对独立性的表现。商品的自然使用价值、社会使用价值及价值是互不分离的，交换就是一同让渡，并不是只交换自然使用价值与社会使用价值，不让渡价值，但是，价值交换的相对独立性在于，可以此建立信用关系，暂缓实现交换的某一方对另一方的商品让渡，包括货币形式的支付。价值与自然使用价值，与社会使用价值不分离，而以价值交换建立的信用关系既体现价值运动的相对独立性，又与商品的二重性的另一面紧密相连，保持交换的完整性。由于信用关系能依据价值交换的相对独立性而建立，这就使得商品的交换富有能动性，可在更大的空间灵活地实现。这样，在付货与付款的时间差中，商品的交换是比没有信用关系更加活跃的。这就是说，若没有这种价值交换的相对独立性，一切市场关系将是呆板的，不仅影响商品与商品的直接交换，而且影响商品与货币的交换，即影响货币的中介作用在交换中的应用面。如果有货币才能购买，赊账不行，那么市场运行之中产生的微小摩擦都可能阻止交换的进行。由商品直接交换到货币中介，是一种市场进步，再到信用关系的建立和普及，则又是一次市场进步，其进步的程度取决于对价值交换相对独立性的利用程度。在现代社会，发达而稳定的信用是保障市场交换顺利进行的基本条件，并且这种保障也是社会再生产顺利实现的基本条件。在买方一时缺少货币的情况下，借助于信用，可以先取货，不中断经营，待货币周转过来后付款，也可以借贷一部分货币用于支付货款。而在某种产品供应紧俏时，在信用的保证下，买方也可以先付货款，然后过一段时间取货，这就将交换搞活了，将货币的中介作用充分地利用了起来。懂得价值交换相对独立性的经营者，可以主动地打出时间差，有意识地拉大交换过程，实现经营搞活，并不一定是缺少货币才依靠信用或商品紧俏才利用信用，主动地使用信用工具就是主动地扩大经济活动能力。经营者可以使用银行信用，也可以使用商业信用，更可以将这两种信用并用。银行信用是市场经济中最普遍的信用，只要银行做出信用保证，在买方不付款的时候，货物也能发到买方手中，现在银行已有专门的机构办理这方面的业务。商业信用是最先出现的信用，但现在商业信用只是银行信用的补充，因为银行信用更具有灵活性。而商业信用一旦建立，更具有稳定性，因为双方没有一定程度的了解，是不会建立彼此信任和彼此互助的信用关系的。从今后的发展看，如果网络销售普及，取代传统的销售方式，那么商业信用也可能会有新的发展。长期以来，信用在商品交换中的作用主流是好的，是促进社会经济发展与进步的。只是从支流来讲，信用的存在，价值交换的可独立实现，也使得一些人借此投机，甚至出现欺诈之事。而且，这种副作用在银行信用中和在商业信用中都有体现。银行的信用担保是要求买家到期偿还或付款的，如果利用银行的担保作用得到货物，尔后不付款，一再拖延支付，那么就是破坏了信用秩序，将市场关系搞乱。在商业信用中，赊账的一方要按合同规定付款，违反合同，到期不兑现信用，打到法院去，这就将信用关系破坏了，使信用无法延续。任何进入银行信用或商业信用的交换者都必须清楚这个问题，价值交换的独立性是相对的，也就是有限的，不能绝对化地理解，更不能为所欲为地破坏信用关系，否则，信用关系中的一个环节被破坏，可能会引起相当大一部分交换废止，会致使许多机构瘫痪，从而严重影响市场的正常运行，使受影响的各个方面都遭受损失。所以，现代社会对破坏信用关系的经济行为要给予严厉打击。

票据的交换本身代表着货币的交换，这也是一种以价格形式表现的价值交换的相对独立运动。就商品交换的发展历程而言，到了票据交换的阶段已经是高度发达的阶段了。票据一方面是以价值为基础将商品价格具体地表现出来，另一方面起到有效地组织使用价值交换的作用。做好票据的管理工作已经是商业信用、银行信用乃至其他信用的一项重要的基础工作。规范票据管理就是规范市场交换，在交换达到相当复杂的程度之后，缺乏对票据的有效管理，市场将会产生更多的无用劳动，或是无必要地增加货币流通环节的繁琐劳动。产生票据交换以及票据管理，交换的本质未变，只是形式上发生了较大变化。这种变化亦表现价值交换的相对独立运动的形式发展了，说明价值交换本身需要不断地创新形式，且形式的创新有利于市场交换关系的严密，能够降低交换成本，加快市场流通速度。计算机的普及已经为票据的交换提供了便利的条件，也为票据的管理提供了良好条件，各种票据承载的交换关系可在计算机上进行数据处理。由于有了这种方便的交换方式，价值的交换在信用方面的发展会处于越来越主动的地位。这一领域将起的作用对于市场关系的现代化是非常重要的。

价值交换的独立发展在有价证券的交换领域得到了更充分的体现。债券表现的是借贷关系，是价值的转让使用，也是独立的一种价值运动方式。而在二级市场上，债券却不表现借与贷的关系，对债券的买卖成了纯粹的谁做借方的买卖关系，一方出货币，另一方出债权，不论哪一方持有债权，对于利用债券筹资的人都是一样的。这特别能表现出价值交换的相对独立性。在纯粹的债权交换关系上，每一位参与者都想获利，获得脱离使用价值运动的纯粹价值运动的得利，但事实上能够达到这一目的的只是一部分参与者，而决不会是全部参与者，这不同借方与贷方的经济关系，这只是借方之间表现出的市场关系。有盈就有亏，或是有亏才有盈，这是债权买卖的市场关系的必然。一般说，购买债券并无太大的风险，或者说这是经营风险相对较小的价值交换。因为在证券市场上购买债券，表面上是投资某种债券，实质上并不意味着是投资，这不具有投资风险，这只有借款风险，这是可收回的贷款，所以其风险较低，即购买者一般情况下可以收回本金与利息。就企业债券讲，只要企业不在债券兑付期内倒闭，风险就很小，即使企业倒闭了，清算资产拍卖后也要留有一部分款项给债券持有者。在市场秩序正常的情况下，被批准发行债券的企业在债券发行几年内倒闭的概率是极小的，若有也是意外，绝大部分乃至可能全部是会到期偿还本息的。就国家债券讲，风险则更小，以国家信用为担保的债券发行，被称为金边债券，几乎是没有到期不能兑付的风险，各个国家的情况都一样。但是，无论哪种债券上市，在流通的过程中，还是充满风险的，这不是借贷关系的风险，而是炒作上市债券者之间相互倒手产生的价格风险，是纯粹的价值交换的风险，没有使用价值的介入，也不受债券发行者承诺兑付的影响。在各个国家实现工业化即现代化的过程中，利用国债筹资是基本建设的主要资金来源，如建机场、修公路、筑铁路、搞市政建设，大都要依靠发行国债，所以，在这一过程中，各国发行国债的量是很大的。对于介入债券市场的人来说，一定要分清一级市场交易与二级市场交易的不同，区分这两种不同市场的风险，搞清其内在的机理。一级债券市场交易是借贷关系，而二级债券市场交易是债权买卖关系，这是两种不同的价值交换关系，后者距离使用价值的交换更远，因而风险是决不等同的。在债券市场完善的状态下，购买国家债券的主要是金融机构，中央银行要利用这种信用关系开展公开市场业务，实现宏观金融的微调，并使之成为吞吐基础货币的渠道。

购买股票是风险性投资，股票交易也是纯粹的价值交换关系，虽然不同的股票有不同的风险，不同时期的市场风险是不同的，但总的说来，股票的风险是大大高于债券的，尤其是高于国债。由于社会化大生产的需要，目前股份公司已成为最常见的经济实体的组织形式，但是，上市流通的股票并不多，大约只占股权总量的百分之几。对于介入到上市股票领域的股民来说，其投资的风险很大，这种风险不可避免，因为这是以虚拟资本的形式表现相对独立的价值交换，有相当大的投机因素在内。股权的存在是社会化投资的方式，这使人们对劳动客体的占有变成了普遍的社会化行为，对于保护劳动客体和增加劳动客体则是建立了广泛的社会基础。只要坚持从劳动的整体性出发，承认劳动整体作用之中的劳动客体作用与劳动主体作用的统一性，就能认识到股份经济的形成对于劳动价值创造的意义，这是现代应普遍关注的问题。投资股权，最终是要将资本转为现实的生产资料的，而且，这种权力只能拥有不能退出，股票的买卖是转让股权，是价值的交换，并不与生产资料的使用价值直接相连，但却对生产资料的使用价值作用有保证，不退出即是保证使用价值的连续存在，不使其受价值相对独立运动的影响。一般来说，股权投资的风险高于企业生产经营的风险，尤其对于上市流通的股票，更是高风险存在。生产投资出现失误也是难免的，只要生产出现损失，股权就随之增加风险，但问题在于，生产的风险不变，股权的风险也会急剧扩大，形成对市场的冲击波。所以，股票交易形成的价值运动，是具有生产投资和借贷关系达不到的风险程度系数的，这种投资诱惑人也吓唬人，没有足够的胆量的人是不宜涉足股市的。当然，风险与收益是正比关系，有风险就有收益，高风险意味着高收益，只要能抗住风险和化解风险，投资股票就相应能取得较高回报，这也是债券不能攀比的。从形式上看，投资股票只是买到一张虚拟资本的拥有证明，但实际上这种投资是抵达劳动客体的使用价值的，这种价值的独立运动与生产资料构成的直接联系，是现代社会化大生产进行的基本方式。这就是说，只有社会化的投资，才能顺利地实现社会化的大生产，因而，股权投资在市场经济运行中的重要性在现阶段是显而易见的。人们往往只注意股票市场的动向，研究股票价格，而忽略股票与社会化生产的关系，以其市场的流动性取代其以生产为基础的必然性，这是认识上的一种片面性表现。毕竟，在社会经济总体上，生产的作用比股票市场的作用更重要。实质上，股权要是不能为生产服务，其存在意义就几乎没有，正是因为股权确实对推进生产社会化有作用，它的独立存在意义也愈显重要。股票市场的竞争是激烈的，这里面有智力的较量，也有运气的参与，更有无情的搏杀，胜者惶惶，败者凄凄，长此往复不止。然而，这种价值交换关系及其直观的社会作用是当今人们能够给予很好的理解和接受的。这其中既存在着仅凭占有生产资料就能分享劳动成果的寄生性，又标志着人类在生存的巨大压力下涌现出的变态的顽强拼搏精神。从资本运营的角度来看，股票市场的倒海翻江，恰恰证明这里是与使用价值相对分离的价值运动的圣地。

在现实的体现价值交换的市场运行中，投机的成分是相当重的。有市场的存在，就意味着有投机的存在，投机永远是市场的伴随物，是商业流通所需要的润滑剂。但客观上市场要求的是适度投机，过度投机总会引起市场秩序紊乱。多大程度的投机是适度，似乎从绝对量上不好确定，因为这也是一种相对关系，是投机量与经济总量的配比关系，只能视市场的容纳程度和承受能力而定，以不破坏市场交换大局为限。当然，在商品市场的交换活跃的情况下，投机因素是越少越好的，而在证券市场上，以价值交换为实质内容的买与卖，似乎所有的参与者都不同程度地存在着投机的动机与目的，对于投机适度的比重确定恐怕是较高的。有人认为，证券交易中，成功了就是投资，不成功就是投机。这是有失偏颇的。每一天的市场都可以证实，成功的投机肯定是为数不少，有一些人就是靠投机发家致富的。投机的成功与投资的成功相比或许从表面上看不出区别，但其经营理念是不同的，投资可以承受一定的经营风险，却决不愿意冒类似赌博的风险，而投机则是以运气为抵押的，与其说是承受风险，不如说是在冒险。由于主要靠运气，自然存在一定的成功的概率，在合法性与普遍性的推动下，证券市场上的投机有史以来长盛不衰。价值交换的相对独立性是证券投机运作的市场条件，这确实远离使用价值的交换，可有相当程度的自由发挥，善于投机的人在这个空间里能够大显身手。就此而言，可以将证券投机定义为：只以获取价差为目的的具有冒险性的单纯的价值交换。如果说股票市场需要较多的润滑剂，那么就是说这一市场不是存在不存在投机的问题，而是投机存在的强度有多大的问题。若投机的主流的预期目标较近，则市场投机强度较高。若投机的主流的预期目标较远，则市场的投机强度相对要低一些。股票市场没有投机或没有普遍的投机是不可能的，常态劳动的整体发展水平决定了人们为了追求更好的生存条件注定要选择这种获利方式，且不惜冒险，因而，从另一方面讲，在这一客观必然性的基础上，适当地利用投机因素来刺激市场活跃和有效地规避投机因素的消极作用，是现代社会实施市场调控的基本要求之一。合法的投机对于股票市场或许也会产生破坏作用，因此市场的调控必须防止这种破坏作用，即必须防止出现疯狂的投机可能引起的灾难性后果。如果市场上投机过度，得不到制止，那么毁掉的不仅是投资的愿望，而且也包括追求投机成功的努力。

期货与期权市场的投机性质更为浓烈。虽然作为必不可少的润滑剂，投机在这些市场上可以得到有效控制，但是，高比重的投机存在犹如关在笼子里的老虎，一旦大意，让其跑出笼子，市场就有巨大的危险降临，至少也要让社会受惊吓多日。这些市场是投机的沃土，也是必然要依靠投机才能繁荣的。在有效的控制下，这些市场的繁荣是与投机的繁荣成正比的，市场离不开投机，如同投机离不开市场。控制是需要有自觉性的，分寸要掌握适当，不能让投机起到大的破坏作用，多少有一些负作用是免不掉的，不能一味地遏制投机，那只会造成市场萎缩。

资产的产权转移或交易实质上也是一种相对独立的价值交换运动。固然，投机是无所不在的，也在这一领域发挥作用，但是，在股权的买卖之外，产权的交易是更大规模的和对生产有直接影响的价值交换。这不是指虚拟资本的买卖，而是特定的表现实有资产的交换的市场关系。在产权的交换之中，资产实际是不动位置的，改变的只是产权的拥有者。收购破产企业和兼并困难企业，是产权交易的典型表现。这其中使用价值的购买意义是明确的，但在表现形式上却突出的是价值交换。这是因为产权的交易的核心点是要通过重组产权来达到盈利目的，并非依靠收购资产的生产能力去获取主要利润。这是以产权关系的变化来影响买卖双方的利益，既联系生产，又脱离生产，也有一种价值运动的相对独立性蕴涵在其中。其市场表现是价格的独立运动，而价值关系是价格运动的基础，所以，价格表现的并不主要是使用价值的交换，在产权的重组意义上，这种交易侧重于表现价值交换，是寄希望于由纯粹的价值交易而带来的价值升值。这是一种资本运营中的价值升值。升值是指交易的双方或一方拥有的产权实现了更多的价值含量。① 一般来说，这种价值交换是在企业之间进行的，企业在市场经济条件下要有意识地开拓这种交换关系，利用价值运动的相对独立性达到提高经营能力的目的。

总之，商品的交换是使用价值与价值统一的交换，交换者相互让渡的商品的使用价值与价值是不可分割的，但是，市场的发展和信用的建立使得以货币为媒介的交换可以形成相对独立的价值交换运动。这种交换关系产生后，在现代市场条件下得到了充分而活跃的发展，这同时也使得价值的抽象在社会经济生活中变得更加神秘了。从事实出发，分析以价格的独立运动表现出来的价值的独立运动，更深刻地揭示了劳动整体创造价值的必然性以及在人类劳动发展的现阶段社会对于劳动客体保护的重要性。对于价值交换的各种市场形式的认识，是政治经济学关于价值运动

---

① 其市场表现为价格。

的新的研究领域。在没有特别提示的情况下，有关抽象的价值交换的讨论，从逻辑上讲均是以市场价格运动为表现的，价值的抽象总是要隐藏在价格的具体之后的。由于价格与价值有内在的联系，抽象的价值分析以价格为表现是能够从理论上大体反映出市场现实的。上述研究表明，这一领域理论的推进在政治经济学的学科体系创新中将占据重要的地位。

第十章 市 场 交 易

与商品市场即劳动成果相交换的市场不同的是非商品市场的存在。在人类社会经济发展的历史长河中，最先出现的是商品市场，即商品与商品直接相交换的市场，这一市场慢慢地演变成了以货币为媒介并有多种价值独立运动表现的市场，而在商品市场出现之后才渐渐地又形成了非商品市场，这是市场关系发展走向全面的阶段。这一阶段就是市场经济的发展阶段，也可以说是商品经济发展的高级阶段。进入这一阶段后，商品市场与非商品市场是并存的，共同发展的。相比之下，只存在商品市场，不存在或是说还没有产生非商品市场，是商品经济发展的初级阶段。也就是说，强调进入市场经济发展阶段，不是单纯只讲商品经济，其重点在于明确非商品市场的存在及其与商品市场不同的经济作用。如果看不到非商品市场的作用，只讲商品市场关系，是将认识只局限于商品经济范畴，而没有展示市场经济范畴的特定涵义。而且，基础理论的研究需要严格区分，商品市场是交换关系，非商品市场是契约关系，即交换关系只存在于商品市场之中，在非商品市场没有交换。进一步讲，对交换关系与契约关系的概括是交易关系，即市场交易关系。据此，有必要展开讨论这一与价值理论相关的范畴。

一 市 场 区 分

市场有初级市场与二级市场、货币市场与资本市场、国内市场与国际市场、批发市场与零售市场、生产资料市场与生活资料市场、要素市场与成品市场、期货市场与现货市场等等区分，但从是否是交换关系的角度来识别，最重要的市场区分是商品市场与非商品市场。商品市场是交换商品的场所和交换关系的总和，是实现劳动产品的社会使用价值与价值的市场，是社会劳动分工后必然出现的市场。非商品市场是所有非商品生产要素缔结契约关系的场所和所有市场契约关系的总和，是生产要素市场的一部分，即非商品生产要素市场部分，是实现非商品生产要素配组关系的市场，包括资源市场和劳动力市场，是在商品市场发展之后形成的市场。非商品的东西固然有许多，凡不是劳动产品的物品都属于非商品，但非商品市场关系只指资源和劳动力这两大类生产要素的契约配组关系。界定资源市场为非商品市场是人们易于理解和接受的。无论是水资源、矿产资源、生物资源，还是土地资源，在经济学界，共识已有，公认是非商品性的生产要素，即没有人认为这些是劳动产品，是商品。所以，在对非商品市场的认定中，关于资源市场的部分是没有争议的。但讲到劳动力市场属于非商品市场，似乎至今还有相当一部分人认为不能接受，在他们看来，或者说在他们接受的传统观念看来，劳动力市场这种生产要素市场是商品市场而不是非商品市场，因为《资本论》所阐述的剩余价值理论的基本认识前提之一就是说在资本主义生产方式下劳动力是商品。对于这个基本认识问题，我们拟在后面展开详细的分析论证。

在目前的常态社会发展阶段，商品市场是最普遍的市场存在，人们的衣、食、住、行等各个方面的消费主要依靠商品市场满足。但是，可以毫不夸张地讲，在商品市场日趋繁荣的同时，非商品市场的产生与发展的重要性并不低于商品市场。无论是资源，还是劳动力，都是社会生产和再生产必不可少的要素，这两大类生产要素的市场化程度越高，社会经济越发达。也就是说，资源市场与劳动力市场的发育状况以及运行秩序的保持状态直接关系到整个社会经济的发展与稳定。商品市场的交换关系包括价值交换关系，没有价值的存在，也就没有商品的市场关系存在。而非商品市场不表现价值交换，但非商品的生产要素经过市场契约配组之后是参与商品价值与使用价值创造的，即商品的生产必须要有非商品的要素参与及主导。两种市场的对比关系是，非商品市场不存在劳动产品要素，商品市场不允许非劳动产品介入。

进一步说，在商品市场中，又有生活消费商品市场与生产消费商品市场之分。生活消费商品市场是直接面向广大居民提供消费品的市场，形成个人生活消费的广阔领域。人们对于生活消费的商品总是百般挑剔的，不用说质量或样式尚有不足的商品会受到消费者的冷落，就是质量精良且式样新颖的商品也可能遇到市场销售阻力。劳动产品的交换关系在商品市场复杂纷繁，使交换顺利实现成为人们的不懈追求，很多时候，交换的实现需要当事人付出相当大的努力，交换者常常遇到市场的新挑战。只要市场潮流变了，原先的畅销品就有可能滞销，搞得厂家血本无归。譬如，在20世纪90年代，中国市场上的方格呢料仅仅流行一年，第二年就卖不动了，凡是未能及时调整产品样式的呢绒厂家都受到压库的损失，甚至有的企业就此一蹶不振，走上了下坡路。

目前，生活消费商品市场基本上不是以物易物了，货币充当了市场交换的媒介，商品与货币交换是最普遍的形式，在发达国家和一部分发展中国家，也有使用信用卡结账购物的。在这一市场，除去生活必需品，其余大量的商品销售是受购买者制约的，因为绝大部分消费品,对于大多数居民,是可消费可不消费的。这种制约关系,在现代社会生活中表现得非常明显。这就是说,在现时代,生活消费商品市场的最大风险是消费者可以拒绝相当大一部分商品进入他们的生活。只有生活必需品,是可保持供求稳定性的。在发达国家,生活消费商品市场的秩序是规范而稳定的,这体现出社会的进步或文明的发展。而同时,现代市场的稳定也是以大量的浪费存在为代价的,有许多的产品在交换中被抛弃了,不能实现物尽其用。比如,超市上的保鲜食品,一天卖不掉,第二天就要扔掉。尽管如此,社会的发展还是要追求市场稳定。

生产消费商品市场是关系到社会再生产或社会经济持续发展的市场,在国民经济中占有重要地位。成为生产消费的商品,是在劳动整体中起资产条件作用的要素,它本身是劳动成果,又再回到劳动过程中发挥作用。这类商品能不能回到生产中去,要看市场的交换能否实现。这是首要的条件,即交换是使生产消费品回到或用到再生产中的首要条件。在这一市场中充满竞争,有的人会顺利实现交换,而有的人完成交换却很困难。生产消费商品市场的稳定性比生活消费商品市场的秩序稳定更为重要。尤其是有关基础材料、能源、运输、通讯等方面的生产消费,必须使市场交换关系保持长期稳定,否则社会经济将遭受严重的损失。就机电类产品讲,研制和生产一种类型的新产品很不容易,要有大量的资本投入,如果产品上市销售不畅,其损失是难以弥补的。由生产消费品的性质决定,若市场波动,不会像生活消费品的生产那样比较容易转产,生产消费品尤其是生产设备一类的物资一旦定型必须保持一定的时间稳定,否则成本太高,经营必然亏损。当然,在技术创新的关键时刻,该转产必须还要转产,不能以任何方式拖延技术创新,只是这种情况不是普遍性的,常规下生产设备总需要保持一定的使用寿命，技术创新不是年年能发生的。但随着现代社会人类劳动技能水平的不断提高，生产消费商品的更新换代确实在不断地缩短间隔时间，这迫使厂家必须转变观念，以更大的努力去适应市场的变化。在不断地有新的生产消费品问世的时代，若企业不能积极地相应更新自己的生产设备，其竞争力是要受到很大影响的，甚至可能就此会导致企业走向破产之路。目前，还有相当一部分企业认识不到这一问题的严重性，还在本着节约的原则，继续使用老掉牙的设备，始终不更换新设备，结果只能是将企业送上绝路。所以，积极地生产新型、高效、节能的生产设备之类的商品是很重要的，积极地使用这一类商品也是很重要的，这方面的交换要随着经济发展的繁荣而活跃。或反过来讲，离开这方面的交换活跃，社会经济的发展与繁荣是难以实现的。应该说，在市场发展的正常情况下，这一类商品的交换是比较有保证的，供给方不会无缘无故地减少供应，需求方也不会心血来潮减少需求，市场中即使出现供大于求或求大于供的短暂情况也不会是严重的失衡。[①] 这方面交换的事先计划性较强，尤其是现代，厂家往往要以销定产，不会盲目地生产。因此，生产消费商品市场浪费情况相对少一些，交换由于先有合同约定，秩序一般好于生活消费商品市场。

生产消费商品市场与生活消费商品市场都属于商品市场，也就是都属于生产成品市场。这就是一定的劳动过程结束之后才形成的市场关系。生产成品市场既包括生产的中下游市场，也包括生产的上游市场的一部分，即生产消费商品市场是生产的上游市场。而生产要素市场则全部是生产的上游市场，其中既不完全是非商品市场，也不完全是商品市场，它本身是非商品市场与商品

---

① 这不指经济发生危机时期。

市场的统一。现在，生产要素市场又从商品市场中派生出证券市场和若干中介组织市场。需要强调的只是，凡进入生产要素市场的物品，不论是商品，还是非商品，相互之间的市场关系主要是配组关系，有交换的配组关系，也有契约的配组关系。从社会生产的角度讲，在市场经济条件下，凡生产要素都是经过市场才实现生产配组的，由市场的配组构成生产的全要素。从市场交易的角度讲，生产要素通过市场实现配组，进入生产领域，是市场功能的全方位开发。

二 契约关系

非商品的生产要素的市场交易关系是契约关系，这是为实现生产要素配组而形成的市场关系。市场具有这种配组的功能，市场可为生产准备条件。而且，很明显，市场关系在前，生产关系在后，这与生产成品市场的交换关系正好相反，在生产成品的交换上，总是生产在前，而交换在后。面对非商品生产要素市场，人们看到的是生产开始前的利益冲突和交易摩擦，是为了各自进入生产领域而进行的各种前期准备工作。这是又一种繁忙，是不同于商品交换的市场繁忙景象。凡是形成生产能力，必然要有资源条件、资产条件和劳动力，市场的配组就是通过契约交易的实现将这 3 个方面要素结合为一体，市场的主宰是拥有配组能力的人。有些市场规则对于商品性生产要素与非商品生产要素是一样的，有些规则的要求是不一样的。明确规则，具备条件，企业才能在市场上实现自己需要的生产要素的配组。这种配组工作的实施，是市场的开端，也是生产的开端，所以，这一市场的存在及其作用是极其重要的，市场经济的基本特征就体现在这里。这说明的是不同的商品生产者和经营者先依靠市场形成生产条件，然后才能创造价值与使用价值，而参与这一市场开端的各种具体的行为，都无疑是商品的生产者和经营者的劳动行为，都构成他们的劳动内容。这样的市场无论对于谁，相比商品市场，都更不轻松。市场交易中的配组关系是简单的，但实际完成配组的过程很复杂。一则寻找适当的生产要素并不一定一找就成，即使有较多的可选择对象也未必能很快谈妥。二则是各种生产要素的持有者对于交易条件可能要求不适当，越是复杂的配组关系越需要磨合和慎重考虑。不管实际运作的情况怎样，在市场的非商品生产要素配组过程中，实质都是一样的，都不是交换关系，而都是契约关系。就现代市场的特征讲，市场配组中的支配力量是持有资产条件的一方，其配组的要求就是寻找非商品生产要素，即找资源和劳动力。如果是货币做媒介，那么资产方在此之前先要将货币变成实物型的资产。这就是说，生产条件的形成，先要以资产条件的确定为起点，然后以拥有资产的企业为本与资源方和劳动力方达成有经济利益分割明确的契约关系。严格地讲，资源市场的契约规定不是买卖所有权，而只是转让资源的使用权，当然对于不可再生的资源来讲，使用权的实现似乎比所有权的拥有更有现实意义。一般来讲，资源的持有方要求资源的使用方支付使用费，实质上这种要求是按资源将在生产过程中所能起的作用换算的，双方关于契约的谈判的核心是对这一作用的评价，成功的谈判是取得了一致的意见，形成的结果是一种关于转让使用权的价格契约，即这时资源尚未发挥任何创造价值与使用价值的作用，只是以其将来可能起的作用比照市场价格行情，经双方认可而达成的一种契约关系。交易双方完成契约签署的过程就是市场过程，这种市场实际就是交易双方创造的，即共同创造的。劳动力表现劳动主体的存在，在资产持有方负责生产全要素配组的时代，劳动力即劳动者与资产持有方的关系也是契约关系，不是商品买卖关系，即这种契约也是按照劳动力将来可能在劳动成果的创造过程中所能起的作用来确定双方之间的经济利益划分的，所形成的也是一种价格契约，契约的经济约束作用是规定劳动力将来的责任与报酬，契约的构成核心是价格，但这只是借用了价格这一形式，实质并不反映以价值为基础的价格关系。这是一种超前约定的价格，这与经过生产之后才能形成的商品的价格截然不同。

与交换关系不同，契约关系的要点在于：双方都没有为对方付出相应的价值，双方通过市场构成的只是要共同建立一种生产过程中的经济关系。价值的创造是契约完成以后的事情，而不是在这之前存在的市场条件。正因为生产的过程缺少资产、资源和劳动力哪一方都是不行的，所以无论配组形成的结果如何，都不是一方对另一方的交换位置，而是三方走到一起来。这里存在的基本前提条件是，其中有一方应为主动方，要出面组织生产。而更重要的基础则是，资产条件和资源条件均有所有权的明确界定，劳动力作为劳动主体要与劳动客体相结合，必须通过生产要素市场的配组才能实现。正是在这样的基础和前提下，才有市场契约关系的产生和发展。配组与契约，是目的与实现目的的手段的关系。契约关系的建立要求负责配组的一方与进入配组市场的其他方在相互利益的约束下共同发挥生产作用。契约是双方或多方签订的，不是单方面的经济行为，契约所要照顾的是签约各方的利益关系。就市场交易中的双方对峙而言，契约的形成表明双方必然存在利益上的某种一致，而同时契约又是对双方利益不一致方面的明确。负责市场配组的一方，按既定的方案运作，要寻求各种所需要的生产要素，并要对每一种要素的配组都用契约规定下双方的关系。市场交易契约有简单与复杂之分，在法制健全的社会，契约的复杂要遵守法律约束，不能以其复杂而钻法律的空子，而简单的契约则更是要服从法律规定，从道理上讲，任何有悖于法律的条款都不能出现。但事实上，由于负责配组的资产方或其他方面有可能在市场交易中处于有利的地位，从而有可能形成在合法的前提下的某种程度上有利于某一方的契约，使其他方迫于无奈而自愿缔结这种契约，不再去做其他选择，这也是随时都可能发生的。准确地讲，不合法的市场交易契约是不在经济学的研究范围之内的，实质上经济学并不研究法权关系，只是研究作为法权关系基础存在的经济关系。经济学关于市场交易的研究需要特别强调的只是，契约的价格是以生产的预期为依据的，这不是即期的利益划分，但都是依靠市场实现的现实的利益划分。

价格确定是契约交易的主要内容。形成价格的契约关系与依据价格进行商品货币交换不能混淆。契约中的价格只是借用价格概念，或是说在生产前确定的利益关系用价格关系来表示，是未来劳动成果可能形成的价格的预先分配。这不同于商品直接交换中价格关系，也不同于表现价值相对独立运动的价格关系。在以契约关系形成价格时，价值还未创造出来，实质上这种形成正是在为价值的创造做准备，尽管市场的交易总是先有生产在前，但在连续的往复运动中却可实现预先确定的价格，这如同定货的价格确定一样是在生产成果完成之前形成的，所不一样的是这不属于购买劳动成果的行为，而只是预先对劳动成果可能形成的价格进行分配。这种契约价格实质是经济利益关系的确定，对社会是一种交代，对当事人是一种生存条件的有序确立。这样形成的价格表现出价格在市场中的丰富的能动性和适应性。契约价格的核心是形成预分配方案，而不是直接的商品交换依据。虽然在市场的广阔天地里到处都是价格以及为实现价格而奔忙的各种经济行为，给人以价格混沌一片的感受，但是只要明确划清非商品市场与商品市场，认识到广义的市场是交易关系，而不仅仅是交换关系，那么也就不难区分价格的本义与价格的借用，不难理解契约价格形成后所内含的经济利益划分功能与作用。进一步说，依据价格交换是劳动成果商品化的表现形式，而确定契约价格却是生产要素市场化的配组手段。市场化不同于商品化，只有劳动产品才能够商品化，非劳动产品无论如何也不可能商品化，但非劳动产品可以实现市场化，依据契约完成交易过程，走出生产自我封闭的模式，不仅产出面向社会，而且投入亦依靠市场来社会化地完成，这就是市场化与商品化的区别与联系，即凡是商品化的都必定是市场化的，而市场化却不一定就意味着商品化，市场化比商品化有更多的经济内容。在理论上，不能将市场化价格与商品化价格混同，虽然市场化价格是以商品化价格为前提条件形成的，但市场化价格更有超出商品化价格的涵义，对市场化价格的形成应开辟专门的研究领域。这也就是说，非商品的市场化与劳动产品的商品化在价格形成的机理上是有所不同的。

　　自然资源不具有价值，只有使用价值。自然资源是自然存在的，不是劳动产品，只有开发或开采自然资源后才能形成劳动产品。价值是劳动的凝结，没有凝结劳动的自然资源是不会具有价值的。但进入生产要素市场配组的自然资源，则意味着要与有价值的劳动产品联接起来进入生产领域发挥作用，所以，在常态社会，自然资源的持有者要求有相应的经济利益在市场实现。至于自然资源的持有者是谁，哪些人有资格持有自然资源，持有者是怎样得到持有权的，他们应不应该得到持有权，等等，在此，我们不做探究。这里所要分析的只是自然资源进入生产要素市场后的表现，是自然资源与资产条件、劳动力的市场化的配组关系。从人类劳动发展的历史考察，自然资源主要是土地的持有者曾在农业经济时代起到过负责配组生产要素的作用，但那时的生产要素市场化并不明显，生产要素市场并没有发展起来，因而那时的负责配组的作用并不突出。现在是工业经济时代，在市场上是资产持有者主要是企业法人负责配组生产要素，自然资源的持有者一般不再负有这方面的配组责任，他们不具有支配地位，是受动性的存在。资源的需求方与资源的供给方在市场上相互寻找合适对象。按照一定的价格达成契约关系，完成交易。要是资源的持有者愿意将自己的权力作为投资，那么他就是与资产的持有者在契约的联结下共同步入生产领域。这是一种基础的契约关系。在这种契约中，联结的是劳动客体中两大要素的生产关系，包括资源与资产在生产中的关系，也包括资源持有者与资产持有者的经济利益关系。资产持有者必须要与资源持有者达成契约，除非资产持有者本身又持有所需要的资源。这种必要性根源于资源在生产过程中的必要作用，即它是必不可少的生产要素，在任何生产中都不能缺少这一要素。在生产要素市场，资产持有者与资源持有者建立了契约关系，再与劳动者建立了契约关系，就完成了配组过程，即完成了市场的契约交易过程。在目前，一般情况下，资源持有者是转让资源使用权，他们不同资产持有者一起进入生产领域，他们完成权力的让渡，就退出市场，只按契约价格规定收取自己的既得利益。这样，负责配组的一方就握有了进入生产过程的劳动客体的所有的支配权。持有资源的权力的有条件让渡，是资源市场交易的最终结果。这具有普遍性，是经常发生的市场关系。但要明确，如果没有配组要求在前存在，如果做不出关于资源进入生产过程后作用的预测，那么就不会有使用资源的权力转让，就达不成资源交易的契约。资源市场的存在与发展，是市场经济发展的基础，对于促进市场经济发展具有重要作用。

自然资源的契约价格确定，分时间、地点、范围、转让方式的不同，如其他生产要素的市场化一样，总是在特定的市场环境条件下合成的结果。此一时，彼一时，资源在生产中的创造作用是随着资源本身的存在状况和劳动整体技能水平的变化而变化的，就价格关系而言还受各个时期各种社会环境对其作用评价的影响。因而，实际上，契约价格之间是不易进行比较的。投资紧缺时，市场会自发地将价格抬高，表现出社会对于资源作用的重视，在某种意义上也起到限制资源滥用的作用。相反，在特定的环境中，一时间资源特别充足，市场自发的反应就是价格下跌。市场竞争的原则在此同样适用，只要供大于求，价格就会从高往低降，如果没有外部力量干预，这种降只能到市场供求均衡时才能止住。除了政府强行管制时期，关于资源的契约价格不能是没有变化的，这一市场同其他市场一样会有波动，而且有时波动还会很强烈。劳动技能的提高可同时提高资源的利用程度，反过来讲，提高了资源的利用程度也是劳动技能提高的一个重要标志。这种正反的相关变化是对契约价格产生影响的基本因素。最初煤炭资源的开发用途是用做燃料，而后化学工业的发展又使煤炭成为重要的工业原料，这之间的差距很大，因此，煤炭资源的市场化价格在只做燃料的时期和用做工业原料时期是不会相同的，在只用于做燃料的地方和在已经能够成为工业原料的地方也不会相同。正因此，有时在某一地用不上的资源，到了另一地能用上就价格倍增，可使丑小鸭变成白天鹅。

在自然资源中，存在着可再生与不可再生的基础区分。比如煤炭资源，开采了就不再有了，采多少，就会减少多少。而土地资源，只要合理使用，可以反复使用，至少在一定时期内是可以反复使用的。在契约价格的形成中，资源若可反复使用则一般是按其长期的使用作用衡量的，虽有投机因素的干扰，但终究可取得比较稳定的评价。而一次性消费的资源，也可做长期的比较，这种比较是对每一次作用认识的长期比较，也可形成反映市场长期走势的比较稳定的价格。目前，总的说，人类始终是大肆地浪费不可再生资源，缺少自我的理性约束。也许人类认为自己总会找到可赖以生存的自然资源，所以，到现在也只有要求制止浪费的呼吁，还未有实际停止浪费的迹象。当人类已经比较确切地知道石油资源的开采年限之后，使用量有增无减，市场价格也未特别向资源持有者有利的方向发展。在各个国家，主要资源都是由政府当局控制的，而且为此还可形成某种资源的国际联合控制组织。控制资源的使用，一方面有利于保护人类生存条件，另一方面也有利于资源市场的规范发展。有效地配组资源，保持资源的契约价格合理且稳定，是国民经济运行的基本要求。

在商品市场，价格的形成以价值为基础，但价值并不直接决定价格，有时甚至与价格有很大的矛盾，这矛盾来自于社会使用价值与自然使用价值的不同一，而价格是直接依据社会使用价值形成的。就此机理而言，也适用于契约价格。交易双方达成契约的依据不是价值，不是要素未来在生产中的作用，而是未来作用的社会评价，即是用价格关系来表现的。可以说，在价格的形成方面，不论是以价值为基础，还是以未来的社会评价为依据，都体现出社会对于价格形成的直接作用，认识这一点，对于解释契约价格是十分重要的。

在现代，市场经济的高度发达已经使生产要素的配组几乎完全社会化了。个别的偶然的寻找配组对象的做法早已为价格关系驱使下的普遍性的市场选择取代。一切事情都变得那么复杂，而一切复杂的事情通过市场又变得那么容易解决。资源市场的交易由于以契约价格表现利益划分也使得自身与信用关系主导下的虚拟资本市场的运行联结起来。而资本市场的发展又是直接以资产即生产消费商品市场的发展为基础的。因此，在生产要素配组的市场意义上，作为劳动客体存在的生产要素都可以虚拟化或证券化地表现其持有者的权力。这样，占有生产要素的寄生性就成为社会普遍的行为特征。也就是说，市场经济的高度发达引导下的经济关系或利益划分，在占有生产资料即劳动客体上都可以变成简单的索取权，即占有资产、矿山、水源等等，均可成为一种获取收益的权力，这种权力可以在资本市场上做最一般化的表现，而不必去区分它代表的是具体的哪一种资产或资源。实际上，在这种权力运作的稳定下，是市场的波澜起伏。也就是说，生产过程的市场化准备，由于要素的商品化与市场化，已经可由虚拟的资本权力来概括和统领了。正因此，这一市场之中存在着相当大的投机性。一是由于对要素的作用是预测的，二是由于权力的虚拟性质，所以投机在这一市场上是颇为壮观的。我们知道，投机对于市场是不可少的，适当的投机可起到繁荣市场和促进市场发展的作用，甚至可化解生产者的一定经营风险，但是，在权力虚拟的市场上投机，还是不同于一般的市场投机，冒险性更大，激烈的争夺性也更强。这或许也是一种进步，即将一定的生产经营风险转移到了生产领域之外，由更大的社会范围来承受风险。而且，在广泛的社会化之后，在人们之间，就不再是有没有资本占有权力的区别，而只是存在拥有这种权力的多少的区别。这种权力的社会化实现，反映了资源市场与资产市场的发达。

作为统一的契约关系，在生产要素市场交易之中，表现了劳动主体以及占有劳动客体的各方面的利益划分。但严格地讲，劳动主体的市场契约还是不同于劳动客体的配组关系的。劳动主体成为生产要素，形成劳动力市场，其契约关系有自身的特点。对于劳动力，不能作为劳动成果看待，即人的创造与创造人本身是要严格区分的，不然就失去了人的主体意义，存在混淆劳动主客体作用的误解，搞不清楚社会的存在意义。因而，在初步考察资源市场及资产市场的契约关系之后，我们要特别研究劳动力的主体性及非商品性的市场表现。

三 劳动力不是商品

劳动力市场的契约关系是不同于资源市场的又一种非商品生产要素的市场交易关系。对此，我们要特别阐释劳动力与商品的区别，避免理论在这里步入误区。或者说，认识劳动力市场契约的关键是认识劳动力的市场性质，是断然地否定劳动力是商品。

在理论上，提出劳动力是商品，由来已久。当社会的发展使劳动力的市场化推开之后，形成了资本对劳动力的雇佣关系，于是也就有了将这种雇佣关系称之为买卖关系的说法了。而买卖关系讲的是商品的买卖，所以，习惯上人们就将劳动力的卖作为一种商品的卖看待，将劳动力当做一种商品了。这是自发地形成的认识，有根据，有比较，只是不严密。也许这在人们口头上讲一讲无关大局，但是作为经济学的研究，却不能以自发的不严谨说法为认识依据。在理论上的界定与在习惯上的保持，有时并不一致。政治经济学必须对以往的研究进行反思。劳动力是商品，这是剩余价值理论建立的前提与基点。马克思认为，在资本主义生产关系中，资本家购买劳动力商品并支配使用这种商品，一切价值和剩余价值的创造都来源于对劳动力商品的使用。马克思构想劳动力是商品的理论框架与其劳动主体价值论的思想是一致的，即基础是劳动主体价值论，所有的推论都是由此生发的。在前，我们已经分析过劳动整体价值论与劳动主体价值论的区别，阐明科学的价值理论只能是劳动整体价值论，传统的劳动主体价值论混淆了价值创造与价值归属，以价值归属替代价值创造，违背事实，也不合逻辑。因此，关于劳动力的使用是否是一切价值和剩余价值的源泉，已经不必再讨论了。现在的问题就是要单纯就劳动力是否是商品的问题进行分析，以专门澄清这方面模糊乃至错误的认识。

在《资本论》第一卷第四章第三节，马克思写的是"劳动力的买和卖"，在这一醒目的标题下，马克思写下这样一段话："要转化为资本的货币的价值变化，不可能发生在这个货币本身上，因为货币作为购买手段和支付手段，只是实现它所购买或所支付的商品的价格，而它如果停滞在自己原来的形式上，它就凝固为价值量不变的化石了。同样，在流通的第二个行为即商品的再度出卖上，也不可能发生这种变化，因为这一行为只是使商品从自然形式再转化为货币形式。因此，这种变化必定发生在第一个行为 G—W 中所购买的商品上，但不是发生在这种商品的价值上，因为互相交换的是等价物，商品是按它的价值支付的。因此，这种变化只能从这种商品的使用价值本身，即从这种商品的使用上产生。要从商品的使用上取得价值，我们的货币所有者就必须幸运地在流通领域内即在市场上发现这样一种商品，它的使用价值本身具有成为价值源泉的特殊属性，因此，它的实际使用本身就是劳动的物化，从而是价值的创造。货币所有者在市场上找到了这种特殊商品，这是劳动能力或劳动力。"① 马克思认为劳动力是商品，在此是明确表述的，虽然他特指作为商品的劳动力是资本主义生产关系下的劳动力，以及说劳动力是一种特殊商品，但表意十分清楚，不管是特指还是特殊，总之对于劳动力是商品做了极为肯定的论断。不过仅就马克思的这一段论述讲，他的关于劳动力是商品的推理结论实际是包含在论述的前提之中，是先说必须在市场上发现这样一种商品，然后说这种商品是劳动

---

① 马克思：《资本论》，第 1 卷，人民出版社，1975，第 189 页。

力，这里是从商品入手讲必须有这种特殊商品，而撇开了商品本身自有的规定性，做出了将劳动力硬套为商品的论断，并未严格按逻辑顺序推理分析。这里讲到的要在商品的使用上取得价值，因为马克思早就规定了只有劳动主体创造价值，所以他这样表述，其结论是不言自明的。问题就在于，这样的分析前提没有说明为什么将劳动力与商品连在一起，商品是用于交换的劳动产品，而劳动力只是劳动主体存在，并不是劳动的产品，因而劳动力决不会是商品，即使特殊商品也不可能是。劳动是人的本质，不能将劳动的产品与创造劳动产品的劳动能力等同，劳动力是一种主体存在，商品是劳动主体与劳动客体共同创造的，创造者与创造者的产品是不能划等号的。显然，在《资本论》中，关于劳动力是商品的论断，没有依据商品本身的规定性做分析，缺乏必要的逻辑性和确定性，不是一种科学的准确的分析，实际是带有先入之见的，结论产生在了研究开始之前。

马克思对于劳动力做了一个十分确切的定义："我们把劳动力或劳动能力，理解为人的身体即活的人体中存在的、每当人生产某种使用价值时就运用的体力和智力的总和。"[1] 在对劳动力这样认识的基础上，马克思讲了"货币所有者要在市场上找到作为商品的劳动力"[2] 的两个主要条件。长期以来，许多研究人员将马克思在这里讲的找到作为商品的劳动力的条件，说成是劳动力成为商品或劳动力转化为商品的条件。显然，这种认识不符合马克思的原意。在此，马克思其实讲得很清楚，这两个条件就是只指货币所有者找到作为商品的劳动力的条件，并没有解释为什么劳动力是商品。这两种意思的差别是不可否认的。马克思这

[1] 马克思：《资本论》第 1 卷，人民出版社，1975，第 190 页。
[2] 同注①。

样讲，实际上是将劳动力是商品的论断作为不证自明的基本认识，来解释或者说强调劳动力作为商品存在的作用，其实无论怎样解释，都回避了问题的关键。

对于第一个条件，马克思是这样讲的："商品交换本身除了包含由它自己的性质所产生的从属关系以外，不包含任何其他从属关系。在这种前提下，劳动力只有而且只是因为被它自己的所有者即有劳动力的人当作商品出售或出卖，才能作为商品出现在市场上。劳动力所有者要把劳动力当作商品出卖，他就必须能够支配它，从而必须是自己的劳动能力、自己人身的自由的所有者。劳动力所有者和货币所有者在市场上相遇，彼此作为身份平等的商品所有者发生关系，所不同的只是一个是买者，一个是卖者，因此双方是在法律上平等的人。这种关系要保持下去，劳动力所有者就必须始终把劳动力只出卖一定时间，因为他要是把劳动力一下子全部卖光，他就出卖了自己，就从自由人变成奴隶，从商品所有者变成商品。他作为人，必须总是把自己的劳动力当作自己的财产，从而当作自己的商品。而要做到这一点，他必须始终让买者只是在一定期限内暂时支配他的劳动力，使用他的劳动力，就是说，他在让渡自己的劳动力时不放弃自己对它的所有权。"① 在这里，马克思是说，要想使劳动力成为商品，首先劳动者必须有人身自由，能够自己支配自己的劳动力。但马克思使用的是"当作"这一词来表示劳动力与商品的关系，即把劳动力当做商品，其实，就准确的意思讲没说劳动力是商品，只是说当做商品，因为如是商品，就不用说当做商品了。而且，马克思讲劳动力不同于劳动者，劳动力不能一下子卖光，若卖光了，劳动者就是商品了，也就是说，卖光的劳动力等于是卖劳动者，劳

① 马克思：《资本论》第 1 卷，人民出版社，1975，第 190 页。

动力与劳动者在劳动力一下子卖光的情况下是等同的，只是在劳动力一点点地卖时，劳动力才与劳动者有区别。更重要的是，在此，马克思讲劳动者在"让渡"劳动力时不放弃所有权，这在逻辑上是矛盾的，因为在商品经济条件下，商品的出卖就意味着放弃所有权，任何商品卖了，都不会有所有权不交出去的道理，商品的买卖实质上就是所有权的买卖，若所有权不交出去，等于没有卖。所有权没有放弃，如果是讲租用，那是相通的。但作为商品买卖，是决不能既卖掉又不放弃所有权的。若所有权没有转让出去，那交给别人使用的恐怕就不是商品，不存在相互交换的关系。因而，我们可以肯定地讲，如果劳动者不让渡劳动力所有权，按马克思所说的那样，不论怎样说市场买卖是没有发生的，有关劳动力是商品的论断不能成立。马克思的观点是，劳动力商品的所有权没有卖，也不好卖，卖的只是一定时间内劳动力的使用权，即卖的是劳动力的使用，是有时间限制的劳动力的使用。可问题又是，马克思认为劳动力与劳动力的使用不是同一概念。他特别强调说："劳动力的使用就是劳动本身。"[①] 即他认为劳动力是劳动者的体力和智力的总和，是劳动者的劳动能力，而劳动则是劳动力的使用或劳动能力的使用。关于马克思的这一认识，长期以来是写入马克思主义政治经济学教科书的。马克思将劳动力与劳动的区分作为一个重要问题看待，甚至告诉人们这是理解剩余价值理论的基本点。为此，他解释说："谁谈劳动能力并不就是谈劳动，正像谈消化能力并不就是谈消化一样。"[②] 因而，按照马克思对劳动力与劳动的严格区分，劳动者让渡的是劳动力的使用，是马克思讲的劳动而不是马克

---

① 　马克思：《资本论》第 1 卷，人民出版社，1975，第 201 页。
② 　马克思：《资本论》第 1 卷，人民出版社，1975，第 196 页。

思讲的劳动力。这也就是说，在马克思论述劳动力是商品的过程中，实际讲的道理也是从逻辑上无法接受的，因为没有讲清楚商品的本来性质，也没有讲清楚到底怎样理解劳动力的使用，当做商品的是劳动力，还是劳动，其目的是说劳动力是商品，而其效果却相反。

逻辑的矛盾是出自马克思自己的论述，说明其基本的认识没有理清逻辑关系，是不符合事实的，认识逻辑有错误。总之，就第一个条件讲，马克思没有能阐释劳动力为什么是商品，劳动力是怎样当做商品存在的。

关于第二个条件，马克思讲："货币所有者要在市场上找到作为商品的劳动力，第二个基本条件就是：劳动力所有者没有可能出卖有自己的劳动物化在内的商品，而不得不把只存在于他的活的身体中的劳动力本身当作商品出卖。"① 在此，马克思仍然是说劳动力当做商品出卖，而没有说劳动力怎么成为商品。在马克思看来，劳动者没有别的可卖，劳动力就可当做商品。而事实上，劳动者有其他收入或者说有较多资产的人并不妨碍他们接受雇佣，他们可以一方面经营着自己的生意，一方面做别人的雇员。仅因为劳动者没有别的商品可卖，就断定他们只能卖自己的劳动力，且劳动力就是可卖的商品，这在逻辑上是不成立的。不管一个人有没有可卖的商品，他都不能将不是商品的东西当作商品出卖，劳动力不是商品，不可能因为劳动者没有可卖的商品就变为商品，是不是商品有严格的界定，即必须是用于交换的劳动产品，认识是要遵守逻辑的，不能在推理的过程中无视逻辑制约，以莫须有的前提推出一个随意性的结论。就一个人或一部分人来讲，他或他们不做工可能就没有活路，只好接

---

① 马克思：《资本论》，第 1 卷，人民出版社，1975，第 191 页。

受苛刻的条件为货币所有者做工，但从全社会来看，劳动客体必然要同劳动主体结合，或者说，离开劳动主体，劳动客体毫无用处，货币也毫无用处。因此，就社会生产而言，无论在什么条件下，劳动者都必然要同劳动客体结合，这种必然性不能成为劳动力是商品的理由。市场本身不能说明劳动力具有商品性质。

只有是劳动产品，只有这种劳动产品是用于交换的，而不是生产者自己消费的，才是商品，商品排斥非劳动产品，这一界定是公认的，是目前为经济学界普遍接受的。对于商品是用于交换的劳动产品，定义本身包含的是两个要件：一是劳动产品，二是用于交换。因而可以肯定地说，是劳动产品，不用于交换，决不是商品；不是劳动产品，用于交换，也决不是商品。作为商品，必须两个要件同时具备，既是劳动产品，又用于交换。所以，从性质上认识是不是商品，首先要看是不是劳动产品。马克思本人也讲过："商品首先是一个外界的对象，一个靠自己的属性来满足人的某种需要的物。"① 这也就是说，马克思也认为商品是物的属性，不是人的属性，是人的外界，是为人所用的。对此，马克思还讲到："一切商品都只是一定量的凝固的劳动时间。"② 马克思所讲的与关于商品的基本定义是一致的，即商品必须是劳动产品，商品直接体现的是劳动，没有劳动的凝固，就没有商品。商品与劳动，是相互连接的，如果抛开劳动，就不能谈商品，任何人都不能谈没有劳动内容的商品。其次，认识商品的性质，除了必须是劳动产品之外，还要从交换的角度做出明确的界定。马克思说："谁用自己的产品来满足自己的需要，他生产的就只是

① 马克思：《资本论》，第1卷，人民出版社，1975，第47页。
② 马克思：《资本论》，第1卷，人民出版社，1975，第53页。

使用价值，即不是商品。"① 按马克思的看法，不是商品就没有价值，而只有交换劳动产品，才有价值的实现，交换对于劳动产品成为商品，是至关重要的，而不是可有可无的，自己用自己生产的产品与让别人经过交换用自己的产品之间有重要的分界线，虽然从物的外表上看不出变化，而且作为劳动产品的性质是一样的，但是只有经过交换，劳动产品才能增添商品性质，否则就还是劳动产品而不是商品。从马克思的阐释中，我们可以看到，马克思对于商品性质界定必备的两个要件是确定无疑的，这与经济学界的共识没有大的差别。所以，按照马克思对于商品的认识，找不到任何支持劳动力是商品的分析依据。

劳动力不是商品，关键在于劳动力不是劳动产品。人的劳动创造与创造人本身的劳动能力是截然不同的，尽管二者是不可分割地联结在一起。文化教育是直接提高劳动者的劳动能力的，但教育本身不能影响或不能形成劳动者体力和智力的生理基础，而劳动力的最根本的存在是其生理基础的存在。劳动力是人的劳动力，人是有劳动能力的人，人的生理基础就是劳动力的生理基础。人或者说劳动力，就进入劳动过程而言，实质没有区别。劳动力是作为劳动主体存在的，劳动力的使用实际上就是劳动主体在劳动整体创造价值中发挥的作用。劳动是为劳动主体服务的，劳动主体的作用是劳动中的主导作用，劳动的目的就是使劳动主体得以生存。劳动主体的存在与劳动产品的生产是人与为满足人的需要的关系，是人的劳动能力与劳动能力使用结果的关系。尽管人类的劳动能力在人类不断地创造劳动产品的同时，不断地获得提高，这是同一过程的两个方面，但终归这是两种不同性质的存在，不能将人类劳动能力的提高与人类劳动创造的产品等同。

---

① 马克思：《资本论》，第 1 卷，人民出版社，1975，第 54 页。

也就是说，劳动力是人本身的能力，是人本身创造劳动产品的能力，人本身的劳动能力要与劳动客体相结合才能创造劳动产品，不能将人本身的劳动能力即劳动主体创造能力与这种能力主导下的劳动创造的产品等同。总之，必须分开劳动力与劳动产品的区别，不能将劳动力说成是劳动产品，不能在劳动主体与劳动创造的产品之间产生认识上的混淆。①

劳动力不是商品，从严格的意义上讲，必须进一步确认劳动力不能用于交换。没有人能将劳动力交换出去。劳动力是劳动者的劳动能力，任何劳动者都不可能将自己的劳动能力让渡给别人。劳动能力在哪一位劳动者身上，就只能一直在他的身上，别人弄不去，这是自然的，也是最基本的事实。比如，一位搬运工人能扛 400 斤货物，这是他的劳动能力，没有人能花钱将他的能扛 400 斤货物的能力买去，人们可以雇佣这位搬运工人去扛 400 斤货物，却不能剥夺他的劳动能力，使他的劳动能力转到别人身上，这位搬运工人可能会因某种原因失去自己的这种劳动能力，但他的失去能力并不能给别人增添能力。对此，马克思也讲得很清楚，他说这种劳动能力不能卖，其所有权永远要归于劳动者本人。所以，很显然，劳动者的劳动能力是不能进入交换领域的。一位会驾驶汽车的劳动者不可能与一位会演戏的劳动者相互交换劳动能力。事实上，会驾驶汽车的劳动者可以再去学习演戏，会演戏的劳动者也可以再去学习驾驶汽车，他们各自原有的劳动能

---

① 马克思始终是按劳动力是商品的观念分析资本主义生产的，他认为："一个价值额最初转化为资本是完全按照交换规律进行的。契约的一方出卖自己的劳动力，他方购买劳动力。前者取得自己商品的价值，从而把这种商品的使用价值即劳动让渡给后者。后者就借助于现在也归他所有的劳动，把已经归他所有的生产资料转化为一种新产品，这个产品在法律上也归他所有。"（参见马克思：《资本论》，第 1 卷，人民出版社，1975，第 641 页。）

力不会转让给对方，他们若要在原有的劳动能力的基础上再增加劳动能力，只有去学习，虽然他们各自学会了新的能力，可能还是从事各自原先的工作。这就是说，从生理基础也就是自然基础角度讲，劳动能力是不能让渡的，即是不能用于交换的，因此，劳动力不会也不可能成为商品。

劳动力既不是劳动产品，又不是用于交换的，所以，科学的经济理论是不能将劳动力与商品联接在一起，不能承认劳动力是商品的。即使说劳动力是特殊商品，也不能允许，因为特殊商品也是商品，劳动力不具有商品的性质，就根本不能与任何商品包括特殊商品沾边。将劳动力与商品联接起来，如同将商品经济与资本主义社会联接起来一样，是历史的误会，是理论的偏差，是现实的困惑。本来，劳动力是不是商品，这是一个非常简单的认识问题，无论是从定义出发，还是做基本的逻辑推理，回答这一问题都是很容易的，不会有任何困难，但是，这些年来，由于基本逻辑关系没有理顺，这个问题已经被互不相让的争论搞得十分复杂了，让初涉经济学研究领域的人百思不得其解。近年来，大多数的社会主义经济体制的改革者，不再反对劳动力是商品，他们根据马克思讲的资本主义市场中劳动力是商品，从改革的愿望出发，进一步提出社会主义劳动力也是商品的观点，从而将劳动力商品论推向了一个更偏的极端。或许，可以说这一新观点的产生是认识不从实际出发而从书本出发的一个典型。而另一部分反对劳动力商品的人也只是反对这一新观点，即反对社会主义劳动力是商品，并不触动资本主义劳动力是商品的传统理论根子。如果不动这个根子，应该说，将资本主义劳动力与社会主义劳动力划等号，说劳动力都是商品，在逻辑上是一致的，但这时并不能判断认识是否符合实际；而相反，只承认资本主义劳动力是商品，不承认社会主义劳动力是商品，则在说法上是矛盾的。然而，这种一致与矛盾都不能真实地说明问题，因为正确的认识必须从实际出发，必须使认识的前提符合基本事实，不能从错误的判断继续往下推理，那样即使以后的逻辑正确，也不能保证认识正确。劳动力是商品不符合事实，是一个虚假的判断，所以，必须改变的观念不是社会主义劳动力不是商品，而是资本主义劳动力是商品。而且，关于这一问题，国际劳工组织早有否定劳动力是商品的结论，从来没有发生过认识的误导。《国际劳工组织宪章》（1991 年）规定："无论从法律上或事实上，劳动力都不应当被视为商品。"

由于劳动力不是商品，在生产社会化后，劳动力只是市场化地出现在经济生活中，劳动力市场既是生产要素市场，又是非商品市场，劳动力的市场关系不是商品交换关系，而是生产契约关系，即劳动力将进入生产领域而同生产的支配者签订的契约关系。在当代社会，劳动客体作用在劳动整体作用中占主要作用，因而掌握劳动客体的经营者获得生产要素配组的支配权，即这种情况下对劳动力作为生产要素的市场配组也具备支配权。这种支配权的运作就产生了企业与劳动者之间的关于劳动报酬的契约，根据契约规定，劳动者进入生产领域工作后即劳动力在生产领域发挥作用之后，劳动者获得一定的报酬，即享受到一部分劳动成果。市场的契约关系表明资本权力与工人权力在劳动成果上的划分。契约规定的报酬，不能叫做劳动力价格，实质只表示劳动者的待遇，准确地讲就是工资，没有必要再往价格上解释。从内在的逻辑讲，在劳动客体的占有者要求获取占有劳动客体的收益的前提下，劳动力所有者要求的报酬只能是劳动主体在劳动整体创造价值作用中的相应作用，市场契约的制定客观上要以此为依据，不应脱离这一客观依据。从市场运行实际讲，企业进行生产经营，必须要招收工人，工人的工资定多少是在工人进厂前与企业做好协议的，这种协议就是市场契约。企业一般在开工前并不付给工人工资，工人的工资大体是工人工作一段时间后企业才支付的。所以，在企业与工人之间，从始至终没有发生商品交换关系，工人不是作为商品进厂的，作为商品进厂的是那些生产设备和原料、材料，企业只是按契约与工人产生一定的联系，或者说是在契约下工人与工厂的生产资料共同构成了现实的生产能力和生产过程。毫无疑问，在企业里，工人得到的工资不是任何人的施舍，也不是商品性的报酬，而实实在在是工人们自己的劳动创造，是价值的一部分向他们归属。在现阶段，劳动力市场的存在是普遍的，每一个国家都有，每一个地区也都有，这种市场的存在有利于劳动力的流动，也有利于生产要素合理配组，其市场功能与作用是不可忽视的，只是必须明确，在这一市场排斥商品交换关系，这是非商品市场的存在。在理论上，不能将生产契约关系等同商品交换关系，在这方面，由于劳动者是劳动的主体存在，因而必须强调与劳动客体之间的界限，不能使劳动主体丧失主体地位，劳动者受雇佣并不改变劳动者的主导作用。从生产契约角度理解工人的雇佣关系是符合现实的。

四 特殊的市场交易

市场交换与市场契约，或是说，交换关系与契约关系，统称为市场交易或交易关系。也就是说，笼统地讲交易，是包含交换的，若特别强调是交易而不是交换，则是指市场契约关系或者说非交换关系。对于虚拟化的资本市场关系，由于其内容含有交换关系同时又牵连着非交换关系，所以也需要笼统地称为交易关系。只是，在现实的市场中，除表现生产要素或生产成品的交易外，还存在着其他一些合法或非法的交易。

贩毒是一种非法交易。毒品不仅毒害人，而且价格昂贵。毒品是非法的劳动成果，不统计在国民生产总值之中，却运动在国民经济运行之中。在某些发达国家，毒品一年的交易额可达上千亿美元。正常的医用毒品不计算在内。对于生产毒品和贩毒品的劳动，是非法劳动，也是非生产劳动，是无益而有害的劳动。毒品是非法的，但是有价格，在产地的价格并不很高，然而在贩运过程中，一段路一段路地倒手，一层层地加码，每加一回价就是几倍甚至十几倍。为了躲避辑毒人员的追捕和蒙骗边关检查人员，以毒品为生的人想尽了一切办法，铤而走险，这使毒品的非法商业性的附加值增长特快，从而导致毒品到吸毒人的手中时价格惊人。作为经济学家，对于国民经济运行的完整考察，是不能将毒品交易排除在外的，这方面的交易金额巨大是一个原因，更重要的是毒品交易对社会经济发展的直接与间接影响也是巨大的。因而，在现代，缉毒问题已进入经济研究领域。毒品交易市场是非法的市场，是应取缔的市场，但却是现实地潜在地存在的市场。而且，不因毒品非法而影响其市场交易的关系，这是非法的交易，但也是一种交易。对于这种非法交易的经济性质，经济学必定要研究。对于这种交易的市场变化情况，经济学也必定要研究，而且要将其放在整个市场的研究中研究。

走私也是非法交易。目前，各国都设有反走私机构。在买家与卖家之间，除了非法性之外，走私交易与正常的合法交易没有区别。走私逃避了关税，然后冲击市场，是极不公平的竞争。在一个国家内，倘若一些地区严厉打击走私，基本上杜绝了走私，而另一些地区却未能制止走私，致使走私猖獗，那么这两个地区相比，对走私打击不力的地区损害了国家的利益而使本地有了较快的积累，其走私货物在市场销售上占有优势。不论是哪一个国家，在现阶段，完全断绝走私是办不到的，只能是尽力将其限制在最小的范围内。从市场的角度看，要研究走私商品的种类、规模、途径等等，这样才能更好地打击走私，努力消除走私对市场正常秩序的影响。在走私较为严重的时期，若不能掌握走私的交易情况，就不能说是对市场完全了解，这时不包括走私的市场分析是没有实际意义的。在市场分析方面，不是注重走私的非法性，而是要明白已经完成的走私对市场供求的影响，因为进入市场的商品是难以区分是否是走私商品的。对于没有被抓获的走私者来说，他们永远是盈利的，他们的风险不在市场，而在海关，他们的高盈利就在于避开了海关风险而以较低的成本进入市场。但将走私归为特殊的市场交易，不是根据其高盈利，而是根据其经营的非法性。

在现代社会，获取商业情报已是各大财团极为重视的经营内容。于是，商业情报的交易也成为一种普遍的隐蔽的市场交易。其中有合法交易，也有非法交易。但不管交易是否具有合法性，双方都是在暗地里进行，决不公开交易，不让外人知晓交易内幕。也就是说，即使是合法的情报交易，当事者双方也不会对外宣传，甚至也是采用极秘密的方式进行。这是一种特殊的交易。懂得这种交易作用的经济组织往往能够获得超过其他经济组织的市场竞争力，其实这就是发挥了情报的威力，使其能早动一步，走在别人前面，这一主动的结果就是市场的占有率的扩大或新市场的开拓。然而，这种特殊的交易并非每一经济组织都能利用，而需要一定的条件。对于卖情报的一方讲，要有搜集或挖取有价值的情报的能力，既要有资金投入，又要有业务技巧，并且还要做得十分隐蔽。对于买情报的一方，不仅要有购买力，这种购买是要花大价钱的，要敢于买才行，而且更紧要的是必须懂得买什么情报和怎样才能买到情报，抓不住时机和选择不当，就失去了这种购买的意义。情报交易的特殊性在于其隐蔽性和巨大的效益性。由于隐蔽，很难排除其非法性，但事实上有些情报的得取完全可以合法地进行。也许，情报工作的收益不能用一般标准来衡量，情报本身的价值与价格存在很大的差距，在取得情报的过程中，是体现特殊的劳动投入的，但卖情报的价格将大大高于其价值。这一点，是情报作为商品的一个特点，也是情报交易必须承认的前提。

贩卖人口是非法的。现实社会对这种交易的存在不可回避。有国内范围的人口买卖，也有国际间的人口买卖。这种情况，在贫困国家里多有发生，在发达国家里也未绝迹。这是极丑恶的交易，是人类兽性残存的突出表现。从市场角度讲，这种交易也是通过货币媒介进行的，因而必然与国民经济的运行相联系。大量地贩卖奴隶人口曾是人类历史上最黑暗的一幕，那时，沦为奴隶的人口，经过长途贩运，出卖做苦力，有无数的奴隶在途中就死去，更多的奴隶是劳苦一生，但奴隶贩子与奴隶主都富了起来，用奴隶的血汗养肥了他们。现在，贩奴是非法的，任何形式的人口买卖都是非法的，这是社会的进步。最为重要的是要制止现在的非法人口交易。人口交易是完全没有价值基础的，因为人口不是商品。走私、贩毒是违法的，但其交易是有价值基础的，无论是走私货物，还是毒品，都是劳动产品，都有价值创造隐含在其中。而对人口的买与卖，是人对人的欺侮，是非法的非商品交易，是市场畸形发展的结果。人与人之间，根本不能存在买卖关系，包括对自己的子女也不能拥有卖的权力，人类社会进步到现阶段，已经不能容忍经济生活中出现人口交易。当前实际存在的人口交易，是一种极特殊的市场存在，无论在哪一个国家，都要加大打击的力度。更重要的是，必须将人口的非法交易与合法的劳动力市场的兴建与培育区别开来，劳动力的市场化是非商品性交易，是受到法律保护的。

卖淫与嫖娼也属于特殊的市场交易。目前，各个国家对于这种交易的性质确定不统一，有的国家明确是非法的，有的国家没有明确法律不允许，还有的国家是按地区有不同的性质认定。但不论如何，卖淫与嫖娼是市场化的行为，而卖淫不是劳动行为，妓女提供的是性服务，不是劳动服务，因此无价值存在，只有市场化的价格范畴的借用。当然，现实地讲，卖淫的存在有其自然基础，即这是常态社会经济生活中不可避免的一种存在，但尽管如此，也只能将其划入非劳动的范围，而不能将妓女纳入劳动者的行列。问题在于，妓女提供的是自己的肉体，而嫖客是用货币与之交易的，货币代表了各种商品的使用价值与价值，因此，妓女的非劳动是进入到商品经济活动的范围之内的。这种现实表明，如果卖淫是合法的，那么妓女的营业收入也要统计到国民生产总值之中。这是一种特殊的畸形的市场，即使在非法的环境中也是现实存在的市场。经济学研究不过问卖淫的色情内容，只是对这种交易的货币量要分析，看一看这方面的货币流动量，以使整个市场的货币分析不留有空缺。如果有的国家的服务业集中在这一畸形市场交易，那么相应要成为经济运行研究的重要内容。经济学只能面对现实进行研究，回避现实是不明智的，而改变现实又不是经济学研究所能承担的，经济学研究的价值在于有助于人们准确地全面地认识现实的市场。不管是合法交易，还是非法交易，只要接触到货币，形成了市场关系，就应进入经济学研究的领域。

还有其他一些特殊的市场交易，如算命、赌博等等，在此分析从略。

五　结　语

广义的市场交易包括所有的有价值关系或者说有货币介入的社会行为。在交易的双方中，可以是商品持有者，也可能是非商品的持有者，其中还包括非法的及非经济行为者。市场交易的过程，总的说是复杂的，有商品交换，也有生产契约的谈判，还有非劳动生产性的变态的畸形交易。我们对于市场交易的研究特别强调的是生产契约关系，指出这种市场契约关系是存在于生产要素的市场配组关系之中的，是为生产要素配组而发生的市场关系。契约关系与交换关系不同，交换是指双方各自得到对方原来拥有的商品，而契约指的是对未来生产创造价值后的利益分割的确定。制定契约要由负责生产要素配组的企业牵头，通过各种生产要素市场，与其需要的生产要素的持有者签约，以开始生产过程。有了这种市场交易及其引致的生产过程形成，才能在市场经济条件下有实际的使用价值与价值的创造。在高度信用化的现时代，有一部分生产要素配组所需要的契约关系已经归入了虚拟性的资本市场运作内容了。有一些契约关系不再有价值与无价值的基础区分，以相对独立的货币价格形式表现在资本市场之中。作为劳动主体存在的劳动力，也形成一种独立的生产要素市场，使劳动力与劳动力的配置市场化，但劳动力的市场化不等于劳动力商品化，劳动力不是商品，在劳动力的市场化之中没有商品价格契约关系，有的只是生产契约关系。在现实的生活中，劳动者与企业签订的是工资契约或报酬契约，并以此为基础，劳动者成为企业的员工。这种契约关系的产生与存在十分明确地表现出劳动力不是商品，劳动力进入市场也不是作为商品交换的，与劳动力所有者进行交易的另一方并没有付给劳动力所有者任何交换物，劳动力只是得到进入生产过程的许可，只是被许诺在劳动力进入劳动过程发挥出自己的作用之后可得到自己作用相应部分的回报。

通过市场交易分析，可更清楚地揭示劳动价值创造的整体性，即价值是由劳动整体创造的，不仅劳动主体发挥作用，劳动客体也是劳动创造价值作用中的必要组成部分。资源本身不具有价值，但是经过市场交易配组，资源进入了劳动过程，成为了一种劳动客体，也就能够在劳动整体创造价值的过程中起到作用。资产条件本来就是劳动成果，是商品性质的，具有使用价值与价值，它们重新进入劳动过程，并不是只转移原有的价值，它们的原有的使用价值被使用了，它们也参与了劳动产品新价值的创造。市场的契约关系就是确定资产条件与资源条件的所有者在未来生产过程后参与分配价值的权力。劳动客体在劳动整体之中具有的创造价值的作用决定了资源条件、资产条件在生产要素市场上的重要地位，尤其是在现阶段，这些条件的占有在市场上具有支配地位。认识市场交易，必须要确认劳动客体在劳动过程中的创造使用价值与价值的作用，必须要看到在生产配组之中要素之间的市场关系是契约交易关系，商品如果作为投资出现也同样是契约交易关系而不是商品交换关系。生产契约中含有价格关系，这只是对价格的借用，尤其是非商品市场的契约，其价格存在只是缺少价值基础的一种相对独立的表现形式。

在有关契约关系的市场交易分析中，我们特别强调了商品化与市场化的区别。这是一个必须给予澄清的理论问题。只有劳动产品才可能商品化，非劳动产品即使进入市场流通，也不是商品。资源与劳动力都不是劳动产品，所以，都只能是市场化，而不能商品化。市场化后的资源有一定形式的价格表现，但这不是商品价格，只是借用价格概念来表现资源在劳动整体作用中的地位与作用。劳动力是商品曾困扰几代经济学家，但这却是一个人为地搞复杂了的问题，而本来是可以明确地否定的，这其中的基本关系其实并不复杂。劳动力不是劳动产品，这是必须认识清楚的。劳动力又是不能交换出去的，它只能为各个劳动者拥有。所以，劳动力与商品的关系应是十分清楚明确的，无论商品的范围多么大，也不可能包括劳动力在内。劳动力市场的存在只表示劳动力要经过市场配组才能进入生产经营领域，这种市场化并不意味着劳动力是商品。

市场契约关系的产生与存在，大大地推动了社会经济的发展，也使市场交易除去交换关系又增添了相对复杂的反映劳动进步的新的内容。

第十一章　价值的时差

　　劳动的价值体现在劳动成果上，或者说，劳动成果是劳动价值的载体。如果劳动成果生产出来就随即被消费掉，那么价值也就同时被消费掉了，不存在价值保留问题。但社会的实际情况是，劳动成果的生产与劳动成果的消费，有些是边生产边消费，有些则是生产出来以后要隔一段时间再消费，中间所隔，有时甚至是较长时间，这就形成了劳动成果的保留与劳动价值的保留，形成了不同时期创造的价值同处的状况。也就是说，市场上存在此一时的价值与彼一时的价值的同时存在与比较。价值是抽象的有用劳动，价值形成延时的消费，表示这种抽象存在也是有时间性的，只要具体的劳动成果存在，价值就存在，抽象是以具体的劳动成果存在为基础的，不可能出现没有劳动成果的抽象，不可能存在没有时间限定的价值。承认时间的约束，从逻辑上讲，就是说价值个量除了是特定的价值总量范围内的价值个量，还是特定时间内的价值个量。即便价值产生后随即被消费掉，通过未被随即消费的价值的时间性的比较，其时间性也是存在的。确定价值的时间性的意义在于，当信用关系发达之后，价值的拥有与价值的消费已形成一定的权力分离与时空转换。现在，此人拥有的价值先借与彼人消费使用，待过一段时间后彼人再以新的价值归

— 224 —

还此人，这是很正常很普遍的现象。一个价值量几经周转，即借出去一次又一次，最后才归回本人消费，在现实生活中也不罕见。因而，价值的时间性问题在市场的借贷关系中是一个十分突出的现实问题。无论是经济理论，还是金融业务工作，都涉及价值的时间性问题，认识这个问题是很重要的。这也是价值研究中特别重要的问题。如果理论的研究缺少这个环节，即回避了价值的时间性，那么认识是难以深刻的，时间性是复杂的，复杂的价值理论研究必须要开辟这一研究领域。

一 时 间 性

价值的时间性是抽象的，因为价值是抽象的，对价值的时间性的研究也是一种抽象的研究，虽然时间到任何地方都是具体的。抽象地研究价值的时间性，首先需要界定的一个问题是，不能将价值的时间性与通常银行业所讲的时间的价值混同。时间的价值是指运营资本在一定时间内增值或贬值，时间在其中起到重要作用，也许就是因为时间晚了而使经营亏本，但也可能在正常情况下资本依时间的流逝而慢慢地增值。这种价值变化的原因很复杂，时间是作为一种要素的存在直接反映了变化的综合性后果。就银行业来讲，最重视这种时间，过一天就要记一天的利息，贷款要获利，存款要付息，对时间的长短是非常敏感的。在现代市场经济条件下，搞好资本运营的重要条件之一是重视时间的价值，不能浪费资本发挥作用的时间，要减少时间对资本的磨损，要增加时间的增值作用。对时间的价值的研究也是十分重要的，可以说搞企业的人不能忽视时间的价值，他们应在已有理论的指导下尽力地利用时间搞好运营。时间的价值反映了劳动的创造性和劳动成果的变化，这与价值的时间性有直接联系，但是，在此要强调的并不是两个范畴的联系，而是它们之间的区别，并且侧重于讨论的是价值的时间性问题。这是一个本质性的认识问题。这个问题不同于表现市场运营层次的时间的价值的问题。时间的价值是一个具体的涉及经营效果的问题，而价值的时间性是随价值的抽象而抽象研究的理论问题。

如果在两个时间点上，同一范围的价值总量与价值个量及其各种交换都是相同的，那么价值的时间性问题就不存在了。但是，这种假设不能成立，事实上经过时间的推移，由于劳动自身的变化，不仅商品经济范围要变化，价值总量与价值个量也要随之变化，至少会有微小的变化，而时间距离越长，变化可能会越明显。价值总量的变化分为两个基本方面：一是劳动投入量的增加或减少，二是劳动成果的产出量及交换量的变化。这两个方面都取决于劳动质量与劳动结构的变化，总量的表现实质是含有深刻内容的。价值个量的变化是随价值总量的变化而变化的，即价值总量的变化引起价值个量变化是普遍性的，当然，除此之外，价值个量也会有个别性的变化。必须说明的是，这些变化是与价格的变化不一致的，不能用价格的变化来反映价值的变化，也许至多能大体上做一类比。价值的时间性只体现在价值总量与价值个量上，即体现不同时点上的价值总量与价值个量的不同。

二 时 差 性

价值的创造是基础，价值的实现是关键，在商品经济条件下，劳动过程的结束并不表示价值实现，只有完成了交换，价值才能成为抽象的现实。因而，一定时点的价值是表现一定时点的市场完成，是凝结的劳动具有时间性的抽象表现。这种有时点伴随的价值完成，既不同于以前的价值完成，也不同于以后的价值完成，但是与以前和以后的价值完成有着割不断的联系。以前的价值完成对一定时点的价值总量与价值个量都有影响，它一方面调节价值总量，一方面又调整价值个量，对总量的调整是对劳动投入的调整，对个量的调整是对产出结构的调整。投入是生产要素的配组，产出是劳动成果的实现，这种实现与投入的比较，内在地反映在价值总量与价值个量之中。不同时点的价值反映不同时点的比较，比较之后就会产生自发的调节，所以，时间性的区分是价值形成运动的基本点，没有这种区分，价值的调节就无从谈起。以前的价值完成调节现在的价值，现在的价值完成又调节以后的价值。如果说，价值的变化还要影响价格的变化，影响社会劳动的发展，那内涵就更为复杂，而且牵涉面就更为广泛。但那种延伸的影响在此还不能展开研究，现在只能做一般性的基础研究。我们所要明确的就是，价值是有时间性的，价值总量与价值个量都有时间性，此时的价值与彼时的价值不同，这种不同是指价值凝结的有用劳动的数量与质量的不同。由于价值是有时间区别而又有时间联系的，所以，价值会产生自身的调节，由此时的价值影响彼时的价值。在此时的价值与彼时的价值之间存在着客观的时间差，即时差。

价值的时差由于价值的比较的一方的消失而消失。价值是抽象的，但其存在离不开具体，即只有劳动成果存在，价值才存在，价值的独立运动也是有相应的具体劳动成果为基础的，如果劳动成果被消费了，那么就意味着价值已消失掉，这样，一种时差在两种价值之间就不再存在。任何价值的产生是有时间性的，任何价值的存在也是有时间性的，只不过有的价值存在时间长一些，有的价值存在时间短一些，先生产的价值可能后消费，价值的生产与价值的消费关系是错综复杂的，因此，价值的时差在现实的生活中也是相应复杂。当原有的时差消失后，新的时差又会出现。也就是说，价值的时差是处于产生又消失，消失又产生的运动中，具体的时差总会随价值的消失而消失，但时差存在形成的运动总是活跃在经济生活之中。对于劳动成果来说，只有知识性的和非劳务性的劳动成果才能保留价值，与以前及以后的价值形成时差，劳务性的劳动成果是随生随灭的，有价值的实现就有价值的消费，其价值不能保留，因此也就不会形成具体的时差。

价值时差的存在必然影响价格运动。而且，由于信用的发达，价值的保留也成为相对独立的运动，即价值最早依附的劳动成果已经消费了，但价值权力转移到了新的劳动成果之上，这是由借贷关系的联系而产生的价值权力不断更新的过程，但就某一时点讲，任何价值的存在都必须有对应的劳动成果，至于劳动成果的价值掌握在谁的手中，那是另一个问题。需要明确的是，价值的时差是抽象的认识，这与表现价值相对独立运动的虚拟资本价格运动是不同的，价格总是具体的表现，抽象的存在不能改换为具体，对价格的运动与价值的时差变化不可等同认识，虽然在它们之间存在一定的对应关系。不管价值与价值的时点有何区分，价值的时差大小，在市场层面上，尤其是在货币市场和资本市场的运动中，价值是以货币和价格的形式为表现的，直接的市场运动是价格运动，这时所有的价值差别都隐含在价格之中，价格在每一时点上是不做区分的，最多只能是通过价差来表现劳动成果之间的价值的时差。有关这种价格的相对独立运动，即表现单纯价值变化的价格变化，还需要价格理论做专门研究，在此不展开讨论。

第三篇

价值规律与市场波动

第十二章　价值规律的涵义

　　周期性出现的事情，可称之为具有规律性。趋势性的事态变化或者说趋势存在的本身就是规律。再有，表现为具备一定的条件，必有一定的后果，从逻辑关系讲，也是规律。就相关事物的制约性讲，只要不是偶然的或个别的，无疑也属规律的体现。价值运动具有规律性，是创建政治经济学以来的核心认识之一，也是经过教科书广为传播的基本知识。像其他事物的规律一样，价值规律必然是一种客观存在，否则，揭示规律就没有任何意义。要承认这是客观存在，更要准确地认识这一客观存在。以往的研究对于价值源泉的认识不准确，这必然影响对价值规律的准确认识。如果延续传统认识，人们是搞不清怎样才叫按价值规律办事，政治经济学的研究也难以完成科学的价值理论。况且，这一问题的研究是高度抽象的，并要由最基础的范畴推导出来，在任何一个环节上出现主观认识不符合客观实际的情况，都会使政治经济学对于价值规律的认识走偏。因此，在明确劳动整体性的前提下，在重新认识价值范畴之后，在严格区分价值创造与价值归属的基础上，我们应审慎地对价值规律做出重新的考察。

一 劳动价值与价值规律

价值规律是价值运动内在的联系和必然的趋势。规律发生及起作用的范围与价值形成的范围即价值总量的范围是一致的。这就是说，在一定的商品经济范围内，形成本范围的价值和本范围的价值规律，即价值的形成是有范围的，价值规律发生作用也是有范围的。离开特定的范围，或者说离开具体的范围，无从谈起价值总量与价值个量的确定，也无从谈起价值规律。因此，范围的存在及确定是认识价值及价值规律的前提。虽然在各个范围内，价值规律的表现是共性的，但范围的确定仍是价值规律被认识的一个基本条件。

在一定的范围内，价值总量取决于有用劳动总量，这是价值规律的基本性质。价值是抽象的，却不是虚无的，价值是人类无差别的有用劳动的凝结，不能将价值运动以及价值运动的规律看成是经济学家头脑中构想的运动及规律。认识价值规律不能脱离劳动基础，价值是劳动的凝结，脱离劳动不存在任何价值及其规律，也就是说，认识价值及其规律不能将价值的抽象性悬空。实质上，价值规律就是抽象的有用劳动的运动规律。有用劳动是价值实体。劳动在商品经济条件下成为了有用劳动，其价值的创造才是社会的真实存在。在劳动之中，有各种各样的具体劳动，无论是生产劳动还是非生产劳动，也无论是正态劳动还是变态劳动，凡是能够成为有用劳动的劳动，都属于创造价值的劳动。只是，变态的剥削劳动成为有用劳动的价值基础是被剥削劳动的存在，即剥削劳动主体不具有创造价值的作用能力，它是靠占有生产资料的创造价值作用来实现价值向自身归属的，所以，成为剥削劳动的有用劳动是包含被剥削劳动在内的有用劳动，它们具有的价值是同一对象，即被剥削劳动创造的价值，或者说，使剥削劳动成为有用劳动的依据就是被剥削劳动的有用性。而被剥削劳动不管是正态劳动还是变态劳动，只要是有用劳动，就是创造价值的劳动。在由各式各样的有用劳动抽象构成的价值运动中，有用劳动总量就是价值总量，即有用劳动总量有多少，价值总量有多少，实现的有用劳动多，价值总量就多，实现的有用劳动少，价值总量就少。价值是有用劳动的抽象，价值总量就必然是由有用劳动总量决定的。这是一种规律性的体现，是价值运动的最基本规律。根据这一规律，追求价值总量增加，其基础在于努力增加有用劳动或努力多实现有用劳动。在价值规律的这种规定性中，有用劳动与价值之间的关系，起决定作用的是有用劳动，即价值总量的变化是受有用劳动总量变化约束的。[①] 有用劳动总量

---

① "我们认为，价值规律的基本内容和基本规定，应该是社会必要劳动量决定使用价值的价值量。"（参见有林等：《马克思的劳动价值理论》，经济科学出版社，1988，第78页。）

变化的原因即为价值总量变化的原因。概括地看，这种变化的原因大体有5个方面：①商品交换范围的变化引起有用劳动总量的变化。价值的形成是随商品交换的范围扩大或缩小而变化的。若商品交换范围扩大了，由一个区域扩大到一个更大的区域，那么扩大区域内的有用劳动总量一般是大于原区域的有用劳动总量的。反之，商品交换范围缩小了，有用劳动总量会减少，道理是一样的。随着有用劳动总量变化，这一范围内的价值总量跟着变化，这是价值规律的表现，即价值总量的运动必然是按这一制约关系变化的。②在范围既定条件下，投入劳动总量变化。有用劳动只是社会投入劳动中的一部分，虽然除特殊情况外，社会劳动中总是有用劳动占绝大多数，但终归这二者之间有一个差量。所以，如果有用劳动与投入劳动之间的比例不变，投入劳动总量不变，有用劳动总量不变，投入劳动总量变化，有用劳动总量就变化。而且，即使有用劳动与投入劳动比例有变化，只要变化不太大或投入劳动提升幅度或收缩幅度特大，投入劳动的变化也是要大大影响有用劳动总量变化的，即要影响到价值总量的变化。③投入劳动的技能质量发生较大变化。劳动技能质并不同一，高科技劳动是技能质相对高的劳动，这种劳动的技能质与传统劳动的技能质量有区别，所以，如果投入劳动的技能质量变化了，这就意味着劳动能力增强了，劳动产出将增多，等于是多投入了原质量的劳动。目前，高科技劳动还不是普遍性的劳动，但只要有某种程度的高科技劳动加入，社会劳动的整体水平会因此而提高，于是可相应增大有用劳动总量，实现更多的价值。④投入劳动的结构发生变化。劳动投入结构不仅决定经济发展格局，而且决定社会供求状况，决定有用劳动的实现总量。如果劳动投入结构不合理，出现严重的或较严重的结构失衡，那么就会随之产生严重的或较严重的不能实现交换的劳动，从而相应减少有用劳动总量。同样，如果投入劳动的结构趋向合理，在劳动的量和技能质都不变的前提下，有用劳动的实现总量也会增加的。⑤实现有用劳动量的变化。在现实的市场条件下，有相当一部分劳动成果不能实现交换，生产这些劳动成果的劳动就是无用劳动。除此之外，不能获得劳动成果的劳动也是无用劳动。减少或增加无用劳动，与有用劳动总量是直接相关的。特别是，在劳动成果生产出来以后，要尽一切努力实现交换，这种努力的效果越高，实现有用劳动的总量也就越大。通过有用劳动总量的提高，价值总量会相应提高。因而，尽可能减少无用劳动，在投入劳动总量不变的情况下，也会对价值总量产生相应的影响。

有用劳动总量运动表现的价值运动规律说明，无论在何种社会条件下，人类都不仅需要劳动，而且要求得到尽可能多的有用劳动，只停留在劳动层面的认识，不能满足对于价值与价值规律研究的需要。

在价值总量确定的条件下，价值个量取决于价值等份的多少。生产商品的劳动只有经过交换才具有价值，其劳动产品才能成为价值个量的表现对象。凡价值个量都是一定价值总量中的个量，先确定价值总量，然后才能确定价值个量。而在价值个量之间，大小的比较就是价值等份的多少的比较。这是又一方面的价值规律的体现，或者说，这是价值运动的又一方面的规律性。总之，重新考察后，我们首先可以确定，价值规律的体现是，由有用劳动总量决定价值总量，由价值总量划分价值等份，由价值等份的多少决定价值个量。认识价值等份的划分是认识价值规律的一个重要因素。组合成为不同价值个量的价值等份，是抽象劳动划分的最基本单位，其中既包括劳动主体又包括劳动客体，也就是说价值等份的复杂性在于它是最基本单位的劳动主体与劳动客体的统一体。在这一最小的单位划分中，是抽象地含有劳动主体作用与劳动客体作用的，实质上每一劳动成果所含有的价值，都换算成价值等份的多少，即价值等份表示一种均等的主客体作用。这与实际的具体劳动的主客体作用结构可能不一致，但是通过抽象是可以换算确定的。价值等份换句话说就是价值细胞，具有价值性质要求的一切方面。从认识价值规律的角度来认识价值等份，价值等份表现出的还不仅仅是抽象性，在明确区分价值创造与价值归属的基础上，还需要对价值等份的自发性、等值性和通约性给予进一步阐释。

在迄今为止的劳动发展历程中，有关价值总量的形成及其价值等份的蕴涵始终是一种自发的客观存在。人类目前尚不能完全把握自己的劳动，即使是对局部的劳动也做不到认识上的完全的自觉，自发地产生劳动并形成社会运动是现实的主流。人类对于自身劳动把握的自觉性程度是需要大大提高的，但是现在一下子还提不起来，即自觉性还不能占有主流。现实的价值总量是在不断地变化，而其中能够自觉把握的变化即使在发达国家也微乎其微。不论在哪里，劳动的冲动与流动，贡献与损失，配组与交换，基本上还都处于社会自发形成的巨大漩涡之中，使身置其中的人们难以自持，在很大程度上必须随波逐流，跟之起伏，因而，价值等份的形成也基本上是自发的，是劳动主体不能自觉把握的量。对于这一细胞，现在人们能做的，只是事后抽象认识，全无事先驾驭能力。如果价值等份失去自发性，获得自觉性，那时社会经济发展的状况肯定会大为改观，但恐怕在今后相当长的时间内还看不到这种改变的希望，现在必须尊重既定的事实，承认价值等份的自发性，以其自发的产生与存在为基础，认识价值及价值规律的表现。

需要阐释价值等份的第二个特征是等值性。价值个量与价值个量等值是因为各自含有的价值等份相等数量，若有 5 个价值等份就都有 5 个价值等份。价值个量与价值个量不等值是因为此价值个量含有的价值等份与彼价值个量含有的价值等份的数量不一致。而作为衡量价值个量的标准依据，价值等份与价值等份之间即所有的价值等份之间是等值的（指同一范围和同一时点）。这是一种抽象的等值，表示劳动主体与劳动客体有统一的比例关系，其作用能力是一样的，即抽象的每一价值等份可代表相应的具体的任一等量的劳动成果。在价值个量的投入劳动的测定中，价值等份是与其具体的劳动结构和劳动投入量换算的，换算的结果就是等于多少价值等份，统一到价值等份上来。对于价值等份的认识，应该是上个世纪就解决的问题，因为有关效用与边际效用的抽象概括能够做出来，对于抽象地认识价值等份，不会存在障碍。问题是，人们必须对价值和价值总量有正确的认识，才能正确认识价值等份。在以往没有解决认识价值等份的问题，根子是在对价值与价值总量始终缺乏科学认识。也就是说，正确认识价值等份，是要建立在劳动整体价值论基础之上的。价值等份的等值性是与劳动整体创造价值的逻辑统一的，认识等值性的难点不在价值等份，而在劳动的整体性上。只要确认劳动主体与劳动客体共同创造价值，那么关于价值等份的划分及其等值的推论就是一种必然的演绎。但需要明确，等值的抽象不同于机会成本的替换，机会成本是选择者的主观认定，一旦做出选择就不再存在，而且即使存在也是仅存在于选择者的头脑之中，相反，价值等份的等值是实实在在的客观描述，反映的是在一定范围一定发展水平上的价值总量的内部单位划分的一致性，哪一等份的存在也没有特殊性，都是同质同量地表现为有用劳动的凝结，与机会成本只存在于选择者的头脑之中是截然不同的。在价值等份之间，由于是等值的又是抽象的，虽没有具体的量表现，但没有哪一个价值等份能是例外，例外了就不是价值等份了。所以，价值等份对价值等份，无需替代关系，各等份是同一的。这种抽象的等值是由价值总量的抽象的一致性划分决定的。

再看通约性。价值等份是商品交换的价值通约基础。商品的交换实质是劳动的交换，劳动与劳动之间是有差别的但又是可通约的，差别在于劳动的具体都是不同的，而通约在于劳动都是人与自然的交流，在于劳动能力的生理基础的统一。价值的通约表现为价值等份的通约，这是等值的通约单位，或者说是通约的基本单位。从这个意义上讲，价值的通约就是价值等份的通约。价值等份与价值等份之间，在抽象的规定中，没有任何不同，不仅量是等值的，而且是同质的，这就满足了通约的基本要求，在完成价值等份的划分之后，也就是完成了劳动的通约。这种通约，是不同于使用价值抽象的价值抽象的通约，而这种通约的意义与其说是反映在交换上，还不如说是反映在生产上。这种价值等份表现出来的通约性，不是指具体的劳动成果的换算，而是通过劳动成果体现出的劳动消耗或劳动贡献的通约，是抽象的劳动付出之间的通约，即是体现各种具体劳动有内在的一致性的通约。而且，就价值等份讲，这种通约是单位化的，成为无数个相同单位的通约。实现划分之后的价值等份之间不再需要换算，一价值等份就等于另一价值等份，等份之间是通约的，没有差异存在，在质的等同下任何微量的差异也没有。反过来讲，价值等份之所以能够被划分，关键是内含有通约性，不能通约就不能划分，能划分就是能通约。只不过，相比其他角度的认识，价值等份的通约性更具有思辩性，这对于习惯于就事论事的人是不习惯的，或者说是很难认识的，而对于有思辩能力的人则是没有认识障碍的，这样认识价值等份的通约性有助于理论认识的推进。

我们指出，具有自发性、等值性和通约性的价值等份的多少构成各种各样的不同的价值个量。这就是说，价值个量不取决于单纯的劳动主体的社会必要劳动时间，价值规律不体现为商品的价值量是由生产商品的社会必要劳动时间决定的。传统的政治经济学讲的社会必要劳动时间是有其确定涵义的，它是指排除了劳动客体，排除了劳动主体的技能质的差别，单纯的劳动主体活动而形成的平均的活劳动时间。过去的理论抽象确定这一概念，是以价值完全由劳动主体创造的判断为前提的，而问题就在于，事实上价值并不完全是劳动主体创造的，任何价值的创造，都是既有劳动主体作用，又有劳动客体作用，必然是劳动整体创造价值。缺少劳动主体，或缺少劳动客体，都不可能有价值的创造，价值创造要求劳动主体与劳动客体共同发挥作用。因此，传统的政治经济学理论关于社会必要劳动时间概念的认识是不能成立的，那是建立在虚假的判断前提下的推演概念，不能科学地反映价值与价值规律的客观性。价值个量从逻辑上讲是一定要受价值总量制约的，单纯的时间概念是不可能揭示价值运动的丰富内涵的，实际上以社会必要劳动时间来做概括是将复杂的问题极其简单化的处理，而且处理的方向不对头，所以毫无意义。回顾政治经济学理论发展的道路，不能不说关于价值运动方面的有关基础概念的界定是非常重要的，这方面的失误引起的连锁反应强烈。关于社会必要劳动时间概念的虚假，是源于对于劳动认识的偏差，即没有认识到劳动的整体性，没有对劳动范畴坚持准确的科学定义，没有从人与自然交流的角度界定清楚劳动是劳动主体与劳动客体的统一，不是单纯的劳动主体活动。正因为离开劳动客体不可能有劳动过程，所以，单纯的劳动主体活动时间的平均化即社会必要劳动时间作为衡量价值的尺度在逻辑上是根本讲不通的。然而，传统理论的表现是，在前提认识上就将劳动等同于劳动主体活动了，于是由此推出了一连串的看似符合前提逻辑而实际不符合生活逻辑的论断。长期以来，许多人一直以为这些论断具有严密的推理性，由此阻碍了认识的反思和理论的发展。现在，我们必须清楚，传统的论断是未追究前提真假的推论，或者说是承认前提，将前提视为当然正确下的推理认识，这些论断的不可辩驳性其实是建立在对前提的肯定上。所以，只要驳倒其前提，其论证就是不能成立的。社会必要劳动时间概念导致的错误也是由前提判断的虚假引起的，即对劳动价值的创造力量没有科学认识，结果就产生了荒谬的推论。所以，如果现在的研究还不能否定长期以来的关于价值认识的虚假前提，那么还是要肯定社会必要劳动时间，还是要肯定过去关于价值规律的认识。但从今天来看，批驳过去的认识前提，即批判劳动主体价值论已经不是困难问题，劳动整体价值论的科学性是完全可以为学术界公认的，因此，社会必要劳动时间概念已经到了退出历史的时间了。

过去早就存在一些反对社会必要劳动时间决定价值的经济学家，他们也是反对这一判断的认识前提，只是，他们本身对劳动的认识也是错误的，而对劳动如何认识是一个极重要的逻辑起点，所以他们的批判也讲不清楚，达不到批判的目的。历史表明，已经更替了几代经济学家，关于这方面的问题，始终都没有得到正确的解决。而这原本并不是十分复杂的问题，现在动一动都相当困难。甚至有人认为，这个问题越讨论越复杂，永远讨论不出结果。在某种意义上，情况确实如此，以前的讨论已经走进了死胡同。现在，要解决问题，必须从基础上重新认识劳动。只有改动了这个前提，去掉对劳动的错误认识，才能驳倒劳动主体价值论，驳倒社会必要劳动时间论。在新的认识前提下，过去对劳动的片面理解以及社会必要劳动时间的概念虚假，是昭然若揭的，它们的命运已经终结或是说其理论的谬误已经走到了尽头。以往，有的经济学家解释说，价值规律是抽象的和本质的，与现象可能会不一致，所以，关于劳动主体价值论及社会必要劳动时间概念等等，只能从理论上认识，不能与实际划等号，不能对实际做贯通的解释。这是似是而非的认识，这不仅无助于说明问题，而且讲玄了。我们说，如果理论不能解释实际，不能解释现象，那么这种理论只能是毫无作用的伪理论，是虚假理论。理论当然不等于实际，理论可能与现实不一致，但是只要理论站得住脚，就一定能够解释现象，一定能符合实际。劳动主体价值论之所以没有生命力，不能成为当今经济学的中流砥柱，原因固然是多方面的，但根本的原因是其不符合基本的事实，如果再不受到抵制就太不正常了。进一步说，商品的价值量不是由社会必要劳动时间决定的，这是每一个熟悉市场情况的人都可确认的。所以，关键的问题还在于，不能仅仅批判过去价值理论的结论，批判过去对价值规律的错误认识，要从前提入手改变过去理论的谬误，使其从走偏的路再走回来，决不能再坚持对劳动的片面认识，再坚持只有劳动主体创造价值的说法。

价值规律是客观存在的，价值规律的作用是价值运动自有的作用，只要价值运动存在，就必然有其作用，这是任何人都不能改变的。至于规律到底体现在哪里，这需要科学地认识。如果认为社会必要劳动时间决定价值就是规律，那就是说生产只是劳动主体的事情，这与事实不符也不合逻辑。因为生产不可能只是劳动主体的事情，关于这一点，人人都承认，问题在于，既然都承认这一点，为什么还要讲只是社会必要劳动时间决定价值。可以说，其中的逻辑错误就是认为劳动客体只对生产使用价值起作用，不对价值创造起作用，将价值与使用价值割开。由于存在这一错误，片面的社会必要劳动时间概念才出现。如若抛开这些认识上的虚假成分，从事实出发，经济学家就会无可争议地认定，生产的组织要有劳动者和生产资料，价值的创造也需有劳动者和生产资料。认识价值和认识价值规律，不能只是单纯认识劳动者的主体作用。在政治经济学创立的时期，即从那时起，似乎有一个在认识劳动主体作用时，对劳动客体舍弃的假定。假定的含义是，劳动客体若都相等，可以对冲掉，若不相等，则可以劳动主体付出时间的多少不等来表现。总之劳动客体方面的任何条件限定都可以不讲，只讲劳动主体作用时间。现在看来，这个假定是有问题的，按照这一假定，就取消了重要的劳动客体方面，就违背了劳动整体性的基本要求。事实上，劳动客体条件在各个劳动过程中基本上是不相等的，相等的只是个别现象，这种不相等必然要影响各自的价值创造，如果不谈劳动客体的不相等条件，只谈价值由主体创造，这是根本不符合生产实际的，因而也是不可能科学阐释价值的决定因素的。在劳动客体进入劳动过程的必然性面前，任何脱离劳动客体来讲价值及价值规律的认识都注定是错误的，这点不允许有丝毫的通融。长期以来，价值规律被简单化地错误解释，这对政治经济学的发展是严重的障碍。至今有不少的经济问题，由于对价值规律的认识不准确而受牵连，不能做出切合实际的解释。更严重的问题是，久而久之，这些基本的政治经济学问题说不清楚，导致了学术的麻木，使很多人不再愿意深究经济理论，有许多问题一直糊里糊涂地拖着，得不到解决。传统的价值理论认识片面地抬高劳动者的作用，其中主要是指体力劳动的作用，在这种观念下，经济的发展肯定会受严重影响。这种片面认识不可再继续。这么多年来不纠正这方面的认识错误是可悲的，直至今日许多人还在习惯性地按照原有的价值规律理论讲空话，这无疑对社会经济发展是一种障碍。

从价值量的决定性方面来阐述价值规律，只能是以价值等份的关系来做解释。由价值等份的确定推到价值总量，由价值总量再推到有用劳动总量，这就是对价值规律的推理认识。过去的认识错误实质在于经济学家的认识流于主观臆想，缺乏客观的制约，自己没有找到对自己认识的制约条件。而且，更成问题的是，将自己的认识说成是客观的，以本来不符合实际的主观认识代替客观的规定，这种学风会影响科学研究的深入，遗害无穷。从现在来看，过去对价值规律的描述是一种脱离市场的认识，似乎只讲论证目的的需要，而不讲逻辑，不讲事实。这种认识只能流行一时，不可能长期存在。实际上，现在认可社会必要劳动时间决定价值量的人，实在已是不多了，有的人只是口头上讲，心中并不认可。在确定劳动整体价值论之后，在理论上必然会驳斥原有的价值规律理论，这是一种逻辑必然。在政治经济学基础研究中杜撰虚假概念的时代已经过去了，新技术革命以后，在科学的全面发展之中，经济学的各个学科的研究都更为严谨与规范了。现在解决价值规律理论认识错误的条件已经具备，这一理论需要重新开端。

打破社会必要劳动时间决定价值量的传统认识观念是政治经济学发展的福音。新的认识提出有用劳动总量决定价值总量，价值个量取决于价值等份的多少，这构成对于价值规律新认识的一个重要方面。有用劳动是指具有整体性的有用劳动，即包括劳动主体与劳动客体的统一，有用劳动总量是指一定的商品交换范围内实现交换的劳动总量。价值并不是一个劳动时间概念，而是有实实在在的劳动内容，有用劳动的抽象即是价值，价值必然依附于劳动成果之上，所以，流逝的时间不能说明任何问题，劳动成果之中体现的是劳动主体作用的投入与劳动客体的消耗，而且作为价值的评定，劳动成果对价值的体现不是根据个别的劳动，而是总量有用劳动的平均化。这种平均化是落实在价值等份这一范畴上，价值等份是平均化的价值构成，即价值等份内含相等的劳动主体作用与劳动客体作用，价值等份的单位划分强调的是劳动主客体作用的统一，这是最基础的统一，也是构成价值个量差别

的基本单位。去掉传统的走偏的认识之后，有用劳动范畴与价值
等份范畴就合乎逻辑地成为科学地认识价值规律的理论基础。

二　价值规律与交换价格

上面，我们讨论的是劳动价值与价值规律的基本关系，这涉
及到价值规律认识的基础问题。接下来，我们还要讨论价值规律
与价格运动的关系，这是价值规律体现的又一个方面。价值与价
格是紧密相关的，因此，价值规律的作用必然要与价格关系有着
直接的联系，认识价值规律，在很大的程度上，应该说就是要解
决对价值变化与价格变化的相互影响的问题的认识。

价值运动的规律性体现还可归纳为价值总量不能制约价格总
量。价格总量与价值总量是表层对应关系，实质价值与价格都是
相对独立运动，各自的总量形成是不同的，不能以表层的对应表
示二者之间存在等同关系。从表面来看，价格永远与价值总量相
等，实现多少价值，都是有价格的，价格与价值的分别相加总是
对应的，似乎总价格就是总价值。但问题不能停留在这种表层分
析上。因为价值是以自然使用价值为基础的，价值表示生产自然
使用价值投入了多少劳动，而价格是以社会使用价值为依据，受
社会使用价值的直接决定而与社会使用价值的基础自然使用价值
的量存在一定矛盾。因此，价值走的是自然使用价值这条线，价
格走的是社会使用价值这条线，自然使用价值与社会使用价值的
矛盾存在决定价格与价值不能形成等量关系，这在个量关系上是
如此，在总量关系上也是这样。价格总量是具体实现的，是一个
价格一个价格相加的结果，而价值总量是抽象实现的，不是一个
个量一个个量相加得到的总量，而是先有总量后有个量，是先从
有用劳动的总量推出价值总量，然后才分解和确定一个个价值个
量。这种抽象与具体的关系是不同的，所以不能从表层上找对应

关系。在某种意义上，可以说价格总量实现的同时，也就有了价值总量，这其间没有障碍。但是对这两个同时形成的总量，还是要从它们各自来源的不同开始分析。

由于价值总量是从有用劳动总量转换而来，而有用劳动抽象的基础是有用劳动的自然使用价值，这与以社会使用价值为依据的价格形成是不同的，由于自然使用价值只是社会使用价值的基础，并不能直接制约社会使用价值，所以，价值总量不能制约价格总量。价格的个量是相对独立的，价格的总量也是相对独立的，不是价值制约价格，而是先有价格实现为条件，才能同时实现价值，个量的价格与价值关系在一定程度上也反映到总量关系上来。就商品的单纯个量存在而言，价格可能高，也可能低，但不论其价格是多少，价值是既定的，是总量价值约束下的个量价值。但是，价值的总量对价值个量的主动约束，对于价格个量不起作用，进而对价格总量也不起作用。这就是说，在总量上，价值管不住价格。价格是一个一个相加才得到总量的，其中每一个价格的形成都有一个说法，价高的和价低的掺和在一起，严格说，这样加起来形成的价格总量只具有国民经济统计的意义，在价值比较方面是没有意义的，即没有总体上的价值个量与价格个量的比较意义。因事实上价值总量对价格总量没有制约作用，价格在市场上是强烈表现的，而价值是看不到的，所以，在一些讲实证研究的人看来，似乎价值没有存在的必要，有价格关系表示商品的交换就足够了。而且，实际上，在相当长的时间里，在许多人的经济学研究中，对价值与价格是不分的，用价值表示价格，或用价格表示价值，屡见不鲜。然而，这种混淆是不能长久下去的，价格与价值的关系一定要分清，不然就找不准经济变化的依据。价格是表示市场交换内容，价值是表示有用劳动凝结，这种形成依据的差别是不能不做区分的。价格并不因价值既定而服从价值，价格有在市场上疯狂的要求，强制地管住价格，或经过周期自然地平伏价格，都说明价值对其疯狂无能为力。行政手段远远高于价值的市场制约手段，因而，从表面上看，价格运动的能力或者说活跃程度大大超过价值的运动，而且价值的运动是看不见的，只能极抽象地把握。但是，价值还是对价格的变化有间接影响。价值是自然使用价值的抽象反映，自然使用价值同时又是社会使用价值的基础，这样，通过价值的变化也是能间接影响以社会使用价值为依据的价格。这是价值在各个行业的共同表现，这种表现本身也是抽象认定的，因为价值本身的性质决定对于价值的描述不能具体化。只是，尽管如此，在价值总量关系上，在现实的经济生活中，人们还是要特别注重价格。由于价格的总量是堆砌的，具有内在统一性的价值总量无论从哪一个角度讲都是难以制约这种堆砌的，价格及价格总量的运动具有相当高的独立性。

价值与价格有严格区别，由于价格在市场交换中相对独立和直接表现，所以，在认识价值运动规律中，不能将价格总量运动的表现当做价值总量的运动，即不能将价格总量等同于价值总量。价值的总量是抽象性的，不可具体化，即不能用价格具体表现，价格与价值存在矛盾，价格至多是大体上反映价值。当交换实现时，也就是说生产商品的劳动成为有用劳动时，不管各个具体劳动实现的价格如何，即不管价格总量如何，有用劳动总量的实现决定的价值总量是既定的，价格总量高或价格总量低都不改变既定的价值总量，价值总量受能否交换的影响，但不受价格表现的影响，价值总量决定不了价格总量，价格总量也不能代表价值总量，价格总量的形成与价值总量的既定是有联系又有区别的。也就是说，交换决定价值的实现，而在实现之前价值的创造已经完成了，实现后只是融入总的有用劳动去形成价值总量，这时的价格高与价格低都不会改变价值状态，价格是自身独立运动的。只是，价格总量与价值总量标志的对象物是一致的，即价格总量实现的交换商品的范围与价值总量实现的有用劳动总量的范围相同，或者说价格总量标志的劳动成果与价值总量标志的劳动成果同一。价格总量的实现为价值总量的实现确定了对象与范围，价值总量的实现是从劳动获得有用性的角度实现的，价格总量的实现是从劳动成果获得社会使用价值的角度实现的，相比之下，价格总量的实现是导引，价值总量的实现是跟进，只不过这种跟进的实现是已创造的价值的实现，其创造是在价格形成之前，其实现又随价格的形成而得到，创造价值与实现价值有一定的时间或意念上的先后，但实现的价值不管价格如何，与创造的价值是一致的，即质与量都是一致的。①

价值总量与价值个量的关系不同于价格总量与价格个量的关系。价值个量是价值总量的缩影，即个量是总量的特定质的反映，个量与总量之间只有量的差别，没有质的不同，在价值个量中包含的劳动主客体作用比例与价值总量中包含的劳动主客体作用比例在抽象性上是一致的。不论是个量还是总量，价值都是一定范围内无差别的有用劳动整体作用的凝结，个量是只含有部分等份的价值，总量是包括全部价值等份的价值。而价格总量中的价格个量没有缩影的含义，个量是各自市场实现的量，个别的交换代表社会的承认，其中各有各的因由，千变万化，无奇不有，总量是个量的机械相加，不是有机的构成。货币表现的价格，有适当的，也有偏高偏低或很高很低的，总量无法体现个量的品质，个量也无法与总量构成一致。

传统的价值规律理论认为，商品是按价值出售的，实行等价

---

① 这不包括已创造了成果但未能实现交换的那一部分劳动。

交换。等价交换成为价值规律传统认识的基本表述内容之一，其详细的表义是等价值交换。这也是与实际不相符合的抽象，是迷失的认识。事实上，任何人都不可否认，商品的交换是按价格交换，等价就是指的等价格，不可能是等价值，将等价交换理解为等价值交换是错误的，是概念化的错误。商品要按价值出售，与商品能不能按价值出售是两回事。现在对于交换的认识，一定要比传统更深入一步，商品的出售直接表现的不是价值，即按价值的要求不反映在交换上，交换直接讲求的只能是价格，价格是具体的，价值是抽象的，交换是具体的，具体的交换只有依据具体的价格，不可能依据抽象的价值，价值的制约性不体现在交换的直接依上。价值是作为交换的基础存在的，与现实直接碰撞的不是基础即不是价值，事实清楚地表明摆在价值前面的是价格，我们对价值规律的认识不能简单化，要将价值与价格的联系与区别分清，而不能混淆价值与价格，尤其是不能将价格直接等同价值。价值对于交换的要求必须通过价格体现，所以，只有价值对价格的要求，而不能直接讲交换要按价值交换，不存在这种直接性，不能跨越价格谈交换，否则，就无本质与现象的区分了，就成了将价值的本质直接当做具体的现象来规定，让现象成为本质，这是荒谬的。等价交换只能是等价格交换，不能是等价值交换，价值是远离这里的，是不上前台的，或者说是不能成为具体的。凡是进入市场的人，最糊涂的也不会否认交换是按价格交换，任何交换都是实行的等价格交换。如果说应该是等价值交换，那么实际做到的都是等价格交换，也表示这种应该不能被接受。在市场上，即使是价值与价格相等，也是以价格相等出现，即也是以等价格交换进行的，市场的实际只接受等价格交换，这是规则，是不能改变的，所以，应该按价值交换的说法必须取消，也就是说不能再讲这种应该了，人们只能面对市场实际讲等价格交换。

　　在价值规律的本质要求中，价值并不成为交换依据，但价值等份要求等同价格。这一要求与直接讲等价值交换不同，等价交换必定还是等价格交换，但其内在的还有价值对价格的要求，就是价值等份要求等同价格，也就是说等价值要求等价格。价值等份是价值总量的均等划分，价格是劳动的具体回报，价值等份要求等同价格，就是要求同等的价值应有同等的市场回报。市场的实际是按价格交换，这种要求不能用价值代替，具体的是不能用抽象的代替的，抽象的价值规律的内在制约性只能是体现在价值对价格的要求上，关于这一点，不能用交换要按价值交换来混淆，因为到任何时候具体的交换都注定要按价格交换，本质的抽象既不能超越具体的价格，也不能取代具体的价格。在价格个量实现时，价值个量还没有确定，因为价值个量不是能单独确定的，必须是根据总量确定，其确定的量不会变，只是确定的时间在价值总量确定之后。交换只能是按价格个量进行，因此市场上活跃的是价格，商品的生产者与经营者必须直接追求价格的理想实现，价值在此只能要求价格与之相符合，不能直接充当交换依据，更不能要求交换必须按价值交换。也可以说，价格是理性与非理性的复杂存在，价值对价格的要求体现价值规律的趋势，这就是要在反反复复的市场交换实践中体现价格与价值趋于一致的趋势。在规律的制约下，价值等份要等同的价格与之相适应，是不可改变的。这并不是哪些人或哪一代人硬性地能规定价值等份必须获得等同价格，绝大部分的市场交换主体可以说至今尚未树立价值等份概念，只是从古到今，市场的本质反映都是这样的，也就是说，如果价值等份不能实现等同价格，劳动的创造及市场的交换相应会引起震动或发生变化，会产生某种调整的要求。价值等份是一个抽象概念，任何人都只能抽象地认识价值是否得到相等价格的实现，这种实现的比较不是价值与价格，而是相同的价值之间的比较，看价格是否相等。但市场的现实是，只要人们明显地感到自身的劳动投入不如其他人相等劳动投入的价格回报，这些人总是要想方设法对自己的劳动进行调整，以期不再在劳动投入中表现自己的笨拙。且同样，人们也总是千方百计地维护自己的劳动投入取得的超过一般水平的高价格回报。所以，这就是说人们不必懂得价值等份概念和价值等份在价值规律上的要求，只要身处市场，就总是要受到这种同等价值要求同等价格的制约。价值等份就是相等价值，同等价格对相等价值，这在任何条件下都是一种合乎逻辑的要求。现实的市场整体是不能实现这种要求的，但并不排除市场的某些局部有可能实现这种要求，而市场的起伏实质上就是实现这种要求与未实现这种要求的穿插交替。从现实讲，越是成熟的市场越可能较多地实现这种要求，越是不成熟的市场越可能实现这种要求的机会很少，但不论在哪一类市场，都无法做到完全实现这种要求，至少这种完全实现的情况在历史上还未出现过。作为价值规律体现的价值等份要求等同价格，不以市场的起伏变化为转移，而以市场的起伏变化为证明，这种规律性的表现是传统的理论未能揭示的。

　　价值等份要求等同价格是价值运动的规律，而现实的等价格交换是市场存在的基础。要保持市场秩序，维持正常的交换关系，必须保护这一基础，不能变更这一基础。传统的理论讲市场要求按价值等量交换是虚假的判断，这种虚假的认识已经影响了几代学人，不应再继续下去了。任何人都会明白，进入市场的交换是等价格交换，双方彼此都按同样价格支付给了对方，不管双方中哪一方付出的是什么。价格是一个市场范畴，一个具体运用的概念，在不与价值相混的前提下，所有市场上使用的货币量化的概念在交换中运用的都是价格而不是价值，这是价格的市场性与现实性决定的，或者说是社会经济发展的必然性决定的，市场的具体只能使用价格这一具体概念。在经济学家中，对这一问题是不必争论的，只要不将价值与价格混同，只要尊重事实，市场的客观存在就是等价格交换，不会有人反对市场是按价格交换的。市场的情况就是，不管价格是否合理，在双方交换成功时，依据的都是双方可接受的价格，价格的具体性存在使其成为现实的交换不可更改的基本依据。由此我们可以断言，在现实的商品交换市场上，不需要价值抽象，不需要使用抽象的价值，交换的直接依据只是具有二重性的价格，至于价值对价格的要求即价值与价格的关系，不在交换的等价格中考虑，即价值的直接影响是在交换行为以外的。正因此，现实之中，市场上实现的许许多多的交换实际是不等价值的，价值的等同交换是较难做到的，除非是对长期供求稳定的某种生活必需品，但是，不论是等价值交换，还是事后分析的不等价值交换，任何交换的实现都是或者说必是等价格交换，即使价格不合理，或高或低，可都是双方确定并共同执行的，决不会有一个例外。在真实的市场上，容不得虚假概念，是等价格交换，就不是等价值交换，这不能在笼统的等价交换中掩盖二者的性质区别，等价格交换是市场实际，是任何人都必须承认的事实，也是任何人都不可改变的事实，自市场产生以来，这一事实就存在着并且始终没有变更。将价值规律的体现概括为商品按等价值量交换是经济学研究不成熟的表现，这既与对价值和价格的界定不清有关，也与对市场关系认识不足有关。在相当长的历史时期内，经济学对于价格的研究没有揭示其相对独立运动的性质，仅仅是将价格看成价值的货币表现，看成价值的附属，即说价格就是说价值，价格万变不离其宗是价值，价值是本质，价格是表现，表现的价格必须服从本质的价值。这样实际上就使人们对于价格的认识陷入混乱，使人们除了本质与表现之外看不清价格与价值的区别何在，很自然地形成了将价格与价值相互通用的习惯。以此为前提，即以如此的态度对待价格，经济学是难以认识价值运动的规律的。或者说，在普遍存在价格与价值不分的情况下，科学地认识价值规律的基本条件不具备，人们不可能对价值运动有深刻的分析，基础范畴的模糊直接制约了经济学价值理论的发展。历史形成的这种状况并不是历史的必然，经济学家们本应早就能够在这方面取得认识的进展，至今才讨论价值规律不能概括为商品按等价值交换，是迟来的理智，没有欣喜，只有遗憾。

价值等份要求等同价格与商品按等价值量交换是有严格区别的。围绕商品交换的只能是具体的价格，交换双方关心的不是价值的抽象问题，而是价格的高低或多少的问题。用货币交换商品，与用商品交换商品，道理是一样的，都必然表现为等价格交换，等价格是任何交换都具有的行为品性。至于价格是多少，价格是否等同价值，那是另一个层次的问题，并不是交换的直接依据和交换所需要的制约条件。在价值是否起到调节作用的问题上，不是用简单的交换条件来解释的。实际上，价值的制约作用不在于交换的实现过程。我们可以肯定地讲，强调商品按等价值交换的人与服从商品按等价格交换的人，前者只要步入市场就会陷入迷惘，后者则可在市场上行动自如。等价交换决不意味着商品生产者与商品生产者之间是等价值交换，这是市场关系的基本点。市场只认可等价格交换，这是各种交换能够顺利实现的必要机制。等价交换被说成是等价值交换，在长期的理论发展停滞中，是对市场机制简单化认识的典型表现。让人们迷信商品在市场上是按等价值交换，距离科学太远，因而，凡是此种理论指导下的社会经济实践活动，无不遭受挫折。可叹的是，即使事实无可辩驳地证明市场不是等价值交换，而现在还会有人以书本为准来反驳事实，竟然还认识不到理论的发展必然是以事实反驳书本。价值规律要求价值与价格相符合，并不等于说市场交换是按等价值交换，也不等于说等价交换是等价值交换，即使交换依据的价格正好符合价值，从本质上讲，这也是等价格交换，不能理解为等价交换的这种实现是等价值交换，这种等价值同许许多多不等价值的交换一样是以等价格完成的交换。从理论上可以说，无论何时，交换都是按等价格交换，等价格交换的市场原则永远不会变。价值规律的要求只是价格的实现要符合价值，即价值等份要求同等价格，这是一种客观的逻辑的要求。按这种要求做不到，是按等价格交换；按这种要求做到了，也是按等价格交换。也就是说，处于交换之中的媒体范畴只能是价格，决不会是价值，具体与抽象，社会使用价值的实现与自然使用价值的基础，必然分辨清楚，不能因为价格与价值的关系密切就对这二者的差别不加区分了。对于价值等份要求等同价格，不能单纯理解为价格受价值的制约，在逻辑上要求同价值应同价格的关系，必然是相互制约的。价值规律的这一要求，不是市场交换的原则，而是更大经济活动范围的约束。市场的交换是有其价格运动规律的，而价值规律并不是用简单的交换关系可以涵盖的。总之，对价值规律，不能将传统的认识继续奉为圭臬，不能再讲商品按等价值交换。价值的总量不能制约价格总量，价值等份要求等同价格，这是经过几代人的思考后，对于价值规律的新认识。

三 结 语

严格界定价值与价格的内涵十分重要，这两个范畴的区分是正确认识价值规律的基本条件。而过去对于劳动的认识模糊，对于价值创造源泉的认识片面，对于价格的相对独立运动的认识不足，所以，在确认劳动的整体性是劳动的客观的必然的本质性质之后，重新认识价值规律是不可避免的。我们的研究表明：商品的价值量并不是由所谓的生产商品的社会必要劳动时间决定的，商品也不是按照价值实行等价交换的。传统理论归纳的社会必要劳动时间范畴对于认识商品的价值量毫无意义，① 这是一个臆想出来的虚假概念。传统理论认为商品是按价值进行等价交换也不符合市场的基本事实，事实上，决定商品价值量的是劳动整体作用凝结量的多少，这种凝结劳动既包括劳动主体作用，也包括劳动客体作用；而任何商品在市场上都是按价格实行等价交换的，或者说市场的交换原则只有等价格交换，从未更变过。

政治经济学关于价值规律的认识在现时代要进深一步，不应再停留在虚假概念认识的阶段。从社会经济发展的历史与现实出发，我们需要确认：在价值规律运动中，价值总量取决于有用劳动的实现总量，价值个量取决于价值等份的多少，价值总量不制约价格总量，价值等份要求同等价格。

认识价值规律的基本原则要求是抽象地准确地认识价值运动的事实。如果经济学尤其是政治经济学的认识不符合基本事实，是在虚假的概念和错误的判断之间来回推演，那么无论认识多么精炼决断，也是无意义的，只会产生误导作用。传统理论关于价值规律的认识是一个理论僵化的典型，它脱离实际甚远，又影响最大，几乎成了教条。对绝大多数的人来讲，是只知道要按照价值规律办事，根本不知道他们所接受的价值规律理论认识不符合市场客观实际。所以，传统的价值规律认识是使人迷惘的，无助于人们从事经济活动的自觉性的提高。甚至应该说，传统的价值

---

① 这种无意义在传统理论本身的逻辑关系上就可确定，因为 C + V + m 的价值构成公式很形象地说明商品的价值不是由生产商品的社会必要劳动时间决定的。

理论关于价值规律的认识不仅没有揭示这一领域的运动矛盾,反而将矛盾掩盖了。本来,价格与价值不一致是市场关系中的基本矛盾,价值规律的认识要揭示出这一矛盾,通过揭示,使人们能够自觉地遵守规律性的要求,努力化解价值与价格的矛盾,不断地将市场推向完善。科学地认识价值规律是发展政治经济学的需要。为此,改变传统的对价值规律的错误认识是必要的。我们一定要从实际出发,尊重事实,遵守逻辑制约,重新认识价值规律问题并以此推动政治经济学的研究更快地发展。在这一领域,消失的只是虚假的概念和错误的认识,拓展的将是意境幽深气势浩荡的新视野。

第十三章 价值规律的作用

价值规律自发地调节商品生产。这种作用的自发性表现为参与市场活动的人们的理性与非理性行为构成的社会经济整体的无意识趋势。从理论上讲，传统的关于价值规律的解释是说价格围绕劳动主体的社会必要劳动时间上下波动，商品交换的准则就是劳动主体的劳动时间在社会必要劳动时间意义上的等值交换。这种传统的认识仅仅排除时间的个别性，实际上并没有真实地反映市场活动，只表现出一种片面的抽象性。在社会有很多的人十分欣赏所谓的片面的深刻性的时候，政治经济学理论研究的科学性必然要受到伤害。由此而产生的后果是，人们依据不科学的理论陷入了几乎是完全的迷惘之中，而人们受到虚假理论的愚弄之后也就只能站在市场的表层上徘徊，依然盲目。但在经济学理论未能科学地认识价值及价值规律之时，价值规律始终在起作用，这既是自发作用，也是客观作用。社会的经济受价值规律的约束，盲目性的行为是要被惩罚的，何时盲目，何时惩罚，社会承受损失。自发性是带有盲目性的，但自发性也体现客观性，所以，盲目性造成损失，客观性进行调节，一切都在自发地进行中，这就是规律的作用。认识不认识价值规律，这一规律都要发挥作用，重要的是认识价值规律可自觉地接受客观的调节，有意识地减少自发盲目的损失。问题就在于，自发的价值规律运动中，其构成因素包括劳动主体即劳动者的能动作用，社会的生产与市场的交换无不是由各种态势的劳动主体主导的活动，所以，价值规律的自发的客观作用中存在不可忽视的主体性作用，这是必须给予明确的。这也就是说，经济学家研究价值规律及价值规律的作用，并非只是为主宰社会的政府宏观调控提供形势分析工具，更重要的是要影响绝大多数的市场参与者能够较高理性地从事社会经济活动，不至于以他们自身的太突出的非理性短见频频汇集庞大的市场盲目波动，并不得不再由自身承受那些相应的损失。对于市场自发来讲，其中有主体的推动作用，因而自发的盲目的结果是自作自受，而别有用的心人则正可以钻这样一种空子，惟其获利，别人损失，即由他们推动大家盲目交易，然后造成大家损失。相比自发地盲目，包括对自发盲目的利用，能够做到为了避免社会的不必要损失而有意识地调节市场交易，这体现的是一种自觉性，一种能真实地控制市场动向的能力。现代社会需要这种自觉性，这种自觉的程度越高，越可表现出社会的进步程度。这种自觉性的实现首先需要经济学做出科学的研究。经济学的研究是没有功利性的，作为研究者要以市场的存在为依据，平等地对待市场中的每一个人，而没有研究者的个人利益直接参与其中，其目的是公益性的，是社会性的。总之，经济学研究揭示价值规律的作用，一方面为政府这只看得见的手调控市场提供理论依据，再一方面要为所有进入市场的人尽可能地培育理论细胞。市场的成熟与完善，取决于法规制度的健全，更取决于进入市场的人的成熟，即需要较多的人能自觉地服从社会的规范，遵守市场秩序，有意识地限制自己的盲目行为，维护经济生活的稳定。这实质就是国家实现经济现代化所需要的一种相应的社会基础。需明确的理论要点是，进入市场或从事经济活动的人产生较高的经济理性，并非是抵制价值规律的作用，实质上这本来就是价值规律调节社会生产的体现，只不过不是直接性的调节，而是长期调节作用的效果感应，是规律性的要求对劳动主体行为的约束力的反映。

我们的研究改变了传统的认识，在政治经济学理论发展史上第一次明确地阐释了蕴涵劳动整体作用的价值规律的内容。所以，关于价值规律的作用，我们要指出的是，这种作用必然是既发生在劳动主体的配置中，又发生在劳动客体的配置中。也就是说，价值规律并不是单独对劳动主体发生作用。从劳动主体研究，到劳动整体研究，这在价值理论研究中是一个大跨度的飞跃。从劳动整体出发，价值总量的实现量比价值个量是否与价格个量一致更为重要。在这其中，社会生产是全要素投入，土地、矿产、资产等投入与劳动者的主体投入是同步进行的，而这些投入后的产出若不能实现价值，即劳动不能成为有用劳动，就构成了社会生产的损失，劳动客体方面损失常常会比劳动主体方面的损失更严重。所以，社会的进步就在于要逐步地降低这种劳动的损失。现实的社会要求尽可能多地实现有用劳动，对于已配置的劳动要求最大限度地减少无用劳动。由于有用劳动的实现是随同价格的实现而实现的，因此，市场的价格波动对于价值的实现是直接的影响。然而，市场的供求状况又是劳动配置的结果，于是由劳动配置决定的市场价格的走势对于有用劳动的实现必然产生影响，这是价值规律调节社会生产的作用。也就是说，价值规律的调节作用最先是体现在社会生产的调节上，这种调节的表现是以适当的劳动配置维护有利于市场交换的价格以实现最大化的价值总量。

在追求最大化价值总量的规律性调节中，各个实现的价值个量未必与价格一致。价格低的影响再生产投入，或引起生产劳动变化；价格高的引起生产者的拥入，或直接造成总量扩张，或使价格本身发生变化。在常态社会，只进行劳动客体投入的人，直接关心的是劳动客体作用所受到的社会评论，即他们关心资源、资产的价格，或是更为虚拟的资本价格。而价值层次上的衡量，是全社会的，既不是个别的，也不是哪一个行业的，价值的总量概括全范围，价值的个量是以总量的均分计量的。因此，一方面是价格实现，另一方面是价值比较，资本的价格变化在这其中是有影响力的，社会生产在资本支配阶段必然要随资本价格的变化而变化劳动整体配置。现在的价格表现基本是货币化的，各种作用的大小均用价格表现，也就是用货币表现和用货币衡量，劳动主体的作用同样是用货币表现和用货币衡量。因而，不仅投资者可计算自己的投资效益如何，劳动者亦可测定自己的报酬是一般，是高，还是低，虽然不能测定得十分准确，但对于有丰富实践经验的人来说，还是可以依此分析得比较透彻。人们的要求，就大多数讲，至少希望社会对自己的投入，包括主体投入和客体投入，评价不低于中等线，即能以价值等同要求得到价格等同，得到中等价格。而实际生活中，无论何时，社会对所有的劳动主客体投入的评价，对劳动整体的评价，决不都是中等线的，也就是说这会产生不同程度的价格与价值的矛盾。高于中等线的价格与低于中等线的价格，都是不会消失的一种存在。从逻辑上讲，肯定只要有高于中等线的价格，就必然还会有低于中等线的价格。这样的价格结构及其每日每时的变化，影响每一位市场参与者。价值运动是潜在的，人们不可能直观地认识价值，只能靠抽象力去把握自己劳动的价值变化。但只要介入市场，价值运动就是能感受到的，价值是投入的平均化，即平均化的投入能不能得到市场中等线的价格是基本的衡量标准，如果市场价格的波动性较大，那么能够实现中等线价格的人就较少，反之，市场价格趋于同一水平且较长时期稳定，实现市场中等线价格的人就较多。

需要明确的是，从市场的角度看，人们对于价值与价格的比较，是抽象的把握与具体的量化的比较，不是具体对具体的比较。这就是说，人们是不能将自身的劳动投入直接当做量化的价值，价值是抽象的有用劳动的凝结，要进行社会的平均化，才能有抽象的个量，具体劳动的本身投入是不能成为这种抽象的标准量的。在社会有用劳动总量中，高强度劳动要与低强度劳动平均，高技能劳动与低技能劳动相比也要取平均值，劳动中的主体作用与客体作用比例也要平均化，然后才能确定价值等份，根据价值等份才能抽象地认识价值个量，凡有一定劳动主体与劳动客体的结合并成为有用劳动的投入量都在产出的劳动成果上凝结一定量的价值。整个的平均化过程是抽象的，到目前为止人们还无法精确地描绘这一抽象过程，这一方面是由于价值是运动的，运动中的态势可以把握，而动态的抽象值是很难处理的，再一方面经济学对价值的认识一直未统一，这其实是一个理论上的盲区，因而使得计算上的操作无法进行。与价格的形成是截然不同的，劳动价值的创造与具体劳动同步，但形成价值个量却是必须先有价值总量的确定，由总量的形成再分解为个量，这样确定价值个量，既与具体的劳动投入有关，也与实际的劳动产出有关。① 在同等的劳动条件下，可能在具体的劳动中间，有的产出多，有的产出少，更可能这些产出的市场价格不一致，即使它们的质量同样。但是，只要这些劳动是市场实现价格的劳动，就都可进入劳动平均化的抽象确定

---

① 需要加以区分的是，劳动投入是对生产而言，劳动价值量是对产品而言，劳动投入的多少不能等同于产品的价值。

价值的过程。在这种抽象中，同等的劳动创造意味着相同的价值等份，这对同等的劳动表现是产出物品获得同等的价值，而不是进行了同等量的劳动投入。而这时如果同等价值的产品未能获得同等的价格，其价值就会同价格产生基本矛盾。

以同等价值，获得较高的价格是取得高于一般的社会评价，获得较低的价格是取得低于一般的社会评价，价值同样而价格不一致并不是由价值决定的，而是由社会使用价值决定的。价值规律的要求是同等价值得同等价格，并不分价格的量与表现形式，凡是得不到这种同等价格的拥有同等价值的劳动投入都需做出反应，有行业内的反应，也有行业之间的反应，或维持较高价格，或维持较低价格，或改变它们各自的现状。而维持或改变的方式方法有许多，这需要当事者自己去选择，去创造。而对于能够实现同等价值得同等价格的劳动来讲，这种状态并不是一劳永逸的，只要进行继续的投入，就会面临着市场新的挑战。价值规律的存在迫使劳动投入者或市场参与者竞争，为了实现价值和实现较好的价格而提高自己，在不断接替的市场交换中求得自己的生存条件，创造自己更好的生活条件。而价值规律在市场的作用是公平的，或者说它对生产的影响反作用于市场的表现是公平的，这种公平的作用不保护特殊的人，始终是进行全社会的调节。只不过，在市场经济秩序不规范的情况下，可能有较多的人有意违背规律而让别人承受损失，制造经济混乱，使本来就复杂的社会经济关系变得更复杂，使得本来可以用较低代价解决的发展问题拖得很久且付出较高代价也未能解决，这牵涉更深层的体制规范，不是价值规律的自发调节能在短期内施展作用的。

价值等份的划分是对有用劳动总量的划分。这种划分是抽象的，是取劳动创造力平均值的划分，人类劳动无差别的性质是这种划分的基本性质。对于实现交换的有用劳动，即成为商品的劳动凝结，价值等份是不分行业不分类别的，只是各个行业或各种类劳动的市场实现量都必定要在总量中占有一定的比例。因而，价值等份既是对劳动总量的划分，又依据劳动成果的区分而形成各个类。价值个量就是在这两个前提下产生或者说确定的。一方面要根据总量划分等份，再一方面则要依据劳动成果数量分类分出每一成果占有的等份。每一类劳动在价值总量中都占有一定比例，而价值等份也是按价值总量划分的，每一类劳动拥有多少价值等份，是与其占有的总量比例相一致的。在某一类劳动的占有价值总量的比例既定的条件下，如果其劳动成果数量多，那么每一劳动成果的价值个量就小；如果其劳动成果数量少，那么每一劳动成果的价值个量就大。价值规律的作用就是通过价值个量与价格的比较影响每一类劳动的投入和每一类劳动中各个经济组织的投入来调节社会生产的。

在以往的理论中，讲到价值或价格的影响，主要是说在价格偏低时某类产品生产的数量减少，在价格偏高时某类产品生产的数量增多，这一多一少就形成了价值规律制约的表现，也就是在价格不符合价值时产生的价值对价格的制约作用，即价格必然按价值上下波动。在这种传统的解释中，价值是传统意义的价值，价格也是传统意义的价格，并且是说这种价格是完全被动的，必然服从价值，没有讲到价值可根据价格的变化而变化的另一面。这样的解释是不妥的。一则关于价值与价格的定义都需要做重新认识，应认识价值是劳动整体创造的，价格就是现实生活中的价格，有其相对独立性。二则也并非只是价格围绕价值波动，有价格向价值靠近的一面，也存在价值向价格靠近的另一面，即价值个量也可根据价格个量的情况做出自身的改变，使价值与价格相适应。因为价值本身是可变的，并不是不可变的，而且价值的变化趋向中等价格是自然的，例外则是反常。所以，价值规律的作用不能概括为价格围绕价值上下波动，而应讲这种作用的影响是双向度的，是价格与价值的相互靠近，不是简单的一个变一个不变的单向度变化关系。

当价值变化时，价格偏低的产品可能不会减少生产数量，而是可能保持原有的生产数量，或者可能进一步增多生产数量。这并不违反价值要求价格与之一致的准则，只不过这时的规律调节并没有反映在减少产量提高价格上，而是促使价值个量变化，使其价值等份数量减少，达到等同价值的价格等同的要求。确认这一点的关键是，价值在短时期内能不能变化，若不能变化，那么短时期内这种情况不会出现，若能变化，那么短时期就可出现这种情况。其实，在市场的压力面前，许多企业努力挖潜，甚至全行业挖潜，降低生产成本，提高生产效率，维护价格，维护生产，走的就是降低价值个量适应市场价格的路子，应该说，这种情况的出现是较多的，尤其是现在存有一定劳动成本浪费的行业或企业，更需要在这方面做出适时的调整。而在古代，那时劳动发展水平很低，劳动投入与产出的关系几乎是长期不变的，那时一亩地投入多少劳动，产出多少粮，是多少年不会有大的变化突破的，除非受灾减产。而且，古代生产主要是在农业，工业、矿业、商业及其他行业劳动产品占社会产品比重很小，因而那时的劳动价值变化很难，应该说是长期稳定的，只有价格能活跃，或供求变化引起的主要是价格变化，[①] 人们大约可直观地看到价格上下波动。但是，工业革命之后，特别是当代即 20 世纪 50 年代之后，由于新技术革命的作用，劳动价值的变化已经成为经常性和普遍性的，尤其是在轻工业品和商业、服务业产品方面，体现价值个量的变化是常常发生的。所以，社会发展到现代，比古代

---

① 其实，供求变化时，若劳动总的投入量不变，价值也是随之变化的。

已有较大的不同，虽然有些劳动的价值变化还是较少，比如农业，但是已有大量的产品的价值可以在短时期发生相当的变化，从总体上说，价值可根据价格情况变化，向价格靠近，是在理论上能成立的，而且，在实践中也可以证实。

在现代市场经济中，商品生产者主动适应价格的情况并不鲜见，已成为市场反应的一个重要方面。当某一行业的某一商品的价格确立时，这一行业的生产者若认为这一价格低于自己的产品价值但自己产品的价值可以降低，那么这一行业的生产就可以维持下来，即其生产者们不会放弃这一产品的生产，不会退出这一生产领域，而是会想方设法为提高生产效率、降低价值个量做出努力。这样即使一开始不会取得显著效果，因为个别人的努力只起带头作用，很难一下子影响全行业生产，但是，随着带头作用影响的扩大，主要是靠真正取得技术进步，这种商品的价值个量降低会是大势所趋，最终可达到与价格相一致的规律要求。从另一方面讲，这时的价值如果还有继续降低的可能，还会迫使价格也进一步随价值的变化而降低。总之，对于价值规律来讲，不能只强调价格适应价值的意义，必须同时还要强调价值适应价格的意义。无论是价值适应价格，还是价格适应价值，这两种变化都体现价值规律对于社会生产的调节作用。

尽管价格可围绕价值波动，价值也可主动与价格趋于一致，但是，在市场经济现实中，仍存在价格长期低于价值或价格长期高于价值的情况。这不是市场经济的主流，而是市场存在的现实。对于这种现实，不能一概而论，也不能要求它们与主流一致，或者说不能用主流的意识与原则要求这种存在。就某些艺术品来说，其价格可能长期高于价值，甚至由于其特殊的价格形成带动一批同类产品价格长期高于价值。这种价格与价值不一致的情况存在是非理性的，也就是对此不能完全依据逻辑分析，这中间有感情因素，也有社会历史既定因素的影响。由于在远古社会，这种价值与价格的关系就扭曲了，以致历史沿袭沉淀下来，始终未能改变。在某种意义上，这种情况出现终归是个别现象，在总的商品中只占极少的比重，对大局无碍，所以才有残存的可能。这些艺术品并非是人们生活中的必需品，除了极为富有的人，一般人无需求也没有能力购买，不会问津这类商品，而极为富有的人不考虑这类商品的实有价值，他们感兴趣的是艺术性或观赏价值，抑或也会将此作为一种地位或富有的象征，而且玩这一类艺术品也是历史上达官贵人的传统，高价也是传统，所以，高价在这一领域通行，长盛不衰。现代各个国家对于历史文物标价特高，也属于这一类情况，或者说，高价的形成道理是相通的。就现实劳动讲，出土文物的价值含量很低，即使加上文物本身在远古创造时的劳动，这些文物身上也是有限的有用劳动凝结，不会有多大的价值。将这些文物的价格抬上去，使其成为贵重商品，确实强调的是历史的时间性效用和物的稀缺性，确实是抛开价值单纯从价格上考虑的，确实表现出很强的价格独立性，这些文物的价值并不能左右它们的市场价格实现，所以这种价格与价值的背离是难免的，是长期存在的。从逻辑上讲，有价格长期高于价值的情况存在，相应也会有价格长期低于价值的情况存在，也许这两个部分可以有一定的抵消。价格长期低于价值也同价格长期高于价值一样，没有必然性依据，也是一种自发的非理性行为表现。历史上总是有这样的延续，使某类商品价格始终很低，而生产这类商品的人又能接受这种低价格。从理论上大致可以认定，这些人的这种接受是很吃亏的，长期存在，就是长期吃亏。而更重要的是，这些吃亏的人并不能因价格吃亏而退出这一生产领域，这表明他们的生产行为是受到一定的生存条件限制的。很可能这些人除了做这方面的劳动外，无以谋生，因而只好长期接受低价格。至少在这方面他们没有提高价格的能力，他们左右不了市场，是市场左右他们。这只是说一个方面的可能，实际的可能情况会是很多的，不会很简单。从市场的角度讲，最能被压价的是那些供应最充分，或者说最容易生产出来的产品，由于很好生产，来源很多很容易，即很多人能生产，要求的特殊技能和特殊材料几乎没有，因而就容易出现长期的低价格，即同等价值长期得不到同等价格，价格总是偏低。这往往是日常的非必需品，也是生产这类产品的人别无出路的选择。比如，一些贫困地区的建筑施工队，员工主要是出来务工的农民，属于农业剩余劳动力性质，需要从农业中转移出来，而又找不到别的出路，只好干建筑施工，这种工作技术性不高，而员工来源充沛，所以建筑施工费在房屋价格中占的份额很小。再有一些农副产品，比如竹制品，草制品，市场售价是很便宜的，相比制造者的劳动付出，应该说是很不相称的。

价值规律的作用是直接调节生产，而不是直接调节交换。价值是生产中形成的，是有用劳动的凝结，不直接决定交换，做交换的直接依据是价格。在价值规律的作用下，产品价值大大高于价格的生产率先做出反应，除了特殊的个别的长期价值高于价格保持不变的产品外，其反应可能是缩减产量刺激价格，也可能是改进技术降低价值，不会没有反应。以生产皮鞋为例，一种皮鞋样式过时，销路不畅，市场价格一路下滑，而价值作为已有劳动的凝结是既定的，当价格下落之后，价值就可能大大高于价格，这时的皮鞋生产就要调整，样式过时的鞋不能再生产了，再生产的只能是新样式的产品。从生产者的角度看，面对市场实际价格，总是要自发地调整自己的生产，若不调整，任凭价值高于价格，生产者就得不到应有盈利，甚至可能亏损。不论生产者是自然人，还是法人，市场适用的法则是一样的，他们不能做亏本的生产，更不能在可改变自己的生产状况下继续做亏本生产。也就是说，迫于市场价格的压力，能改变自己生产的生产者改变自己的生产，做出反应，是必然的。从某种意义上说，价格的实现是价值的回报，价格的回报不足以满足价值的要求，即不足以满足生产者的要求，生产者就必须要考虑下一步改变生产的问题，这应该是明智的生产者在适当的体制下做出的灵敏的市场反应，也是价值规律客观地调节生产的作用。对于经济生活来说，客观的必然要求是通过主观的具体的行为体现的，改变生产，适应市场，于生产者，于社会，都是有利的，理性应在这一机能的作用过程中体现出来。如果生产者不能根据市场上不利于自己的变化做出反应，或是反应不及时，反应不对路，那么不仅直接的生产者要遭受损失，整个社会也要遭受损失，其中企业的损失就是社会的损失，此外，还有影响相关生产的其他损失。若企业不能认识到市场凶险和价格的回报含义，在明知自己吃亏的情况下，还继续照原样干下去，能改变而不改变，那么结果必然是走上死路，取消自己的生存资格。从社会主义国家已有实践来看，在相当长的时期内，这种让企业僵死的情况是大量存在的，准确地讲，产生这种怪现象与传统的价值理论并无直接关系，但是却与传统的经济理论未能透彻地阐释社会经济运动的规律和传统的社会主义经济体制存在的弊端有密切联系，也就是说，那是一种体制僵化和理论落后于实践的结果。就相对独立的商品生产者来说，进入市场的一个最基本的条件要求是，要有敏锐的反应能力，决不能麻木不仁，在利益划分比较清楚的前提下，生产者必须要维护自己的利益，必须要有能力维护自己的利益，有了这种维护的自发性，也就有了价值规律发生作用的自发性。价值规律调节生产，包括调节劳动主体与劳动客体，对于劳动主体的调节，由劳动主体本身做出反应，对于劳动客体的调节，也是通过劳动主体进行的，这种劳动主体中包括变态劳动主体。无论是哪一种劳动主体，价值规律的调节都是针对生产进行的，以生产的变化来调整价值与价格的关系，而不是以交换的变化来做这种调整。凡因价格与价值的不一致引起的生产变化，或产品产量变化，或劳动生产率变化，都是价值规律客观作用的必然结果。生产领域是社会经济活动中的最基础的领域，价值规律的作用就是发挥在这一领域，影响是基础性的，直接影响生产，然后通过生产的必然调整而影响整个社会的经济生活。

　　价值规律对交换活动的影响是间接性的。在价值规律的作用下，产品的生产进行必然的调整，结果商品生产的结构与数量都要发生变化，这就间接地对交换产生了影响，对市场的价格变化产生了影响。某种商品供大于求，一般的市场反应是价格下降，反之，求大于供，一般的市场反应是价格上扬。这种情况的价格起落反映生产的变化带来的价格与价值关系的调整。这其中，会有产品产量下降的变化，也会有产品产量上升的变化。一旦生产者们发现某种商品的价格偏高，有利可图，在有限理性的控制下，生产者便会不断拥入，从而使这种商品货源充足，可能很快供过于求，从而影响到价格的稳定，会引起价格下落。现在，比较成熟的市场受价值规律的自发作用间接调节的现象已经大为减少了，因为市场的发育过程已使越来越多的生产者学会了保持冷静，提高了理性，学会了不盲从，不以一时的市场热点为自身生产追求的领域，而是能够比较明智地对待社会生产的各个领域的分工，注意从长远上维护自身的市场领地。尽管有这样的变化，并不是说价值规律的作用就没有了，这些理性行为的产生实质上正是价值规律作用的结果，这是深层的作用，也是作用的表现形式的变化。而且，在发育未成熟或尚未发育的市场，我们看到生产上的盲从现象仍大量存在，有时是止不住的，政府止不住，企业自身也止不住，一旦这种盲从成为一种潮流，价格必然会走向人们盼望的反面，形成一种大幅度的下调，使市场出现波动，下调幅度越大，即波动越大。这比较突出地表现价值规律的间接影响，但相比成熟的市场，显然是比较落后的，是使社会遭受较多损失的表现。问题就是一定要看到价值规律作用的实质，抓住实质，就能理解市场波动产生的根源以及避免市场波动的相应条件。我们所强调的是，价值规律的作用一方面促使价格贴近价值，一方面又调节价值使之适应价格，这是双向的作用，不可单向地只理解为价格变化。更重要的是，无论市场怎样波动，价值怎样变化，价值规律的作用对于交换关系的调整，都是通过影响生产才传递过去的间接作用，这是不可混淆的。在传统的认识中，且不说，对于价值规律的认识不符合客观实际，对于价值规律作用的认识也只是强调对交换的影响并将这种影响说成是直接的影响。市场的交换永远是以产品的生产为基础和前提的，只有生产的变化才对价值有根本性的影响，交换的影响在交换不能实现时是不介入价值确定的，在交换实现的前提下交换也只是对价值总量的决定起确定范围的作用，而对价值个量的影响是距离较远的。所以，必须从价值规律对生产的调节作用角度来认识价值规律的根本作用与直接作用，除此之外，不能以其他作用为价值规律的表现依据，但这并不是说人们可以不重视价值规律对于交换的间接作用影响，只是这种对间接作用的重视必须在肯定根本作用与直接作用下表现出来，不能是单纯的强调与重视，撇开根本作用与直接作用的强调与重视是没有意义的，是不能达到强调与重视间接作用的效果的。

由于价值规律的作用是对价值与价格双向调节，而且价值规律的直接作用在生产领域，即是对生产进行调节，所以，利用价值规律的作用，主要是在生产领域，而不是在交换领域。教条地死板地依据价值制定价格是不对的，是不能准确把握价值规律要求的表现，危害也是相随的。价格能符合价值，是理性表现，在市场成熟的条件下，大多数价格是能够做到这种理性要求的。但是，在理性的基础上制定价格，更重要的是要受到现实的市场制约，要根据市场的全面情况来考虑，而不能理想化地要求价值与价格相一致。即使是价格符合价值，也要从价格角度看其是否符合市场实际，不能说一定是受价值制约的。价格的依据是社会使用价值，社会使用价值是由市场评价产生的，所以，价格是市场的产物，具有十足的市场品格，是极具活力的，基本上是容不得僵化和非市场化，要非市场化地实现价格需有严格的限定条件并且仍是要以其他市场化价格的形成为认识基础。脱离市场实际制定价格是不可取的，是不懂得价格性质的做法，结果会对生产造成损失。传统理论认为价格永远要服从价值，具有相当的空想成分，既是假定价值不变，又是将价值只理解为劳动主体的创造，与实际的经济生活内容要求的客观性相差太远。在价值与价格都可变的前提确认下，我们阐明价值的运动可以使价值个量产生变化而达到价值等份要求等同价格的调节目的。价值不是恒定的，这是基本的客观事实，已产生的价值不变不等于今后产生的价值还要与以前的价值一致，一致只能是或然的。从市场角度讲，没有价格一定要符合价值的必然要求，价格的现实就是社会使用价值的现实，商品能获得何样的社会使用价值就能获得何种价格，价格是市场的现实，价格形成具有自己的相对独立性，不能将价格的市场形成机制与价值对价格的要求混为一谈。在市场上，没有永远不变的价值，也没有必须要做价格依据的价值，企图以不变的价值为标尺制定不变的价格，这是任何地方任何时期的实践也无法证明能行得通的。在此，我们是从理论上阐述这种行不通的根据。当分析的前提能够确定价值是一个可变因素，对于价值

规律作用的认识就能够超出以前的单向度认为只有价格随价值上
下波动变为双向度的往复运动概括，而且，价格的产生是买家与
卖家谈判的结果，但不论买家还是卖家都不可脱离市场价格体系
及当时的社会环境来谈价格要求，因此，有些时候价值变化向价
格贴近比价格向价值靠近而波动更主动一些，甚至可能是更便捷
的。从理论上讲，这就是说价值具有一定的随动性，在条件具备
的前提下价值可以做主动的变化以达到调节的要求。价格所具有
的相对独立性，也是吸引价值的运动与其相适应的条件。对于重
新认识价值规律，要有彻底性，不能再用过去的理解穿插于新认
识之中，价值等份要求等同价格，这只是讲逻辑上的相等关系，
不是传统的价格符合价值的含义，所以，这种相等关系才能表现
为既可价格向价值靠，又可价值向价格靠。特别是，价格本身就
是与价值有内在联系的，价格的相对独立性并不可能切断其内在
的与价值的联系，价值的基础是自然使用价值，而价格的依据是
社会使用价值，但社会使用价值的基础也是自然使用价值，这就
是价格与价值的联系，在这种联系之上，价格具有二重性，既体
现价值，又体现社会使用价值，因而，不论是价值向价格接近，
还是价格向价值接近，都是由内在的联系决定的双方关系的变
化。而在讨论这一规律作用之时，需要特别强调，不能因价格与
价值有紧密的联系，而将价格直接说成是价值，或将价值直接说
成是价格，价值规律调节的是生产，但也要界定清楚价值与价格
不同的性质。分析市场，主要考虑的是价格运动，不能用价值的
观念去思考价格的要求。分析生产，主要考虑的是价值运动，不
能用价格的品性思考价值的要求。总之，对价格与价值的关系，
不能不看到联系，也不能不看到区别，更不能将二者搞颠倒，重
新认识价值规律，包括重新认识价格与价值的关系。

过去讲尊重价值规律，实际上对价值规律本身的认识就不对

头，按照错误的理解去尊重，是不可能达到尊重目的的。对劳动整体性没有认识，不承认劳动客体作用，看不到价值与价格的相互协调关系，只讲劳动主体创造价值的作用，是根本无法科学地认识价值规律及其作用的。在理论认识错误时，不尊重规律的事情常常可能是人为的，受到惩罚也是必然的。所以，真正地尊重价值规律，首先在于必须正确地认识价值规律，使主观认识与客观实际相统一。人们错误地认识价值规律，是对价值规律的不尊重，或者说是不懂得尊重。当人们被迫服从客观上形成的经济变故时，实际说明人们就是在服从价值规律，这是规律本身在强制人们尊重它。而能做到自觉地主动地尊重价值规律，是很不容易的，这需要理论认识科学，更需要实践中与市场环境协调。因此，进一步说，尊重还是不尊重价值规律，不是停留在口头上的，而是要落实在行动上。价值规律要求实现尽可能多的有用劳动，要求等同价值能得到同等价格，尊重价值规律就是要按照这些基本要求去做，而不能正相反与规律的要求对着干。在实际生活中，有的人不尊重价值规律，有的人尊重价值规律，受到损失的是全社会，未必不尊重价值规律的人承担损失，有的人可以钻社会的空子，达到自己钻营别人受害的目的。成熟的市场的重要特征之一，就是尽可能不给这些人留下可钻的空子，不让这些人随意兴风作浪。

尊重价值规律是必要的。从总体上说，这是经济稳定和社会发展的一个条件。不论是自发地尊重，还是自觉地尊重，都是正常的，尤其是在做不到自觉尊重时更要懂得自发地尊重。尊重价值规律就意味着必须服从这一规律的基本要求。如果有人认为可以让价值规律服从人们的计划安排，恐怕就不太妥当了，这是不是尊重价值规律就值得讨论了。在客观规律面前，人的主观能动性是极为有限的，大体上说不能在基本的经济规律的约束下有较

大的能动作用，服从应是第一位的，而且首先应是服从好，至于
有限的能动，也必然要在服从的前提下进行，并且是为服从服务
的。就目前经常学的研究水平而言，对一些深层次的问题还把握
不住，相对复杂的研究主要是针对一些经济表层现象进行，在这
种状况下，社会调控的能动性范围要与经济学研究的水平相适
应，不可过度。特别是，不要搞一些所谓驾驭经济规律的举措，
自欺欺人，劳民伤财。如果市场的参与者们，包括政府的调控作
用在内，都能比较明智地按照价值规律办事，努力减少社会供求
的结构性矛盾，尽力增加社会有用劳动总量，在合理的范围内保
持价值与价格的大体一致，那么社会经济就能获得较好的协调发
展的条件，这也就是对价值规律的尊重。作为市场参与者，更重
要的是作为社会生产者，主动地按价值规律的要求办事，明智地
避开市场其他方面干扰，维护客观需要的社会秩序与市场秩序，
也是自觉地尊重价值规律的表现。如果是随市场大潮走，按社会
需要生产，市场秩序正常时随之正常，市场秩序不正常时随之不
正常，只要是自己生产带有盲目性，就相应承受损失，也属于自
发地尊重价值规律。人们的主体行为构成市场的客观存在，这是
经济规律不同于自然规律的特征，但从更深层的机理认识经济规
律存在所依赖的社会必然仍是建立在自然的必然的基础之上的。
经济规律作为一种社会的必然的体现，并不排斥自然的必然的约
束，它只是在一定条件下对自然的必然的超出，因而，这就从基
础上决定了人们必须像尊重自然规律那样尊重经济规律，不能在
价值规律的约束下随心所欲。从目前的情况看，理清价值规律的
内在要求和外在作用不是很复杂的，而要将科学的对价值规律的
认识付诸于指导社会经济实践，相应就复杂起来，对于某些受传
统观念约束的人来说，要使其明白价值规律的真实含义将十分困
难，因而在这种状况下实现自觉地服从是很不容易的。

　　价值规律的作用对生产是直接调节，对交换是间接调节。正确认识价值规律，必然区分其作用的直接性与间接性。价值规律不直接体现在对交换的约束中，商品怎样交换，市场如何起伏，这是直接的价格问题，而不是直接的价值问题。价值是有用劳动的抽象凝结，价值规律的直接作用是在生产领域，即在有用劳动的配置与运动之中，价值规律是根据市场交换的情况调节社会的生产，当生产处于不利状态时要及时调整，凡是能调整的都要调整，不论是自觉的调整，还是自发的调整，都是服从价值规律的表现。市场交换的情况影响社会生产，社会生产的变化又返回去影响交换，这其中生产的变化是基础。经济的发展不仅表现在技术水平的提高上，而且表现在社会生产的调整和市场交换的秩序的理性进步上。在这方面，经济学的研究将起到先导作用。对于价值规律的研究，必须有理论上的创新，必须准确把握其作用，这是有重要学术意义的，而更重要的是这将指导和推动社会经济实践向前发展，增强市场参与者作为社会生产者的理性生存的力量。

第十四章　军事劳动存在的影响

处于常态社会，价值运动是与常态经济运行合为一体的。在这一社会中，劳动本身是常态劳动，价值本身是常态价值，价值规律也是常态的价值规律。不管对于常态的性质是否明确，现实的经济研究就是常态的经济研究，因为其依据的现实就是常态的。常态劳动包括正态劳动与变态劳动，变态劳动包括军事劳动与剥削劳动，这两种变态都融于现实的社会经济活动之中。从微观经济乃至市场的角度讲，有关剥削变态的经济问题涉及绝大部分领域，资本市场的存在及其作用在很大程度上体现剥削变态的要求，是常态下市场发展的突出的标志。而就军事劳动变态讲，凡涉及社会经济整体性的问题，都不可回避这一变态的存在，尤其是国家财政中的国防费预算，更是与军事变态劳动的存在直接相关。以往的价值理论研究，只是对含有剥削变态的劳动给以概括，或者说其主要研究的是剥削劳动与被剥削劳动，没有涉及军事劳动变态问题。而军事劳动对于价值运动的影响是现实存在的，且军事劳动在政治经济学创立时期就是经济学家关注的重点，在现代也是经济学家热切讨论的课题，因而，以往的价值理论没涉及这方面问题，现在的研究必须要对此给予应有的重视，一定要从实际出发分析研究价值运动中的军事劳动变态问题。

一　军事劳动的价值存在

劳动创造价值，在常态社会，即在常态劳动下，不光是指正态劳动创造价值，但也并非是所有的变态劳动都能创造变态价值，就变态价值而言，在变态劳动中，只有军事变态劳动能够创造，准确地讲，创造军事劳动价值的是有用的军事劳动，这包括有用的军事生产劳动和有用的军事非生产劳动。剥削劳动变态的存在是含有被剥削劳动在内的，但其价值创造全部来自被剥削劳动，所以严格地讲剥削劳动变态不创造价值，被剥削劳动是相对独立的存在，只有被剥削劳动可作为创造价值的劳动看待，而剥削劳动不是创造价值的劳动，其中最重要的是剥削劳动主体对于价值创造不起作用。剥削的变态是寄生性的，是靠剥削为生的。而军事劳动是能够单独存在的劳动，是人类最早产生的劳动，是能够创造自身价值的劳动，军事劳动创造的是变态价值。变态价值也是价值，如同特殊商品是商品一样，变态价值是一种特殊的价值，变态价值只指军事劳动价值，在劳动交换中，变态价值作为价值是与其他劳动创造的价值一样通约的，或者说其基础是一致的。变态价值与其他价值相比没有任何的不同，因为价值已是抽象范畴，不分劳动差别，强调变态性只是讲这种价值是军事劳动创造的价值，创造的来源有一定的特殊性。只是在讲价值创造来源时，才有必要强调其变态性，除此之外，在其他任何场合下，都无需突出变态价值的特殊性，即只讲价值而不必再讲它们是变态价值。变态价值与抽象的有用军事劳动是等义的，只是如何确定变态价值的量仍要先确定社会有用劳动总量。

进一步讲，军事劳动创造的变态价值的个量区分是一个需要讨论的问题。就军事劳动对国家的作用讲，一个国家的军事劳动成果只为一个价值个量，即一个国家的所有的海、陆、空三军部队加上指挥系统、情报系统、后勤系统、医务系统、教育系统、军工系统，等等，并包括部队的文艺系统也在内，合为一体成果，形成一个价值个量。这样界定，变态价值的个量是一个占价值总量一定比重的价值个量。如果用价格来表现这个价值个量，那么它基本上等于一个国家的全部国防经费开支额。军事劳动价值的这种体现，是与其作用的整体性相一致的。保卫国家或发动战争不是少部分人或少部分军队能胜任的，这一职责或任务必然是要落在一个国家的全体军事人员的身上，这些人的作用一致，而且必须结为一体才能达到目的。从人员构成讲，保卫国家需要有一定数量的劳动者，低于一定数量，会感到军事实力不足，军事人员不够，超过一定数量，又会使社会负担加重，造成某种程度上的人员浪费，即不论军事人员过少还是过多，都是社会劳动人口配置结构失衡的表现。从职责与任务的要求讲，军事劳动有复杂的分工，并且不是只打仗的人为军事劳动者，不论战斗大小，甚至说不打仗时，也需要有大批的后勤保障人员，还有军工生产人员是常年工作的，凡是属于有国防经费开支的部门，不管是做何种具体工作，都归于军事劳动整体之中，都是为国家的安全工作的。为了达到军事目的，有时后方人员比前方人员更重要，比如制造原子弹的人与投掷原子弹的人相比，恐怕任何人都不会否认研制者是实现原子弹轰炸的最关键人物。作为价值个量包括庞大的劳动内容，几乎可以将社会的各行各业都包括进去，这是军事劳动价值或者说是变态价值的自身特点。这种价值个量具有复杂的构成，又完全是变态劳动无差别的凝结，许多其他领域也有的劳动，在军事领域就成为变态价值的创造了，改变了劳动的态势，成为军事劳动的价值个量创造的组成劳动。比如医务劳动，在非军事系统，是正态价值创造，而到了军事系统，同样的劳动就成了变态劳动，创造的是变态价值了。

但军事劳动的价值个量也可以分解。这如同汽车整车可当做一种商品出售而单卖汽车零件商品也很普通是一样的。对于整个社会需要，即在国家安全存在的意义上，军事劳动的作用是整体形成一个价值个量，军事劳动内部的分工不影响它的整体性的存在；而对于军事劳动的各种具体作用讲，其每一个单独的组成部分，甚至每一器械部件，都可成为一个价值个量的单位划分，成为一个有单独价格表现的价值个量。只是，对于作战部队，不能成为独立的价值个量。虽然从军事开支上也可以分开他们的消耗量，但从根本上说他们的作用是军事劳动的最重要的依存理由，他们存在于整体之中比单讲他们的作用要清楚得多，他们就应该作为表现整体的存在。在对军事劳动的认识中，重要的是看它们的整体作用，但在实际的生活中，人们经常接触的又是分解后的价值个量，比如一支枪、一门炮、一架飞机、一艘军舰、一座军工厂、一所军医院的价值个量，也就是说，社会也要认识或确定与其他劳动产品基本同样的军工劳动成果的价值个量。军工产品是工厂生产的产品，生产军工产品的工厂，有的是纯军工厂，除军工产品外，其他产品一律不生产；有的是混合型的军工厂，除了军工产品外，还生产一定的民用品；还有的就是普通的民用品工厂，由于其产品用于军事消费，而使其产品也成为军工产品。目前，在各个国家，纯军工厂比较少，除非高、精、尖的绝密军用品物资，在纯军工厂生产，其他大部分军工厂是混合型的，包括相当多的民用品的生产。比如，1995 年，美国洛克希德—马丁公司 300 亿美元的营业收入中，有 194 亿美元来自军工产品。波音—罗克韦尔—麦道公司（373 亿美元的营业收入中军工产品占 179 亿美元）以及雷声—得克萨斯工业公司—休斯公司（210 亿美元的营业收入中军工产品占 117 亿美元）等公司的情况也大体相当。① 中国的军工厂自 20 世纪 70 年代末改革以来，大都也不再单纯生产军工产品了，比如哈尔滨飞机制造厂原来专门生产军用飞机，改革之后大量生产民用微型汽车。目前中国市场上，许多名牌民用产品，包括彩电、冰箱、空调、汽车、医疗器械、摩托车、家具，等等，都是出自军工企业的。军转民，开拓民用品市场，是中国军工企业生产内容划时代的变革。从价值的角度看，相比之下，军工产品与民用产品一样，是可单独计量价值个量的。军工企业可以生产军工产品，也可以生产民用产品，从价值创造的角度讲，其价值个量的计量方法是一样的，每一军工产品，如同每一民用产品，都有自己的价值个量，只不过企业在生产军工产品时是变态价值创造，在生产民用产品时是正态价值创造。从整个社会看军事劳动的整体作用，与从军工产品的价值个量确定看军事劳动的作用是不同的，严格地说，军工产品不投入到军事劳动整体作用中去是毫无作用意义的，军用飞机不同于民用飞机那样可以单独起到社会作用，尽管军用飞机的每一架次起飞都是有作用的，但这种作用不能单独计量，必须要融于军事劳动整体作用之中。军用飞机的价格与价值都是存在的，但军用飞机在军事劳动中的创造作用却需要整体衡量，不是单独划分的。只是，就军工产品的生产讲，每一军工产品是有价值个量的，除此之外，军事教育、部队文艺与体育、军医院、军事科研，等等，也都存在单独创造价值个量的问题。

军事劳动的生力军是在部队，即军队中是纯粹的军事劳动，凡战斗人员，全部起到变态劳动者的作用。我们已经解释过，仅就劳动态势区分而言，不对军事劳动的性质再做区分，也不对战争的性质再做区分，在人类生存的意义上看战争、看军事劳动，

---

① 参见《参考消息》，第 14 版，1998 年 2 月 10 日。

是对人类自身整体发展的历史过程及其未来趋势的高度理性认识。认识这一问题，不能局限于国家，需要有全人类的视野，这是学术的研究，不能用普通人生眼光认识。对于非战斗人员，主要是军工厂的员工，在不完全的军工生产任务下，他们的劳动是双重态势并存的，即他们的劳动不全归于军事劳动，还凝聚在民用产品之中一部分，他们既是变态劳动者，又是正态劳动者。所以，对于他们的具体劳动，是很难区分正态与变态的，只是他们的劳动都要凝结到价值个量中去，而在价值个量上，由于用途已定，就不存在正态与变态不分的问题，用于军用目的的产品是变态价值个量，其创造价值劳动是变态劳动，用于民用方面的产品是正态价值个量，其创造价值劳动是正态劳动，这两种劳动可以出自于同一批劳动者。

军事劳动者的主体作用也是融于军事劳动的整体价值创造之中的。按照劳动整体价值论，即根据对于价值理论的重新认识，在军事劳动价值创造上，也同样是整体作用创造，而不单纯是人的劳动主体作用创造，也就是说，不能将军事劳动主体作用与军事劳动整体作用等同。但是，作为军事劳动者，毕竟是一种特殊的劳动主体存在，是不同于劳动客体的人。在军事劳动中，军事劳动者是起主导作用的，军事的目的也是服从于人们的需要。军事劳动者参与军事劳动价值创造，同时也要求自身的劳动主体作用在整体作用中得到肯定，能以一定的价格形式给予回报。军事劳动者要生存，并不是靠打仗抢掠生存，在商品社会中，他们是以自己的劳动作用与社会的特定需要整体交换实现的价值生存，从整体上要保证军事劳动者生活的需要，从每一位劳动者讲，都要有满足自己生活的劳动收入。这份收入是军事劳动者创造的价值的得取，是一定的劳动价值的体现。当然，以货币形式表现出来的收入准确地讲是属于价格范畴的，但是这其中以价值为基础。由于收入的表现直接为价格，这就很可能与其价值不相符，也可能价格高，也可能价值高，按照价值规律要求，是要取消不一致的，这种取消要依靠价值规律的客观作用实现。不过，在社会劳动分工之中，军事劳动很特殊，尤其是在现代，这方面的特殊性更为明显，所以，军事劳动作为一种劳动分工的存在在整个社会劳动中的横比关系与其他劳动有区别，不是能在生产或服务作用的提供的客观过程中确定的，这其中包含有较多的主体认定的成分，军事劳动在国与国之间产生较大差异的根由就在这里。每一国家对军事劳动的评价都是与本国经济的发展总水平一致的，富国有富国的评价，穷国有穷国的评价，价值的衡量也是以各国经济为范围的。但是，由于军事劳动在社会中起到特殊的作用，一般在可能的条件下应对军事劳动给予较高的社会评价，而且应配备良好的武器和其他军用物资，不能使其生存艰难，如不便做准确比较，就要向有利的评价方面倾斜。比如，一个人不做军事劳动者，做其他职业劳动，按其一般的劳动能力和劳动贡献可得一份劳动收入；若他做军事劳动者，在正常的情况下，他的劳动收入应该更多一些，即使是在和平时期，也应该使其劳动收入多一些，至少也不能低于他做其他职业劳动时的收入。这些军事劳动者是直接献身于社会的，是为国家整体利益服务的，为保卫国家或为国家的使命而战斗，他们可能为此而缩短自己的生命时间，所以，他们的整体劳动付出对于国家和对于本国人民是极其珍贵的，使他们在平时能得到较高收入完全应该。这并不是说要用高薪鼓励人们当兵，要以较高的待遇取悦于军队，而是说这应是社会给予军事劳动者的公正评价，是社会在力所能及的条件下对军事劳动者付出的牺牲的有限补偿。① 国家的领土大都是依

---

① 在常态社会，军人在战时是一种牺牲，在平时也是一种牺牲。

靠武力打下来的，不是近代发动战争打下的，就是在古代的战争中实现的扩张，在世界历史中，还很少有不经过战争而产生的国家，很少有没有经历战争的国家。今天不侵略别国的国家，或者说近代受侵略的国家，很可能在古代是一个靠武力极度扩张领土的国家，从某种意义上说，国家的存在似乎就意味着战争存在，就意味着有人要在战争中为国家的利益而牺牲。在实质上，军事劳动是社会的存在和社会的进步的代价。国家是不能靠军事劳动强盛的，但国家的强盛却离不开军事劳动的强盛。为此，任何国家，不分其社会制度如何，都必须特别尊重本国的军事劳动者，在尽力给军队装备优良的武器和军需用品的同时，也要给军人们以尽可能高一些的收入，高于一般的收入水平，这种价值体现应是社会认可的经济准则。作为军事劳动者，当然没有必要以自身职业能够取得较高的收入为骄傲，但是较高的收入对于军事劳动者们确实会起很好的激励作用，是使他们安心服役的重要条件保证，也是使他们感受到自尊的重要物质基础。现在，已有一些国家取消了义务兵役制，而全部改为雇用制。这是一种社会发展趋势，这种做法不是倒退，不能将此理解为国防商业化了，没有钱就没有人去打仗了，而是要清醒地意识到，军事劳动本来就存在与其他社会劳动的整体交换关系，军事劳动同样有价值的创造，这本身就不是一种义务行为，除非每个人都同样地尽军事义务，义务应是一种平等的要求，没有平等恐怕不能讲义务，在义务兵役制下，并不是人人公平地尽义务，更不是平等尽义务，而是有的人尽义务有的人不尽义务，这实际就与义务的本义要求相差太远了。如果只是讲义务，而且实施的是不公平和不平等的义务兵役制，那么就是对军事劳动者创造的价值不给予公正的承认，从根本上说这是违背经济生活准则的，是违背常态社会的价值规律的。问题并不完全出在义务兵役制上，而是在于应当怎样对待服兵役的人，即怎样对待本国的军事劳动者的劳动付出，兵役的义务含义仅应指职业选择的义务，即每个符合标准的人都有义务来选择军人职业，而不应在军人待遇上讲义务，不能以义务为由不满足军人对劳动收入的要求。不论哪个国家，对于本国的军事劳动者，都应按他们创造的劳动价值，给予他们相应的劳动收入，由于一般讲他们创造的变态价值较高，而且社会评价的社会使用价值也相对高，所以相对地军人们就应当得到较高收入。从总体上说，对于每一位艰苦卓绝工作的军事劳动者，在待遇上都应是非常好的。正因此，在现代社会，实行兵役雇用制比之实行兵役义务制，能更好地体现出军事劳动者的价值创造与其存在作用，可有效地维护军事劳动者主要是战斗部队人员能够得到应有的较高收入。

二　非战时价值总量中的军事劳动

非战时即指没有战事发生的和平时期，但也有人将冷战时期排除在非战时之外，这种观点认为冷战实际上是一种准战争状态，相当刺激人的神经，让社会不得安宁，而且使得各国对军事劳动的投入决不比战时少，就其社会效果讲不能算为和平时期。不管怎样，这种观点对于冷战的认识多少是有些偏激的，比起战争的残酷，冷战的情况要好得多，军事上所做的投入大多是浪费，只有一定的威慑作用，起不到颇为实际的军事劳动的战斗作用。所以，仅就效果而言，对于非战时的理解，还是应以不打仗的时间为准。

在非战时，一个国家应投入多少军事劳动，军事劳动的结构与质量如何，是军事问题，也是经济学要研究的问题。但以往很长时期内，经济学的研究未触及这个问题，而是将这方面的研究工作看成是政治家和军事家关注的事情。其实，政治家和军事家只应判断打不打仗，要打仗，仗应该怎么打，对于不打仗时的兵力配置和后勤保障等基本问题，应当由经济学家来做具体的分析。一个国家此时投入多少军事劳动，投入什么样的军事劳动，要相应在国家的价值总量中显示出比重来，这种比重要求适度，经济学家的研究工作就是要保证能实现这种适度。经济学家要将这方面的研究成果郑重地提交给政府及军方参考。经济学家并不直接进入军事领域做劳动配置。按照价值规律的要求，社会一定要尽可能多地实现价值总量，这包含有两个方面的意义：一是社会劳动总投入要尽可能地多，以更好地满足社会生存与发展的需要。再是投入的社会劳动要尽可能地成为有用劳动，要努力减少无用劳动形成的损失。军事劳动的投入是社会劳动总投入的一部分，而增加军事劳动投入，需要相应减少其他劳动投入，因为在非战时期是不能通过扩张军事劳动来增加社会劳动总量的，这时只能是将军事劳动保持在一定比例内的正常的劳动就业人口安排和生产资料诸方面的投入，与战争爆发时要求男女老少齐动员的大量的社会军事劳动投入是不同的。因而，在要求社会劳动总投入尽可能多的前提下，非战时要尽可能少地投入军事劳动，不能以军事劳动的投入来增加社会总劳动量，即必须保持变态价值在价值总量中的适当比例，不能以盲目地增长变态价值来增加价值总量，这是价值规律在常态社会非战时期的特定要求，或者说这是价值运动常态表现的特定反映，是对价值总量基本构成的态势分解限定，体现非战时期社会经济生活的基本特点，而且这一特点必然表现在常态社会的各个国家，不是个别的国家现象。但就适量投入的军事劳动讲，社会也要求尽可能多地成为有用劳动，尽可能少地出现无用劳动，使有限的军事劳动投入能够发挥出应有的作用，完成国防保卫任务，达到社会分工的目的。无用劳动是不形成价值的，即价值个量中不含有无用劳动的凝结，从军事劳动的整体作用讲，形成的是一个庞大的价值个量，在这一特殊的价值个量之中不含有军事无用劳动的作用，但相对复杂的是，军事劳动是实行整体交换的，而交换之中有一部分无用劳动是附带在整体有用劳动之中的，这是无法剔除的，虽然在价值个量中不占有份额，但在整体军事劳动中是存在的。对于这一问题，需要强调和理解军事劳动交换的特殊性。在整体交换中，无用的军事劳动是要同有用的军事劳动一起存在的，即社会在接受有用的军事劳动的同时，也要接受与之共生的无用的军事劳动，从表面上看，由于是整体交换，无法分割，两种劳动是连在一起的，但从实质上讲，在这种交换的价值当量中，是没有无用劳动存在的，它们不是价值的源泉，表面上的参与并不成为内在的价值形成的来源，价值是抽象的，但却有实实在在的基础，这一基础就是有用劳动，没有在军事劳动成果的创造中起作用的劳动是与变态价值的形成无关的，所以，无论无用的军事劳动是怎样跟随着有用的军事劳动出现，最后形成军事劳动价值个量的仍只是有用的军事劳动，无用的军事劳动是随同有用的军事劳动存在的，但并没有成为社会整体交换的内容，它们只是附带被容纳的无用物，是作为军事劳动价值创造中付出的一种损失而被附带容纳的。这也就是说，在这一问题上，变态价值创造中的某些无用劳动的代价付出同正态劳动价值创造与无用劳动存在的关系是一样的，只是各自的表现形式有所区别。比如，一家民用产品的生产企业，出废品的比率是10％，即它投入的劳动中有10％是无用劳动，这些无用劳动是不带来劳动成果和不进入市场交换的，这些无用劳动只是这家企业有用劳动创造的代价存在。其代价越多，其创造的有用劳动成果越少，而相同劳动成果的价值个量是一样的，因而，无用劳动多，有用劳动少，从总的投入讲就是其创造的价值少，其投入的成本太大。同样，有用军事劳动的存在不可能排除某些无用军事劳动的伴随，只能是尽最大努力在现有条件下将其压缩到最小量，以降低投入成本，提高价值创造量。

在非战时期，各个国家有限的军事劳动投入大体包括以下主要方面。

1. 边防军的配置

国家的边防必须守卫，不打仗更要守好边防线。现在，世界上分为两类国家，一类国家是对周边国家开放边界的，两国之间居民不用签证就可相互往来，甚至几个国家之间都订有协议允许居民往来不必再走外交途径，但这类国家是少数；再一类是不开放边界的国家，这是大多数的国家，他国居民要进入本国领土，一定要取得本国政府外交部门或安全部门的允许，未经签证或未经有关方面的特别批准，他国居民是不能随便踏入本国土地的。但是，不论边界开放与否，也不管国家的边界是山脉、是河流，还是人工造的标界，在各个国家法律意义的边界上，都需要有边防军守卫，极少例外。在开放程度较高的国家，相对边防军的数量较少一些。而在相互持有一定敌意的国家与国家的边界上，一般是各自都布有较多的军队，甚至是两国之间重兵对峙。大国的边防线长，守护边防的部队的需要量是较大的。有海岸线的国家，还需要配备一定的海防力量。除此之外，自一次世界大战之后，空军也已成为重要的国防力量，各个国家的边防，似乎都不可没有空军。再有，就是对导弹的防卫，尤其是在洲际导弹出现以后，凡是有条件的国家，都要设立反导弹系统。

2. 常备军的保留

尽管是非战时期，不打仗，国家也要保留一定数量的野战部队。这对大国来说，是海、陆、空三军加上特种部队。目前各个国家需要军队，这是人类社会发展处于常态社会文明发展阶段的重要标志。在这一社会发展阶段，国家是惟一可以合法使用武力的社会单位，这实质上表现出由常态劳动决定的常态社会的一种无奈。各个国家之间不打仗，这对于已经过去的历史来说，是绝对不可思议的。而自诩为文明社会的人之间相互以战争来残杀，无论如何解释，也是双重人格的体现。要保留常备军，这是暂不打仗的国家之间相互防备的必要基础。这无须讲任何理由，只要不是愚昧之极，没有一个国家会放弃对他国武力侵犯的提防的。政治家们相互保证不使用武力的承诺，在历史上，总是被各种各样的慷慨激昂的不得不动武的理由置换。所以，历史与现实，都决定了国家保留常备军的必要性。而从经济学的角度来研究，保留常备军与全民皆兵相比，是低成本的，有社会分工的效益存在。亚当·斯密曾指出："一个文明国的国防，如果仰仗民兵守卫，它将随时有被邻近野蛮民族征服的危险。亚洲各文明国往往被鞑靼人征服的事实，充分证明了野蛮国民兵对于文明国民兵的自然优越性。有纪律有训练的常备军，较任何民兵为优。只有富裕的文明国家，才能好好维持这种军队；亦只有这种军队，才能保卫这种国家不受贫困野蛮邻国的侵掠。所以，一国要永久保存其文明，甚或要相当长久保存其文明，只有一个办法，那就是编制常备军。"① 这种常备军的数量不可过多，应该以少得不能再少为限。常备军的数量过多，不仅影响国民经济的正常发展，而且还可能引发内战和军人对政府权力的侵扰。从现时代讲，常备军的存在，更重要的是要有一定的质量，装备上要先进，不能以数量取胜。

3. 军事科研力量

军事科研分为两个主要方面，一是武器装备研究，再是军事

---

① 亚当·斯密：《国民财富的性质和原因的研究》，下卷，商务印书馆，1988，第 269 页。

活动研究。在一些大的国家，为了提高武器性能，投入的科研力量十分强大，成效也非常显著。在一些小的国家，自己不可能进行大规模的武器研制，能做的只是一些常规武器的研究或装备方面的研究，所以，在这方面的工作对于人类武器发展的贡献是很小的。值得注意的是，军事科研的突出进展往往带动常态复杂劳动技能水平的大幅度提高，即军事劳动进展同时带动非军事劳动生产水平的提高，比如原子弹的研制最初是用于军事目的的，是第二次世界大战进行到关键时刻的科研投入，在军事上曾发挥了举世震惊的威力，但到后来，原子能技术被普遍地和平利用了，成为造福于人类的一项重要的生产技术。这是常态社会劳动进步的特征。这种进步的曲折是不可避免的，是人类社会发展必然经历的过程。而就军事活动方面的科研工作讲，这也是每一个国家都必须认真对待的工作，这不分国家大还是国家小，也不分国家的军事实力大小，凡是有军事力量存在的国家，都需要在非战时根据国际形势和本国情况做好这方面的研究。不打无准备之仗，首先就是指必须要有军事战略战术的研究，缺少这种研究或研究不到位，是一个国家军事上的重大疏忽，是可能导致战争失败的隐患。

4. 军工生产能力

军工企业一定要保持基本数量，不能在非战时都搞民用品生产，不打仗并不等于刀枪入库。军事科研与军工生产是紧密相连的，有科研就要有生产。但在非战时期，确实军用品特别是战斗武器的消耗是有限的，军工企业的武器生产任务量不会很大。所以，关于武器方面的军工生产的发展会受到产品规模的限制，必须为这类军工厂另找一定的生产出路。目前，许多国家的军工企业大都生产民用品，这是比较现实的解决办法。为了国防的需要，从长远考虑，保留一部分基础性的军工企业是十分必要的。

但对于这部分纯粹用于军事目的的企业，政府必须给予财政上的支持，要保证企业职工收入不低于一般企业，而且这类企业的生产技术和生产设备也必须保持在一流的先进水平上。国家保持军工企业的规模要与国家保持的常备军的规模相一致。除非是做国际军火生意，军工生产能力不需要超过常备军的装备需要，在军用品问题上，小国家可以通过进口解决供给问题，大的国家只能靠自己生产，即使是非敌对国，在对大国出口武器方面都有相当严格的限制。大国之间的军事竞争，往往会集中体现在尖端武器的研制和生产上。在 20 世纪末，人类社会的理性程度已大为提高，表现在军备上，各国之间已开始了有意识地相互克制。目前各国的军工生产能力，相比前一时期，总的说来已经是发展不太快的了，已有一部分国家正在努力削减这方面的经费支出。

5. 军事保障系统

军事教育、后勤供应以及医疗服务等是军事保障系统的主要内容。国家不分大小，都要设有军事教育机构，大国的军事教育机构是一个庞大的系统。军事教育是国家军事实力的重要保障。打仗靠武器，没有一定的武器装备，纵有勇敢与智慧也无济于事，但打仗毕竟是人与人之间的斗争，武器较量的实质仍是人与人的较量，所以，争夺军事优势，重视搞好军事人员的素质教育和专业教育是非常重要的。从国家来说，在非战时要想到战时，十年树木，百年树人，教育不是临时抱佛脚的事情，必须从长计议，保持延续和稳定。教育机构的数量不在多，与国防规模相比，够用即可，但必须高度重视教育质量，保证教育效果。后勤供应对于军队是不可少的，不论战时，还是非战时，都要保障后勤，做好一系列的后勤工作。"兵马未动，粮草先行"讲的就是这个道理。军队的吃、穿、住、行，不论哪个方面都需要有保障，不仅要有充足的经费支持，而且要保障各种物资和服务到位。数九寒冬，部队没有冬衣就会丧失全部的战斗力；夏日炎炎，又要防止中暑减员，蚊虫叮咬。一年 365 天，天天要有足够的粮食、蔬菜、副食品供应。军事劳动是一个整体，在这个整体之中是一个小社会、衣、食、住、行，样样齐全，后勤的保障就好比是这个小社会运转的动力系统，没有这一系统，或这一系统出现问题，整个军事劳动的活动就要停下来，任何作用都难以发挥。军事医疗更是部队生力军的保障，在军队内部，是有一个完整的医疗系统的，其任务既是要解决战斗中的伤员治疗问题，又是要负责所有的军事劳动者在平时和战时的健康问题。军事医疗系统有特殊性，也有一般性，在非战时可以大量对民间开放，到战时要集中力量搞好战地的救治工作。国家军费开支中包括军事医疗费用，军队必须要拥有自己的医疗系统，军事医疗的作用是军事劳动中不可缺少的一部分，军事医务工作者是军事劳动者，他们也是有价值创造的，他们创造的价值也是变态价值，并且其价值也是在军事劳动整体的价值创造中实现的。更进一步说，部队的文艺、体育工作也是军事保障系统的一部分，在非战时期，这一部分的工作比之战斗部队的作用毫不逊色，文艺和体育对于保持军队旺盛的战斗力是有效的活动，可使军营内充满生机与活力。专业的文艺和体育方面的军事劳动者也是为国家军事工作的总目标服务的，在任何时期都要保持其建制规模。

6. 特工情报系统

战时是特工活跃的时期，非战时的特工活动更为活跃。情报对于国防的重要性是不言而喻的，反间谍更是国防工作的重要内容。非战时的军事争斗是秘密的，特工们的工作充当了这种争斗的主力，几乎每个国家都要培育一支训练有素的特工队伍，一方面反间谍，一方面为本国搜集他国的重要军事情报。这一系统在整个军事劳动之中处于十分重要的地位，在某些时期甚至起到关键作用，非战时的外交成功有时就取决于情报工作的贡献，而爆发战争之前的情报对于开战时的局势更是举足轻重的。有经验的国家会做出大力度的投入，秘而不宣地加强本国的特工情报队伍建设，积极地发挥这一特殊的军事系统在国防中的作用。

对于经济学家的工作来说，在非战时期，根据国家的劳动总投入量，分别计算军事劳动的各个方面的需要，测定出军事劳动投入总量及其结构，应该说是一项不轻松但也并非难做的工作。这实际上是一项技术性很强的工作。政治家和军事家应依靠经济学家来做这项工作，缺少经济学家的工作，单靠政治家和军事家们决策是不够的，因为经济学家是可以从全国劳动配置的总量中来考虑军事劳动的配置量的。抽象地讲，对军事劳动投入的总量安排，就是对军事劳动价值个量的确定。对于一个国家来说，一定要有效地控制这个价值个量，使这一价值个量与价值总量的比例适当，也就是说这应是可以做到的军事劳动投入的最低量。按照常态价值规律的要求，在非战时期，社会有用劳动总量不能过多地依靠军事劳动的增加，变态价值的创造应是可能的最低点，在这一约束之下，才可能讲尽可能多地实现有用劳动，增加价值总量。这也就是说，在不打仗时，军事劳动的绝对量要保持最低量，在这一前提下，要求军事劳动占社会有用劳动总量的比重即其相对量越小越好。

三　战争时期的军事劳动影响

战争时期包括战争准备时期和战后恢复时期，战时的影响不局限于开战的时间，开战前的阴云密布是使人惊恐的，是无论如何也谈不上有和平气氛的。从经济学研究来看，将战争准备时期划入战争时期是与军事劳动配置的变化相一致的。自准备打仗开始，军事劳动就要大量地增加，既包括直接的军事战斗人员的增加，也包括军工生产人员以及其他军用物资生产人员的增加。在奉行军国主义的国家，在准备发动战争时，整个国家陷入疯狂之中，全国的大部分劳动转变为军事劳动，这种状况可能拖延很长时间。这段时间内，虽然仗还没有打起来，但对本国经济讲，已经将变态价值的创造推向极端了。对这一状况的研究，曾经是经济学研究的盲区，或者说有意回避了这种特殊情况。而事实上，越是在这种难以说清的地方，越是蕴涵着深刻的道理，越是需要加重研究的。也就是说，对于准备发动战争阶段的军事劳动研究，与对战时的军事劳动的研究，是同等重要的，是同样不可少的。

在准备战争时期，对于发动战争的国家来说，全国的价值总量构成会产生不同于非战时的重大变化。这时的变态价值个量不是压缩，而是扩张，变态价值猛增。价值总量可能也因准备战争而加大。本来许多已经退出劳动的要素，由于展开了战争的准备工作，形成了新的军事劳动而加大了军事劳动总量，并进一步使价值总量增加。在这时，国内大量的物资被政府购买成为军备物资，于是这就将生产这些物资的劳动统统变为军事劳动。而且在大多数情况下，政府还要向国外购买军用物资，使国内的非军事劳动大量地与国外的军事劳动相交换，这实质也是在增加国内的军事劳动消耗。这时的变态价值增加迅猛会使国内经济空前地繁荣起来，市场的扩大表现在政府对军用物资的囤积上，只要是生产军用品，在这时的市场上就不愁没有销路，而且，由于市场大部分为军事劳动产品占据，一般民用产品就会发生短缺，从而使民用品的生产也不愁没有销路。政府这样做的目的，是期望通过战争来获取特别大的在非战时无法得到的利益，这是以国家的名义期望得到的利益，也是准备以国民的血肉之躯换取的利益，所以，政府可以堂而皇之地动员每一位公民为战争做准备，并以国家的名义将这一切的疯狂宣布为神圣的。日本在 19 世纪末和 20 世纪上半叶频频发动对外战争，就是这样的一种疯狂的表现，当时的政府使整个日本成为了一架狂热的战争机器，尽管国内有人反对政府的这种战争狂热，但始终未能阻止大多数人对政府准备战争的支持与参与，战争的准备使深受军国主义影响的人变得只以打仗为人生宗旨，举国上下杀气腾腾。这个时期的军事劳动兴起，不分阶段，创造的价值确实是无差别劳动的凝结，只不过凝结的都是变态价值。然而，这种战争的准备只允许短时期存在，若长期进行战争的准备，对于国家的经济是沉重的负担。市场只能在短期内接受大量的变态价值，由这种刺激产生繁荣，长期下去是结构失衡，是会将国民经济推向崩溃边缘的。任何一个国家，不论如何强大，在没有战争扩张的前提下，是不可能长期支撑猛增的变态价值的。长期的战争准备，使变态的价值加大比重，会改变市场价格的正常状态，使价值与价格的矛盾突出，并使市场的自发调节变得无所适从，于是市场以及社会就会变得越来越狂躁，像一堆点火即着的干柴。也许，军国主义下的政治家和军事家们所追求的就是这种效果，在整个社会不能再忍受时，战争就会爆发了。准备战争就是要发动战争，长期的战争准备若无战场渲泄，会窒息社会的，会使经济全面崩溃。大量的军事劳动成果得以投入战场使用，做了这巨大准备的社会就能立时轻松下来，当然这只是一种经过长期压抑后开始释放的轻松，随着战争的推进，新的社会压力会随之到来。就此而言，我们可以断言，国家的价值总量不能承受过重的变态的军事价值个量，短时期倾斜还可以，一旦长期化就要成为灾难。市场的交易秩序，在过量的变态价值冲击下，会变得很乱，所有的价值与价格的关系都会因此而改变，这是发动战争的国家必须接受的代价。而且，实质上，在任何国家，都存在这种代价的社会承受极限。以往经济学从没有测算过这种极限，在认识上存在盲目的判断，这是需要改变的，重视经济研究必须包括对军事劳动的研究，包括战争时期的经济变化研究。而高明的政治家和军事家总是在社会承受的极限到来之前打响第一枪，以此缓释社会，取得战争的主动权。也可以说，正是由于长期的战争准备使社会承受变态价值量达到了极限，这一压力就迫使政治家和军事家们不得不停止无比疯狂的战争准备，迅速拉开战幕。

一般说，主动发动的战争是侵略战争，但也有的是收复失地的战争。一个国家若动员全国的力量投入战争是极其狂热的，二战时期几个法西斯国家都是这样做的。而在历史上，国家发动局部战争也是常有的事情。一般的情况是，只动员国内一部分力量进行战争，将战争的规模限制在局部的争斗范围之内。这种局部战争对于国内经济的影响要小一些，社会可承受的时间要长一些。侵略战争的目的，不管是大规模战争，还是局部战争，实质都是为了掠夺，其利益的要求就是通过暴力实现对他国的生存条件的掠夺。掠夺食物与生产食物相比，都是得到食物，但生产食物是正态的劳动，掠夺食物是变态的劳动，这是劳动的态势差别，也是人的生存方式与动物的生存方式的根本不同。掠夺他国土地更是古代战争的直接目的，这是用武力去开拓自己的生存领地，更体现常态社会之中的生存压力和常态劳动之中的动物的生存方式的保留，胜者扩张国土，败者失去土地，胜败之间也许还有再度较量，但不管如何，血亲仇恨已深埋在两国之间了。在野蛮的侵略战争中，疯狂的军人就是一帮强盗，他们卖命地打仗，其个人的目的就是想靠掠夺致富，靠掠夺来创造他们的生存条件。"1856 年 10 月，英国与法国在沙皇俄国和美国的支持和配合下，联合对中国发动了第二次鸦片战争，并逼迫清廷签订了丧权辱国的《天津条约》。1860 年 7 月，英法舰队又从大沽口登陆,直逼北京,咸丰皇帝仓皇出逃,一时间都城无主,军卒志懈,民心大恐。10 月 6 日,英法联军直扑圆明园。第二天,他们立即'协派英法委员各三人合议分派园内之珍物'。这是西方文明国家最贪婪的一次'文明'记录,在别人家里,理直气壮地分配别人的珍宝。为了攫取财宝,军官和士兵从四面八方涌进圆明园。纵情肆意,予取予夺,手忙脚乱,纷纭万状,甚至相互殴打,你抢我掠。两天之内所有值钱的东西被他们抢劫一空,每个人都大发横财。一个叫赫利斯的英军二等带兵官,一次即从园内窃得两座金佛塔及其他大量珍宝,找了七名壮夫替他运回军营。该人因在圆明园劫掠财富,享用了终生,得了个'中国詹姆'的绰号。"① 亚当·斯密在 18 世纪没有想到,到 19 世纪,侵犯拥有悠久历史的中国的,不是那些野蛮的游牧民族,而正是比他所处的时代还要文明还要进化的大英帝国,那以鸦片为打开中国大门契机的战争,所表现出的疯狂性和掠夺性,是中世纪野蛮民族入侵中华时远远不可比的。中国是由此衰败跌落到了贫困的边缘,成为了以后时代苦难的象征。对于掠夺者来说,他带回国大量的财富,一下子改变了国内的经济状况,价值总量没有因正态劳动没有投入而不增加,变态劳动带来了他国正态劳动创造的价值,改变了市场的价格结构,这是不能用一般的价值运动规律来解释的,这是特殊的打破常规的变态价值膨胀而造成的市场变化,一般说由于抢来的东西多而使价格总水平下降。本国的正态劳动投入可得到的劳动成果并没有立即变化,但是在交换之中却可换取较之过去多一些的商品。更重要的是,由于财富的突然增多,可使这个国家进行一定的基础建设,特别是可以大大提高本国的教育水平,这对于国家今后的经济发展是创下了最好的条

---

① 贾宏图:《永远的凭吊》,《人民日报》,第 6 版,1998 年 2 月 7 日。

件。但所有这一切，都是军事劳动成功地掠夺的结果。历史的事实告诉我们，并非侵略者注定要失败的，许多国家在发动侵略战争之后取得决定性的胜利，特别是一些大国的疆土就是由此而得以确立的。而所有的侵略他国得胜的军队，无一不是伴随着疯狂的掠夺凯旋而归。从国内价值与价格的关系讲，战争的掠夺造成胜利国市场交换物充裕，战败国经济完全凋敝，一国的财富被大量地搬到了另一国的市场上，这时两国的市场价格都会发生总体的变化，而就价值关系讲，两国的变态价值创造都是巨增的，由于价值等份是按价值总量划分，所以这必然也要引起各自价值总量中的价值个量发生变化。军事劳动在战争时期的作用是显赫的，是社会价值创造中的重要部分乃至主要部分，因而变态价值的运动必然要影响社会价值关系不同于非战时期。

　　战争对于交战双方或多方的经济破坏是惨烈的。战场在哪里，哪里就一片废墟。而战争的后方，市场也会呈现混乱状态。这是战争带来的必然后果。军事劳动的变态性也正是体现在这里，军事劳动消灭的是人，或消灭的是人的生存条件，它是通过对敌方生存条件的消灭或人身的消灭，达到保存自己，发展自己的目的，由于这种目的要求十分确定，在战时就形成强烈的冲击波，对战场之外的社会经济亦产生强大的干扰作用。战争对于社会的影响是深重的，在战争期间，一切服从于战场需要，正常的生产秩序和生活秩序会全部打乱。战时的经济格局是，一方面供给前方打仗的需要，一方面维持后方的基本生活需要。对于战胜国来说，经济的回转是在战后。战争时期，很难讲哪一方的经济不困难。打仗就是要付出代价的，经济的困难就是代价的重要方面。人类社会发展处于常态阶段，生存的能力是有限的，在这有限的前提下，战争就是不可避免的，人的疯狂也是不可避免的。凡是经历战争的国家，都必定要用很长的时间恢复经济，更何况战时的破坏带给社会的创伤不单单是经济方面，但仅就经济方面讲这比抵抗自然灾害所付出的努力还要大。

反侵略的国家是被迫应战的。国家平时的军事储备在这时就可用上。但作为应战国，总有一定的被动性。为抵御侵略，应战国也要竭尽全力增加军事劳动，扩张变态价值，加上战火的影响，国内经济至多只能勉强维持。这时候的价值与价格是很难相符的。市场的价格变化会较大。特别是，如果反侵略战争失败，或在战争开始阶段失败，那时国家经济就散了，财富的生产被破坏，财富的流失是挡不住的。在古代，如果国家被他国征服，那么这个国家很可能就此消失。当被侵略国家或被侵略国的一部分并入侵略国时，这时的价值总量计算范围就发生了变化，价值个量也随之而变化。被侵略是痛苦的，但常态下这种情况既造成社会损失，又刺激社会活力，战争与进步是同时存在的。在战时，大多数人要饱受经济困难之苦，而这些人相对战死的人，又是很幸运的，战争考验人类的基本生存能力。如果反侵略成功，那么不管付出多大的代价，都证明反侵略的国家是有生存竞争能力的。

经济学要研究战时经济，这应当成为国防经济学的重要内容。从具体的物流情况和劳动配置情况可以归纳出一般性的规律。其中测定军事劳动价值即变态价值在价值总量中占有多大的比重，是很有意义的。这种测定是抽象的，是大体上把握的，但也需要准确。如果以价格的表现讲，直接的军费开支就是这一劳动创造的绝对量。打仗是必须付出巨大成本的，任何一方都要付出这种成本代价，败者有代价，胜者也有代价，最大的代价是死者付出的牺牲。有关死者的问题，经济学不能讨论，经济学要分析研究的只是劳动付出的代价，这要做成本分析。经济学的研究应该将战争的账算清楚，要将战火中的价值创造分析透彻，这就不是仅限市场谈价值，而是全面地认识价值运动问题。经济学的这种研究，对于将来人类遏制战争、消灭战争，也是一种贡献。战争发展到现时代，已经不能任由政治家们掀起狂热了，经济学界有责任在国家道义上讲清楚变态的军事劳动付出的成本以及这种代价对国家经济发展的近期和远期的影响。这就是说，经济学家要从人们现时代生存条件的角度讲清楚军事劳动的变态性，要以理论的研究所揭示的人类劳动发展的规律的自觉性促使军事劳动的消灭，为社会实现其大跨度的进步做出贡献。

　　一般说，战争之后，各有关国家都要在经济上和政治上进行一番清理。在古代社会，胜者占地，败者或亡国或缩小版图。不亡国的败者往往以后要年年向胜者进贡。到了近代，又形成了战争赔偿要求。中日甲午战争，中方一次赔偿日方白银 23000 万两。割地在近代也是普遍的。再者就是被侵略国沦为侵略国的殖民地。订立不平等条约，是战胜国向战败国的又一方面的勒索，其中包括除赔款、割地等必有的内容之外的种种有关今后经济往来的不平等规定。这些经济上政治上的损失，是武力强大的战胜国迫使战败者接受的条件，是两国之间军事劳动较量的结果。大量的战争赔偿可使战胜国迅速恢复经济，走向更加强盛之路。日本当年借助甲午战争赔款改变了本国的教育基础，也改变了本国的工业落后状况，为 20 世纪 30 年代再次发动大规模的侵华战争奠定了物质基础。对于战争赔偿，不能看做是战胜国军事劳动的价值创造，这些财富的价值是早就有的，赔偿不过是财富的转移，没有创造的可能。军事劳动的价值创造都是在本国实现的，即都是满足本国国家利益需要而被接受的劳动，是服务于本国的变态价值。军事劳动实现的抢掠，是抢已实现的价值，而不是在创造新价值，变态劳动的军人所作所为不可能创造出正态价值。如果以为军队抢夺而来的财富也是一种经济上的创造价值的成果，那么就等于承认强盗、小偷的行为也有价值创造意义。割地的问题已消失，现代社会不允许一国侵占另一国的领土。在20世纪末，国际社会已形成新的准则，以国际的联合力量阻止国家之间的武力吞并。海湾战争就是为维护这种国际社会秩序而打响的。这甚至可以上推至第二次世界大战，那时的战胜国经过研究，决定战后仍然保留战败国的独立存在。这说明，现代人类社会对于战争已有一定的遏制力，国家与国家之间相互制约，随着人类劳动整体发展水平的提高，军事劳动更多地只表现出一种威慑作用，大规模的现代化战争受到各个国家的一致抵制，人类最终消灭战争的时代将会来临。

四　世界军火市场

当代世界，虽然大规模的战争很难爆发，但地球上的各个角落，除了人迹罕见的南极，北极之外，还都是很不平静的。弥漫的战火硝烟时不时地出现在某地，让人们难以忘记战争的危险存在。这种或大或小的局部战争成为了现代社会人类生活的一种点缀。由此，各个国家的政治家们都忙得焦头烂额。为什么一定要打仗呢？至少交战的双方都能讲出充足的理由。尊严、土地、仇杀、资源、主权等等因素，无一不是激烈战斗的引爆点。除此之外，在各国国内，在国与国之间，还有形形色色的黑社会活动，大肆动用武力。这样，就是在全球大体实现和平的时期，在各国的常规国防需要之外，又形成了一种世界性的对武器的需求，尤其是一些常常爆发局部战争又没有军工生产能力的国家，对进口现代化的武器装备似乎成了国家贸易在进口方面的主要内容。有求必有供，世界军火市场就是在这种旺盛的需求下形成并繁荣的。

我们没有必要讨论世界军火市场确切的年交易量。毫无疑问，当今世界的几个主要大国都是这一市场的大供应商。在此，我们只是要分析一下变态价值是如何国际化的，世界军火市场与世界其他经济往来是如何协调的。本来，军事劳动的性质决定其劳动成果是不能出口的，军事劳动具有整体性，是在本国实行整体交换的劳动，是只服务于本国利益的。在古代社会，军火的来源只有两个途径：一是自己制造，再是抢来的。诸葛亮草船借箭，骗来曹操好箭 10 万支，其实也属于抢的性质。而在现代社会，军火的来源已成为 3 种了，除了自己制造和战场缴获之外，还可以通过市场购买。而在世界军火市场购买武器弹药，就是使他国的军事劳动为本国服务，实现本国的正态价值与他国的变态价值的交换。从只为自己国家服务的军事劳动转向只有价值获取的利益上为本国服务，军事的变态性不在本国起作用，而到他国起作用，这一切还是通过市场实现的，这是人类社会发展进入现代之后的又一种扭曲。通过军火出口使得军事劳动的变态作用走出国门，成为各地战火的助燃剂，并起到刺激本国经济增长的目的，这是现实社会中某些国家行为的真实写照。输出军火，就是输出变态劳动，让战火烧在别的国家，自己靠这种输出生存，使市场的作用与军事劳动的血腥性紧密地联系在一起。可以说，世界军火市场的产生与存在大大地丰富了市场的内容，使一些国家的经济在这一特殊领域联系起来，成为国际性的正态价值与变态价值的大规模的交换。似乎，每天都有一大批人为这一市场的繁荣而奔波，以此为生。这些人要生存，并不管军火用起来以后必然有人丧生。显然，贩卖军火的人与生产军火的人一样，是靠军火的卖来实现自己的价值的，在有了价值就有了生存条件的常态社会，这些人同其他劳动者不同，他们是以一部分人的死求得自己的生。

但是，如果延续历史的劳动的社会结构，将变态价值的存在作为既定的无奈接受下来，并且只从维护现有的世界经济格局出发，那么应该说目前世界军火市场的存在对于稳定社会经济在某种程序上是起支持作用的。爆发大的战争，从历史看，中间总是相隔一段时间，因为变态的疯狂只能是短时期的，没有正态劳动的基础作用，变态不能存在，不论是战胜国还是战败国，大战之后都需要一段时间休整。刀枪入库，偃旗息鼓，这是古代社会大战之后的普遍情况。而到了现代，武器的生产已经高度工业化了，生产武器的设备是高、精、尖的，闲置武器的生产设备对于发达国家也是经济上的浪费，为了既保持军工生产能力，又不闲置浪费设备，一些国家就在已拥有更先进的技术的条件下，发挥已有设备的作用，生产一些在其他国家看来还很先进的武器，送往世界军火市场，一方面赚取外汇，一方面维持本国军工企业的就业。这样用本国的变态价值换取他国的正态价值，使军工生产必然成为国民经济中的极重要的组成部分。发展军工不仅使本国的军事力量强大，还可使本国的非军事劳动成果更为丰富，现代市场的交换打开了军事劳动向非军事劳动进行贸易的可能性。这种情况对于古代的国家是不可思议的。那时的各国经济是封闭的，很少贸易往来，军用品更是各国之间相互封锁，无论是市场的发展程度，还是各国间的军事对峙要求，都不会允许武器交易，不会让别国得到本国生产的武器。只有到了现代社会，世界市场形成了，各国的经济相继具有了开放性，军工企业的竞争也可以在世界范围内施展，各国政府对此只做一些必要的限制，而且还有一点儿限制也没有的黑市交易，某些国家的军火工业完全可以仰仗世界军火市场生存，即他们可以依赖于别的国家发生战事而使自己保持长期不衰的状态。由此，世界军火市场成为世界市场的重要组成部分，世界军火交易成为世界贸易中的重要组成部分。事实上很清楚，军火工业必须靠打仗作为社会需求才能得以延续，在世界市场流通的大格局下，不论哪一个国家打仗，总之是要有打仗的，军火工业才能繁荣昌盛，在军火工业领域就业劳动的人才能继续自己的变态劳动创造，保持这种以变态求生存的状况。于是，按照市场一般法则，为了实现供给，必须创造需求，军火供给的需求对应就是打仗，只要能调动人们打仗，不管打在哪里，军火商们就有生意做了。是因有局部战争而需要军火商，还是军火商需要局部战争，这个关键点现在是不易分清的。当然，有些局部战争是不会因军火商而打起来的，但军火商在其中助燃却是难免的，聪明的军火商会利用交战双方的矛盾做生意。人类的生存是受自然限制的，在现时代劳动发展的水平上，这种限制性的作用使得许多人顾及不到别人的事，对自己既定的生存条件总要千方百计地维护，既然卖军火能使自己生存，也就不管其他了，因而虽然血腥但军火交易却能长期地保持下来，成为现代常态社会中的普通事情。因此，在一些发达国家，工业现代化的同时也是军火工业的兴隆。军火商们总是能发财，政府对军火商们也是非常器重的，这构成了现代文明建设与军事劳动发展的尖锐冲突，这些冲突反过来又成为某些国家经济稳定的必要条件。由于这些国家经济实力雄厚，在国际市场占举足轻重的地位，对世界市场的影响是重要的，他们的军火工业兴旺对本国经济有稳定作用，也间接地影响到国际市场的稳定格局的保持。

　　人类社会发展已经进入高科技时代，人类对自己的认知也已经达到相当高的程度，这时的经济学研究不仅要概括一般经济领域，而且要深入到军事经济领域。经济学家要代表社会的知识层向全球人类发出消灭战争的呼吁，并且要直接为取消世界军火市场做出努力，将此作为人类消灭战争的第一步。目前，世界军火市场的存在对于一些军火大国的经济稳定有重要作用，这些国家的军火工业靠军火市场保持着活力，但这并不是不可以改变的，以这些国家劳动的总体发展水平，劳动者的综合素质，另辟非军事劳动发展途径不是做不到，改换劳动态势及内容要付出代价，承受一定痛苦，可这些代价与痛苦相比战争造成的灾难，还是微乎其微的，应当勇敢地自觉地承受下来。如果说在 20 世纪以前人类还做不到这种自觉，有意与无意卷入战争还是不可避免的，那么到了 21 世纪，这种盲目的愚昧应是可以有意识地消除的。消灭战争，消灭世界军火交易，这是社会的进步，是人类走向自身完善的要求。现在已经是网络时代了，网络无国界，网络已经将全人类联为一体了，网络打破各地区人们的封闭生活，真正使人们能意识到自己是地球的人，而战争从某种意义上讲是封闭生活的产物，网络打破了人类的封闭生活，为人们展现了全球一体化生活的未来，展现了人类通向无限宇宙的生存可能性，因而，在这一时代的进步面前，战争不应在全球爆发，战争也不应该在局部地区爆发，人们应该自觉地认识到，使用暴力在古代是英雄，在近代也造就了一批成功者，而到了高科技发展的网络时代再讲暴力的作用就不是骄傲的品性而是愚昧的象征了，如果现时代的人还不能认识到这一点，不能树立常态社会观和辩证唯物史观，还在以古代的英雄观驱使自己的行动，将古代的愚昧搬到现代社会来炫耀，用现代科技弘扬暴力，那么实实在在是逆历史潮流而动，是糊涂而野蛮的现代人。或者说，除了野蛮之外，在古代，在近代，甚至在现代新技术革命以前，不懂得打仗，妄想消灭战争，是糊涂人；而在现时代，不懂得消灭战争，还要坚持以打仗来解决利益纠纷，也是糊涂人。

取消世界军火市场是具有可行性的，即在 20 世纪过后，在 21 世纪的岁月里，依靠国际社会的进步力量取缔世界军火交易是有希望做到的。眼下的问题只是怎样去实现这一目标。经济学家无疑是这一行动的主导者，虽然具体的实施是政治家们的事情，但整个行动规划应是一种经济性的安排。第一步，也是最重要的一步，是由经济学家出面组织世界会议，不是讨论裁军问题，而是专门讨论取消世界军火贸易的问题。经济学家们要向全世界人民讲明，取消世界军火市场对于治理世界经济结构和维护世界市场秩序的重要性，这需要新闻舆论界给予经济学界以配合和支持，除了报道经济学家的学术研讨内容，还要大量揭露世界军火交易中的内幕。这种学术研讨活动将持续较长时间，并不是问题本身复杂，而是解决问题牵涉的各方面的利益关系复杂。这一研讨阶段，实际是向各个国家的军工企业界发出的市场趋势信号，让社会生产结构的调整有充裕的时间，即告诫以世界军火交易为生的军工企业要自觉安排转产，不得再向国外扩展市场，军火的生产只允许国内交易或军事缔约国之间协作。这样留有调整时间，是为了避免军工生产的调整产生较大的经济动荡，尽可能平缓过渡，将社会经济原有的稳定因素逐步置换过来。第二步是各国政府间协商具体的解决办法。这是在第一步工作顺利的基础上，自然引出的工作。应该说，只要第一步工作做好了，第二步的工作是水到渠成。在各国政府的参与下，新闻界将发挥更大作用。也就是说，关于取消世界军火交易的声势要宣传出来，有震撼人心的力度。经过国际协商取得共识之后，这项工作就进入实质性进展阶段。第三步，就是实质性进展阶段，在这一阶段，要制定世界禁止军火交易公约，召开世界各国首脑会议，通过该公约，组织监督机构。主要依靠联合国和世界贸易组织的力量。首先应在世界贸易组织的章程总则中规定，禁止成员国之间以及成员国与非成员国之间交易军火，宣布任何组织和个人都不得从事国际军火贸易。并且，联合国也应通过相关决议，明确取消世界军火市场的立场，各国必须自动停止国际军火交易。而国际法应修订，规定国际军火交易违反国际法，国际法院可审判一切走私军火的贸易人员。军事缔约国之间的军火供给目前还不能算为外部的市场交易，可以先缓一步解决，留在以后处理。现在，首要的问题是取消公开的世界军火市场。

五 结 语

军事劳动创造的变态价值，是常态社会的现实需要。在社会劳动的整体发展中，从历史和现实的角度看，任何国家都不可缺少军事劳动，虽然每一个国家都要为此付出沉痛的代价，但是对于每个国家的存在和延续而言，这都是值得骄傲的。

在社会经济发展的过程中，在非战时期，军事劳动创造的变态价值在价值总量中只能保持最低比重，不能任意提高比重，但也不能少于最低限。保持既定的比重是国民经济稳定发展的基础。

变态价值是融于价值总量的，所以，军事劳动的投入量直接影响社会各种产品的价值个量。变态价值与正态价值是合为一起划分价值等份的，军事劳动也是人类无差别的劳动，军事劳动的数量与质量都是决定价值等份划分的因素，因此，每一价值个量必然都受到有变态价值参与的价值等份划分的决定性影响。

作为变态价值的存在，不能成为价值总量扩大的正常源泉。一旦出现变态价值的急剧扩大趋势，社会就将陷入疯狂与混乱之中。

在纷飞的战火中，各个参与国的经济都会呈现出向军事劳动大幅度倾斜的状态，除了军人生命的付出，各种劳动成果都将大量地被用于军事需要，价值规律在这种特殊时期不能发挥正常作用，市场的价格也可能是极度扭曲的，经济生活的各个方面都接受战火的洗礼，这是常态社会历史上的各个发展时期都不可回避的内容。

战争对于军火的需要是必然的。随着战争的发展，军火武器会越来越先进。过去国家之间相互不提供武器的状态也发生了变化，世界市场的扩展，已经早就形成军火交易的国际化，然而，到了现时代，这种变态的发展已使文明社会不能再忍受。在人类消灭战争的伟大实践中，首先应取消世界军火市场，这是一个国际重大问题，也是一个现有社会条件下可以解决的问题。经济学的研究对于取消世界军火市场负有义不容辞的社会责任。

第十五章　非价值因素的
市场波动

一　问题的提出

变态价值引起的市场波动，不论是战时，还是非战时，都仍属于价值因素引起的市场波动。也就是说，变态价值的运动可引起属于价值因素引起的市场波动，变态价值是价值的总量中的一部分，其引起的市场波动与其他价值引起的市场波动不同，但都归为价值因素引起的市场波动范围。更要认识到，在价值运动对于市场的影响中，正态价值是引起市场波动的主要因素，这种波动体现价值规律作用；变态价值的变化虽不起主要作用，但倘若没有价值规律，那么它也不会引起市场波动。

但是，没有价值因素的变化，并不等于没有有市场波动。价值规律可引起市场波动，只是市场波动并不完全由价值规律引起，市场波动主要体现的是价格变化，价格具有相对独立性，并不与价值运动同一节奏。在价值规律之外，还有更广泛的影响市场关系的因素作用存在。也就是说，不能将价值运动等同于市场运动，不能以价值规律完全替代市场规律。正因为市场在价值因素的影响之外，还有波动的表现，所以，在讨论价值规律之时，我们有必要分析这一规律之外的对市场波动的影响因素。研究这一问题，是全面地认识市场的需要，并且对于准确认识价值规律的作用有重要的理论重义。这一研究对于现代市场经济的宏观调控的理论探讨，也有提供基础认识和指导作用的意义。

市场波动的主要表现是价格波动。市场的货物充裕与否，市场的买方卖方之间的交易能否实现，最终大都取决于价格。这样认识市场与价格的关系，虽然只是局部的观察结论，但是在流通性极强的现代市场的现实考察中，至少留给人们的印象都是这样的。由价值波动带动着交易量波动及供给量波动，这就是市场波动。一般说，产生交易量的波动，就已是明显的市场波动了，而供应量的波动不光是市场原因，还有生产方面的原因。但也可以说，凡是有交易量变化的地方，都有价格变化，不论这种价格变化是因还是果，总之是相关的，所以，仅用价格波动来概括地代表市场波动也是可以的。在人们习惯性的认识中，确实也未将市场波动与价格波动做多么大的区分。应该明确，对于价格的分析是对市场的一般性认识，掌握价格就是掌握市场，这种抽象是有一定的实际作用的。就价值因素影响市场波动而言，包括价格向价值靠拢，也包括价值向价格靠拢，还包括由这两种靠拢引起的市场供求的变化，而除此之外，就是非价值因素引起的各种市场波动了。

从现在看，主要的问题是研究市场变化，从价格波动的角度看市场是怎样变化的，并可将这方面的变化分为价格受价值制约的变化和价格不受价值影响的变化。在价值的制约下，价格仍有自身的活动空间，并不与价值的运动一一对应，其丰富的运动表现是抽象的价值关系无法与之同步变化的。价格在市场的实现，就个量讲，具有一定的偶然性，虽然这种性质尚未受到应有重视，但无疑是现实的。一件劳动产品得到买主的欣赏，而且这位买主此时又有比较充裕的支付能力，那么买卖的成交就可能是在较高的价格上，相反，卖家找不到急需的买主，自己又不能将货物长期压在手里，就可能降低价格出售。在价格的变化中，有价值内在的制约，只是这种制约推动的是整个市场的趋势，很少有直接的对应关系。在价值肯定存在制约的情况下，卖家总是要自己现实地找到买家的，找不到就一点儿办法也没有，找到了才能以双方认可的价格成交，其成交价并非强调价值的一方一厢情愿。因此，既要强调价值对价格的影响，又要区别开不受价值影响的价格变化，即价格在价值制约之外的独立性问题需要专门研究。这种价格变化不同于价值制约的变化，是市场复杂性的重要表现内容，凡是只影响价格，并不涉及价值的市场波动，都属于这一范围。这也就是说，价格的相对独立有两层含义：一是在价值制约下的相对独立，再是不受价值影响的相对独立。价格的形成不同于价值的形成，价格受到的影响是市场关系的全面的影响。当前，研究价格受到的非价值影响，是对价格运动的深入认识，也是对市场波动的深刻认识。

二　因素分析

造成价格变化并引起市场波动，从不牵涉价值的角度讲，因素也是多方面的，其中每一方面都有复杂构成的表现。对此，我们的初步探索，不是展开全面的论述，而是只就几个主要的影响因素加以分析。

资源分为已进入劳动过程的资源和未进入劳动过程的资源。已进入劳动过程的资源是劳动客体的组成部分，在价值创造中，起应有的作用。如果在劳动过程中资源作用发生变化，那么由此引起的市场波动属于价值因素的作用。资源的供给与需求，一旦形成现实的市场关系，就进入了劳动过程，此时任何变化都与价值有关。因此，只有未进入劳动过程的资源变化，才可能产生非价值因素的影响，使市场的波动只与价格有关，而与价值无关。水是一种宝贵的资源，工业生产、农业生产、第三次产业都离不开水的供应，但即使是农业生产，除了自然降雨之外，供水也是要花费成本的，而潜在的供水在未进入劳动过程之前，倘若发生严重的污染，必然造成生产中断，市场恐慌，这时的市场上的各种货物的价格发生波动，这就不是价值因素的影响，而纯粹是价格的变化，是价格的运动受到冲击的结果。虽然经过一段时间，市场必然恢复平静，价值的长期的必然制约作用重新显现，但在这一段时间内，或者说造成这一段时间市场波动的，不是价值规律的作用，而是非价值因素的直接影响。如果因交通中断，铁矿石的供应跟不上市场的需求，形成短时期内的极度短缺，这将最先影响钢铁业，而钢铁业是国民经济的基础产业，它的波动是会对整个市场产生重大影响的。这会引起许多与钢铁有关的产品价格变化，然后过一段时间再恢复正常。如此波动，在各种产品中都可能出现，只是基础产业产生的影响比较强烈，这种突如其来的对市场的冲击，直接造成价格大起大落，而与此同时，产品未变，生产技术未变，生产产品投入的劳动量未变，其劳动成为有用劳动的比率未变，即价值形成的关系都未变，改变的只是市场价格，是价格受惊了，出现了平常未有的情况。有些资源经过劳动是直接成为劳动产品的，比如大理石，开采下来就是产品，资源的存在状况就更为敏感地影响价格了。若大理石矿源突然枯竭，市场的大理石价格会突然上涨。这一类产品的价格波动只是本类产品的市场波动，可能不会太多地影响别类产品，但考察价格与价值关系，产品价格波动的范围大小并不重要，重要的是认识这种价格的变化并非受到价值因素的影响，这只是价格自身的变化，资源在未进入劳动过程之前产生的影响是单纯对价格的影响，没有形成与价值共同承担的对价格的影响。资源分为再生性资源与非再生性资源，非再生性资源对于价格的单独影响也许略不同于再生性资源，但在短时期内，即在不涉及资源有无的前提下，这两类资源对市场波动产生的影响没有太大的差别。在此，我们只是强调，不论哪一种资源，只要未进入劳动过程，其呈现状态对市场产生了波动性的影响，那么这种影响就只是对价格产生的影响，而对价值暂时没有干扰作用，这种情况可能出现在特定时期。需要进一步明确的是这种作用影响的短期性，是资源状况突然发生的变化，与资源正常的存在递减有不同的反映。在不可再生资源的开发利用方面，资源本身存在的递减情况对于社会经济发展是有很大影响的，随着资源的减少，其作用将受到更高的社会评价。资源递减是自然的必然，是人类目前还无可奈何的事情，惟一能动的办法是找到可替代的资源。如果地球上各种资源都开发利用了，再无资源可用，那是极恐怖的，但人类未来奋斗的目标正是要避免这种恐怖出现，现在看来，这还是遥远的事情，人类现时代的生存之中还难以考虑到这么远，眼下的远虑还是有限的，对遥远未来的细微研究还未走到这一步。现阶段的人类生活中，还没有资源枯竭的感觉，资源递减并不至于引起市场波动，而替代资源的研究早已遍布各个领域，其开发前景还是比较乐观的。[①] 只有在短期内突然发生资源恐慌，即突然有大量的待用资源不能正常地进入劳动过程，造成生产危机，才会直接引起市场波动。资源是自然存在的，但进入劳动过程的资源是具有社会属性的。所以，从社会保护的角度出发，人类必须保护自己赖以生存的资源。正因为资源是必不可少的，因而即使资源未进入劳动过程，其对市场也是可能产生剧烈影响的。有的时候，甚

---

① 据报道，为寻找替代石油的新能源，可燃冰的开发研究已经开始了。

至不是出现真实的资源动荡，而只是人们心理上对资源产生短缺的恐惧，也可能引起相当的市场波动，从某种意义上讲，这种波动更是与价值无关的，只是一种价格表现。社会应有效地防范这种波动的发生，或者说即使出现了也要将其消灭在萌芽之中，不使其酿成大的波动。比如，假定在某一范围内，石油、煤炭等资源状态正常，但人们心理上突然感觉这些能源的供应要中断，人为地造成市场紧张空气，使物价上涨，然后再逐步从心理上释然，让物价落回来，这种波动就是人们心理盲目造成的，是市场盲目的根源，对此，成熟的市场和成熟的社会需要抵制这种波动的发生。今后，良好的社会教育的实现可以在一定程度上消除人们的这种心理盲目。

金融已成为现代社会经济的灵魂，银行系统在全球在各个国家都是经济的中枢神经。因而，在进入信用化高度发达的时代之后，金融风暴往往会引起整个市场的大波动。而金融风暴的起因复杂，并不都是价值因素的影响，有一定的非价值因素的作用，其中政治因素的影响是最主要的非价值因素影响。政治是经济的集中体现，在现代市场经济条件下，这种集中体现首先是指政府对金融的控制和影响上。除去政府的常规控制工作外，在实际生活中，政府的重大经济决策活动或政党之间的搏斗以及突发的政治事件都可能造成由金融市场跌荡而引起的整个市场波动。某一时期，由于种种原因，公众对政府的信任产生严重危机，这种情绪就会反映到金融领域，使多种信用工具的市场行情发生变化，从而形成信用危机，进一步引起商品市场波动。在过去，只将金融风暴归结于价值运动影响，这对于深层认识市场是有欠缺的。目前，在世界各国，经济研究部门越来越关注政治问题，对政治与经济的关系给予从未有过的高度重视，并对政治经济学给以新的解释，将这门学科直接同国家政治乃至国际政治的影响联系起来，不再单纯就市场谈市场，就经济问题谈经济问题。当一个政府走向极度腐败之时，驱使着政治局势恶化，社会经济状况会很严峻，物价的上涨与失业的增加是不可避免的，这是不能用价值因素来解释的。敏感的金融受政治的影响是最直接的，民众的承受力一旦顶不住，最先从金融决口。这时的价格会有激荡的变化，而引起这些变化的直接原因是政治问题。特别是，若经过长期的战乱，一个国家的经济秩序还未稳定下来，这时政治方面对于金融市场的影响更会频频发生意外。如果经济学对此只讲价值因素影响，不讲非价值因素影响，那就是将活生生的经济生活中的变故因素排除了，只剩下干巴巴的一般性，不仅无法解释市场具体，也无法做准确的抽象概括。现阶段，人们对于政府干扰市场的作用还未具有深刻的认识，只是从经济出发，从实际出发，谁也不能否认这一作用的存在及其对市场的干扰力量。而有意识地去利用这种作用，就如同政治家们对于政治局势的把握一样，不论在哪一个国家，能力都还是很有限的。在大多数的情况下，形成金融风暴，引起市场震荡，是社会自发的盲目的行为后果。这只是政治方面的势力盲从社会思潮的表现，是社会管理失控的架势。政治家们没有想到的事，往往会发生，而这些事只要对市场波动产生影响，就会引起经济学家的关注，因而，目前研究现实经济的学者无不将政治因素看成是经济运行发生突变的重要原因。有的时候，政府的首脑遇到意外，也会引起市场波动，不同的只是波动的时间和幅度。一般说，政治因素对金融动荡的影响越大，而后整个市场的波动幅度就越大。各类企业，尤其是大企业，经过多年的磨炼，现在已都高度重视这一问题了，随时准备防范政治因素的影响，扩而言之，所有参与市场交易的人，现在都必须将政治因素对市场波动的影响作为一种重要的风险看待。这种风险在讲价值规律时不涉及，这并不是政治性问题，但却是另一方面的经济问题。政治家们在研究政治时可以不考虑这一问题，也可能重视这一问题，而经济学是一定要研究这方面问题的，其研究是社会认识的进步，是人类理性程度提高的体现。从历史上看，当国家政权掌握在军人手中，即由军人或一生职业为军人而后退役的人担当政府首脑，引发政治事件乃至军事暴力行动的事件是比较多的。现代社会，国家政治的长期稳定需要由文人执政，因此，一般地讲，由军人政权向文人政权转化，是社会进步的表现。

在高度集中的统制经济体制下，政治的动荡不会造成金融震荡，也不会引起市场波动，一切可能涌起的作用力都被压制在集权之下了。统制经济对于价格是直接的政府控制，对金融也完全是行政式的管理，不存在市场机制作用，因而，即使政治动荡很大且趋势突然，也不会从根本上动摇固有体制对社会经济的统制力即社会仍可保持原有的经济运行秩序。只是在市场经济体制下，政治的动荡才会产生对市场的非价值因素影响。在集权经济模式下，政治的偶然性事件的影响不会对价格起作用。而需明确的是，政治动荡不影响集权体制下的经济运行，不影响统制价格，并不表明集权体制是现代社会可选择的经济模式。虽然在市场经济体制下，政治的动荡可能对市场产生一定的破坏作用，对社会经济运行造成一定的损失，但是，这相比集权的统制经济的没有效率还是可取的，因为这是一种不影响经济整体长期活力的体制，即使有一些损失也比严重地缺乏效率更受注重。这就是说，认可因市场活跃而承受一定的非价值因素引起波动的损失，也不能实行大一统的集权的没有活力与效率的统制经济。政治的大动荡不能对社会经济产生波动性的影响，并不是一件值得赞赏的事情。

自然灾害也是引发市场波动的非价值因素。大的自然灾害给予社会经济的打击是致命的，其作用的力度远远在价值规律的作用之上。准确地讲，人类生存于自然界，抵抗灾害的能力还很低，这不是说古代，而是说现代社会。也许人类永远也不能抗拒自然灾害，至多只能是躲避。在没有完备的水利设施的条件下，一场大旱，可能造成农业大片耕地颗粒无收，接下来就是粮价飞涨，连锁反应，市场行情全都处于紧张状态，所有的交易关系都会由此发生或大或小的变化。这是价值约束之外的对市场的打击，是自然的力量对社会力量的钳制，是市场非正常的变化和不得不承受的损失。这是怨天不怨人的事。怨天就是怨自然，而人类也只能是怨一怨自然，就人的能力讲是不可能与自然的暴力抗衡的。人类在自然界中生存，只能是服从自然的伟力，学会与自然协调。所以，一旦遭受自然灾害，价值规律随即失去约束力，原先的市场关系会统统打乱，只有经过大调整，才能慢慢恢复平静。从现代的情况看，在发达国家，发生旱灾，如果不特别严重，一般能抵抗，为此人类付出了相当大的成本，建立了庞大的排灌系统。这样提高抗旱能力，可保证农业生产基础的稳定，使国民经济处于良性循环之中，但是，这种抗灾能力只能限于抗旱，而且还只是并不十分严重的旱灾。对于像地震之类的灾害，在发达国家也束手无策。高科技发达的日本，在阪神大地震发生后，也只能是做到尽快抢救伤员，尽快铲除废墟，尽快恢复社会秩序，重建城市，对于地震的损失只能默默地承受，丝毫抗拒地震的办法都没有。在地震发生的地区，无论是哪里，只要有市场存在，必然有波动，目前最发达的国家也只能是将这种波动控制在最小的范围内，促使其尽早结束，而不可能抵制这种波动的发生。如果地震发生在经济比较落后的国家，那就更是雪上加霜，使经济遭受痛击，迟迟难以恢复。至今，人们对于地震的成因还不太清楚，准确的预测十分困难，最先进的设备也只能大体预测方位与时间，所以说根本不可能制服地震。这就决定了地震的发生对于经济的破坏是必然的，只要发生，就是一个突然的打击。现在，世界上各个国家都只能祈求地震不发生在人口稠密的经济发达地区，只能是做好震灾后的社会救助工作。在地震这种自然的强力作用下，即使是已经进入高科技领域的劳动者也要被迫接受市场的强制调整，不能再维持在原有的经济运行轨道上。

相比地震灾害，也许对水灾的防范要好办一些。但我们也知道，水火无情，水灾的破坏性相当大，即使是可防范的，其投入的成本巨大。一场大暴雨过后，可能使大江大河水位猛涨，河堤不牢就可能淹毁城市或乡村，城市和农村的经济都受不了水淹，一旦受灾，损失惨重。① 而且，水灾过后可能是瘟疫，是难以恢复的生产和生活秩序。一场大水，造成经济损失，随之产生物价上涨是一般规律，有时在有效的控制下，上涨仅仅是暂时的，但这种趋势是不可避免的。现在，已有经济学家专门研究灾害经济学，这就是要具体地分析和测算灾害造成的经济损失和如何尽快恢复经济。如果灾害频仍，就是说非价值因素会连续不断地对市场波动起作用。

火灾也是极为严重的灾害。1997 年印度尼西亚货币大贬值，虽有外在原因，但与本国发生的森林大火也不无关系。森林大火使丰富的资源毁于一旦，造成市场木材供应紧张，影响木材价格上涨。而城市着火，似乎更恐怖，如美国的洛杉矶大火，几乎烧掉了整个城市。世界各地每年的火灾损失加在一起，抵得上一个中等发达国家的全年国民生产总值。大火一烧，市场立刻失去正常秩序，除了趁乱发财的人，每个涉及者都要承受损失，这种损失不是价值规律的惩罚，而是自然的惩罚。灾害有大有小，有全

① 据报道，1998 年中国水灾的损失合计达 1600 亿元人民币。

国性的，也有地区性的，在受灾范围内，市场受影响而波动。这些灾害是在人类劳动过程之外对人类经济生活施加的影响，其不可抗拒性和独立性存在是劳动创造价值的作用不能掩饰的。

谣言止于智者。但是，在市场经济中，能够称得上是智者的人为数并不多。更何况，即使是智者，也未必握有处事的权力，因而，毫不夸张地讲，谣言在现代社会经济中的影响是很大的。并且，在今后的较长时期内，谣言还会存在。我们要明确的是，由谣言引发的市场波动，同样属于非价值因素的作用，这也不归于价值规律的约束。金融市场对谣言的反应最敏感。只要有一点儿所谓的小道消息，就能引起社会各界广泛的重视，随之这种谣言就能起社会引导作用。有的时候，一个谣言能引起股市大盘的跌落或暴涨。可能处于金融市场活动中的人都是大脑高度兴奋，略有一点儿刺激就不得了，一下子就像跑车冲到线外去那样，造成事故。在金融市场，从事正常业务的人最怕谣言肇事，一旦有人造谣，不管信谣还是辟谣，结果总是灾难。问题是，不论何时，总有人将谣言作为有价值的信息看待，于是谣言的市场干扰作用就大有用武之地了。谣言分为有意制造的和无意中形成的。有意制造经济谣言的人用心险恶，为了达到利己的目的，不惜损害大众，将市场搞乱。无意中形成的谣言的产生原因复杂，但共同点是没有根据地传播，或是望风捕影地道听途说，或是主观猜测后的固执看法，甚至还可能是听话听错了而以讹传讹。不论是有意制造的谣言，还是无意中形成的谣言，当它能掀动起某种市场情绪时，就会现实地冲击市场，使市场许多交易的价格脱离常规，使市场呈现出一片混乱状态。即使一家银行的业务很正常，业绩很不错，如果有谣言讲这家银行快要倒闭了，一传十，十传百，煽起很多储户的激昂情绪，随之而来的就是发生挤兑风潮，很可能真的将这家银行搞垮，并还可能进一步影响整个金融市场及商品市场。这就是小谣言掀起的大浪潮，后果会是惨痛的。除去金融领域，经济方面的谣言也频频出现在商品市场尤其是日用消费品市场上，一个谣言的传播可能掀起巨大的抢购风波，使市场的正常供求秩序全部被打乱，人为地造成市场恐慌。曾有人听说酱油厂出了问题，市场上的酱油快要没有了，就去买了两大桶酱油存放，这般抢购会使市场无可奈何地供应紧张，因为两大桶酱油的购买量是平时正常的一瓶酱油的购买量的上百倍，如果市场要满足这种畸型消费的需求，酱油厂的生产规模要一下子扩大100 倍才行，或者说原先有一个酱油厂，现在要新建 100 个酱油厂，显然这是荒谬的，是不可思议的事。而这种荒谬产生于谣言，甚至可能还是无意中形成的谣言，这足以证实某些人的愚蠢。在世界各个国家的历史上，尤其是市场发育历史悠久的国家，恐怕由于谣言而引起的市场波动是为数不少的，而且，可以肯定，这种情况在今后较长时期不会完全消失，这是由现代社会的人的素质及市场发育的水平决定的。

谣言对于市场的干扰作用并不是普遍性的，但却是恶性的，价格可能在谣言的冲击下盲目地大波动。别有用心的谣言上市是经过精心策划的，对这种谣言的防范是很不容易的，而实际上制止这种谣言的作用，不让其达到预期的目的，并不一定很困难。而无意中形成的谣言，很难制止，如果传播的范围广，造成的影响大，那么很可能掀起的市场波澜会更强烈，让社会承受更多的损失。正因为是无意的，所以会形成一种自然而然的市场趋势，从而全都自然地陷入盲动。同其他非价值因素对市场波动的影响一样，谣言产生的影响是不能用价值方面的运动变化为理由解释的，这表现的是市场复杂性的另一面，是价格独立运动的方面。谣言的产生，包括有意制造的谣言在内，具有相当大的偶然性，是市场发展过程中的星星点缀，不足为怪，也不能不加以警惕，只是不能将此纳入价值运动表现。在认识市场之中，面对事实，不能将所有的引起价格变化的原因都归结为价值的作用。价格的形成具有偶然性，谣言也有偶然性，所以，谣言也会影响价格，实事求是地认识，就不能否认这些偶然性及其相互间的相关性。实际上，谣言大多数不起作用，起作用的只是少数，在对这一问题有了自觉的认识之后，经过系统教育，就可以对抑制谣言产生积极的作用，为发展市场和稳定市场做出一些创造性的努力。谣言并不可怕，可怕的是对谣言的相信和传播，导致市场上发生的极为盲目的行为。在任何时候，谣言对于市场的干扰作用都是暂时的，在真相大白之后，谣言总会不攻自破，终止其对市场波动的破坏性影响。

人类社会发展到现时代，一些高智商的人对于市场的认识和把握至少短期内在局部上是相当精辟透彻的。这些人为了攫取自己的利益，利用他们掌握的市场做投机生意，不惜制造极大的社会损失，引起灾难性的市场波动。投机本是市场经济运行的一种自然的需要，在一定的许可范围之内，发展经济不能没有投机，即适度的投机存在是市场发展所需要的润滑剂。市场机制的运用是包括允许投机的，在适度而不是过度的状态下，熟悉市场并依赖于市场的人不会对投机提出异议。问题是，市场上不能全是搞投机的人，那样就不存在正常的市场秩序了。而现实是，若有大的投机突然介入市场，可能就会随之产生较大的市场波动。在过去的年月，普遍的投机活动是商业投机，囤积聚奇，逼价格暴涨，然后抛售，一里一外，大发其财。这样做，投机者要有相当的经济实力，能够操动市场大盘，左右行情，通过大进大出使得投机成功。遇到这样的投机者，如果政府采取的措施不及时，就会让他们得手，把市场搞乱。但是，作为政府，是一定要严厉打击这些投机分子的，只要他们敢动，就要抓他们，决不能心慈手软。这是因为在商业上搞恶性投机，直接危害千家万户，民愤极大，对政府的政策干扰也是严重的，不加重打击，就会有更大的投机跟进，对社会造成更大的危害。尤其是对粮食流通搞投机，是过去一些奸商的惯常做法，经常得手，搞一次，赚一次，遇到荒年，他们更是大发其财，让市场价格跟着他们的投机走。这种商业性的投机，与正常的生产和经营不同，这只是钻市场空子挣钱，所以，调节社会生产的价值规律对于投机形成的市场波动也不起作用。投机过度或恶性投机是扰乱市场的重要的非价值因素，现时代的人掌握信息的能力大为提高了，但同古代人、近代人一样，在市场机制下，还是不能完全灵敏地掌握各种信息，因此留下的市场空子仍然不少，并且由于现代市场规模大，内容丰富，交易量和交易的速度都是过去时代不可比拟的，所以现时代人对于市场更不容易控制，这使得投机的机会相对更多一些。在比较成熟的市场条件下，社会已经可以做到较理智地看待投机，不对投机赋予完全的贬义，并且可以有限度地利用投机搞活市场，这样，一些会搞投机的人既能满足自己的利益要求，又能适应社会对投机的现实需要。而期货市场的建立，更是将社会对投机的需要公开化了，使市场的现代化树立了新的标志。期货市场的存在基础仍是生产，但有投机存在，可保生产平稳。期货市场上要有两种人，一种是生产者做保值的，一种是投机者求盈利的，只其中一种人存在是不行的，若那样，期货市场就是不规范的，就无法存在下去。特别是，市场上不能全是投机者，完全的投机存在就是将市场变成赌场了。那样，期货市场就没有价格发现功能，没有价格保护功能，只有破坏作用了。从近期来看，期货市场的规范只在发达国家，一些发展中国家还不具有建立期货市场或使期货市场规范的条件。

现在，市场上疯狂的投机主要集中在金融市场，主要是在外汇市场、股票市场以及金融衍生品市场。一段时间以来，不断传来投机者失手的消息，10多亿美元乃至上百亿美元的投机亏空使人不能不惊叹投机者的胆大妄为。但实际上，投机失手者一般不会给市场造成太大的刺激，凡是能掀起市场大波的，多半是投机得手的人。这些金融投机者在操作过程中，是下了很大功夫的，能够瞄准对象，找准时机，集中力量，发起攻击，掀起市场狂潮，然后从中渔利，有很强的破坏性。1997年发生的东亚和东南亚金融危机就是典型的实例。这些投机者之所以能够得手，除了他们的聪明和努力之外，最根本的原因是市场存在可使他们投机的空子，倘若市场没有盲目性，那他们即使有天大的本事，也奈何不得。投机是一种纯经济行为，但决不是社会经济运行中的主体或主要的行为，这种行为被价值规律排斥是肯定的，投机影响的是价格，价格运动是经常受到投机行为冲击的。历史已证明，由投机引起的大范围和高强度的波动是十分恐怖的，社会损失惨重，市场受到这样的冲击，不能控制局势的人们就必须吞下这些投机留下的苦果。在利用投机的同时，必须控制投机，对投机有制约能力，除了健全市场约束机制之外，最重要的是不能不加限制地鼓励投机。这是需要有理性的成熟和实践的经验为支持条件的，并不是一种不讲条件的任意行为。市场是复杂的，允许市场投机，并且控制市场投机，更需要有一定的复杂性认识做基础。这就好比是纵容玩火与引火烧身的关系。允许投机就是纵容玩火，而引火烧身就是控制火势，能防范投机才能控制火势，这不是不让火烧起来了，只是不让大火烧出无奈来，不让烧起的火达到不能控制的局面。这决不是一概而论的灭火，如果将大火灭掉，就是说如果一点儿投机都没有了，那么现实地讲，市场机制赖以作用的润滑剂也就没有了，那将是社会经济的又一种损失。在现代，我们要防备的总是过度的或恶性的投机可能带来的灾难性的市场波动。

人类是从野蛮和愚昧中走出来的，至今也还未达到自身的完善目标，即还在某种程度上存在着野蛮与愚昧。市场中现实存在的盲目的波动，就是事实上的野蛮与愚昧的反映，这是现阶段人类文明生活中不可避免的。经济学的研究只是要阐明，在人类发展的现阶段，即在野蛮与愚昧还存在的阶段，世界上各个国家存在的不得不承受的市场波动，除了价值规律的作用外，还有相当一部分是各种偶然的现实的非价值因素的影响造成的。

第十六章　价值的抽象与
价格的现实

　　非价值因素与价值因素都是影响市场波动的因素，即都是冲击价格运动使价格发生市场变化的因素。我们对于非价值因素影响的强调，旨在说明对于价格的认识，不能局限于价值的约束之内，从理论上要明确价格运动具有相对独立性，在市场上价格受到许多方面偶然性因素的影响，其中包括政府因素的影响在内。只有这样全面地认识市场，全面地认识价格，才能更深刻地理解价值规律及价值规律的作用，即阐明了价值规律作用的范围及其局限性。与价格相比，价值是抽象的，实质上价值是不能具体化的，以价格表现价值只具有象征性的意义，不能将这种意义与原本的价值抽象等同。研究复杂的市场经济运动，从经济学基础理论的角度讲，必须是高度抽象概括和必须是深刻分析一般性问题的，抽象的研究方法是基础理论的认识工具，价值范畴就是由抽象认识而产生的，或者说，抽象的研究决定了价值的抽象。研究价值及价值规律是抽象的研究，这就是说，要在高度纯化的思维联系之中，研究者才能清楚地把握价值运动的本质联系，才能将这种内在的联系表述出来。这种抽象的认识，是理论研究深入的特定需要，这将为人们提供认识复杂经济问题的基本理论。高度的抽象得到的是高度的深刻，是理论认识上的透彻的贯通。这种抽象的价值研究正是基础理论研究不同于应用理论研究的卓荦之处。但是，在必须深刻抽象地研究基础理论的前提下，并不能将基础理论的研究只局限于抽象方法的运用范围内。因而，在对劳动成果的市场研究中，基础理论同样要研究一般性的价格问题。价格理论不同于价值理论，价格是表象化存在的范畴，即价格具有可视性，是看得见的，这与价值的抽象不同，对价格的研究是对具体的范畴展开的一般性的概括认识，这种抽象的本身是以具体范畴为基础的。经济学对于价格问题的研究，随学科认识的分层，有不同层次的针对性，政治经济学的基础理论研究仍是最为概括性的，要解决的是对价格性质和存在方式的基本认识问题，包括价格与价值的关系、价格与市场的关系，价格与客观经济环境的关系，价格的形成机理等方面问题。如果仅有商品学对于价格的研究，缺少对价格的基础理论研究，不仅在经济学理论上是一种空缺，而且也不利于应用理论性质的价格学的研究深入。市场价格的活跃性质并不妨碍基础经济理论对其做出规范的考察，也不影响分析价格与价值的内在联系。不能从基础上准确认识价格的经济理论，是会严重脱离市场客观的，是无法深刻反映事实的，很难在实际经济生活中起到理论的指导作用。所以，在政治经济学的理论研究之中，在分析基本的劳动问题时，我们既要把握认识的基础的抽象性，深入透辟地分析价值与价值规律，通过这种抽象研究使经济学基础理论更具有概括性和认识的深刻性，又要注重准确地研究价格的基本问题，将市场运行的价值决定因素与非价值决定因素的影响区别开来，将各种市场变化的内在原因与外部影响有机地联系起来认识，从而才能得到全面的贯通的关于价值与价格、交换与市场的理性认识。

一　认识价值的客观要求

抽象地分析价值个量与价值总量的关系，可以从根本上把握市场的走势。从长期来看，在复杂的市场交换的背后，是万变不离其宗的价值规律。非价值因素的影响是短时期的，是不断出现的。价值规律对于社会生产的制约作用是始终影响市场关系的，即对于市场，凡有非价值因素影响时，也同时存在价值因素的影响，价值对于市场的影响是不间断的。有人以为经济学家可以认识短期市场，对于社会经济的长期情况无认识能力。其实，经济学的理论性或理论作用恰恰相反，是认识长期的经济走势的，而对短期内偶然性很强的市场情况难以把握。经济学的理论如果不能说明经济发展的长期问题，即不能解释经济的长期目标，那么其理论的意义和作用是不到位的。作为一种科学的理论，是不能不探究根本性的长期发展趋势问题的，是不能只就眼前的事情发议论的。抽象地研究价值个量与价值总量的关系，如果只就短期看，不仅没有意义，而且可能还与现实问题连不上，因为现实中的许多偶然性因素的影响是价值不能解释的。而在长期问题的研究中，抽象排除了许多具体因素的干扰，可以清楚地揭示出运动的规律，揭示市场发展的趋势，抽象地研究价值问题是理论概括经济生活中的关键之处。价值总量不是不变的，虽然在一定时期总量是既定的，但在不同时期就会有不同的总量，总量的扩展是市场容量的扩大，更是社会的进步。从历史的发展过程来看，价值总量一直是在增长的。这应是经济学界可以确认的共识，但是，如果将价值只定义为劳动主体的工作时间，像传统的劳动价值论的解释那样，这种共识就无法达成。显然随着技术的发展，劳动主体的工作时间一直在缩短，因而，明确认识劳动的整体性的意义也就体现在这里，只有劳动整体创造价值才能说明价值总量的增长趋势，在劳动主体工作时间缩短的同时，劳动客体的作用是大量地增加的，所以才有价值总量的增长。理论的概括准确，对于未来长期的认识才能有实际意义。而有这种长期的准确认识，无论是对社会管理者，还是对平民百姓，都是必要的知识基础，文明社会的存在条件是必须有这样的理性基础的。价值总量的抽象确定的深刻性是现阶段数值无法表现的，但必须要有这种抽象确定，确定了价值总量，才能找到均等的价值单位，才能确定价值个量，这种抽象对抽象的关系不表现为价格关系，只是影响现实的价格。而只有确定了价值个量对价格的制约关系，才能看到市场交换关系发展的长期趋势。否则，便只能就事论事，就眼前说眼前，把握不了全局，把握不了未来。这就是抽象认识的作用，抽象是把握全局和未来的途径，虽然抽象确定的价值总量和价值个量都说不上具体的数值，但是，通过抽象的确定，就可准确地认识价值个量关系，认识价值个量与价格个量的关系，进而也就能够把握价格的长期走势了。

因而，抽象的价值研究在经济理论的研究中是重要的。但是，更重要的是抽象认识必须科学，不能违反科学。近些年来，许多从事经济科学研究的人对于抽象的价值研究不感兴趣，并不是因为这种研究不重要，而是因为在过去较长时间内的价值抽象不科学。不科学的价值抽象已经极大地阻碍了经济科学的进展。到了 20 世纪末，除去回避劳动价值论的经济学研究工作者，坚持劳动价值论的人们，不论观点如何分歧，在对价值的概括认识上是一致的，仍都认为劳动主体的工作时间是形成价值的一个个表示劳动成果大小的个量。直到现在，还有很多人认为，商品的价值量是由生产商品的社会必要劳动时间决定的，商品按照价值量进行等价交换。对于这样的抽象研究，确实不能再继续下去了，这是一种主观上的误导，根本不是符合客观的理论认识。这种误导已经误导很长时间了，负面的影响作用很大，现在亟待肃清的就是这种不科学的抽象认识。但由于这种不科学的价值抽象早就存在并有广泛影响，在我们对其肃清之前，许多人已经对抽象研究十分反感了，认为这种方式的研究没有实际意义。不管是坚持原先传统的对价值及其规律的认识，还是厌恶抽象分析，可以肯定的是原先的那种抽象认识不科学，是对价值做了抽象的盲目的主观认定，脱离客观实际。其盲目的根源在于对价值的创造撇开了劳动客体作用，对劳动缺乏整体性认识，由这一基点认识失误推展下去，就产生了一连串的看似严谨实际违反逻辑的认识，当这些认识与实际发生冲突时，有人借口抽象不同于现象而否认其与事实不符，这是多年来传统理论采用的做法，也是使人对抽象研究感到厌恶的根由。现在的问题是，不能因为以前抽象出现了失误而反对或回避抽象研究方法，对正确的抽象认识也排斥在科学的研究之外。现在，我们要特别强调，抽象是一种科学的研究方法，价值是高度抽象的经济范畴，价值研究容不得虚假，凡是错误的抽象造成的虚假的概念与理论必定是没有生命力的，而科学的抽象对于科学的研究是必不可少的，价值理论研究必须使用抽象方法。目前看来，需要一点点地排除以前关于价值的虚假抽象的影响，向经济学界及社会各界解释清楚为什么价值不能只是劳动主体作用的创造，为什么价值规律不能表述为商品按价值实行等价交换。同时，要在坚持劳动价值论的前提下，向社会普及确认劳动整体性的价值理论，说明商品的价值是无差别的人类劳动整体创造的，其中有劳动主体作用，也有劳动客体作用，说明价值归属与价值创造不同，创造是整体的，而价值只向劳动主体归属，不向劳动客体归属，以及价值归属与价值分配的区别，更要重新认识价值规律及其作用。这是政治经济学在 20 世纪末和 21 世纪初的发展，将为这一时代带来理性进步的福祉。在新的时代，经济学要以新的价值理论研究成果展示抽象研究方法的魅力，以对价值规律的新的探讨重建市场理论体系。我们的研究将表明，抽象的价值理论研究是经济学认识的重要基础，政治经济学将以其新的理论开拓带动整个经济学科向前发展。

我们认为，在确定科学地抽象的前提下，研究价值及价值规律，在理论的基础性和系统性方面，至少要把握如下 3 个要点。

第一，价值的抽象包括军事劳动，并不只是正态价值创造，现实还有变态价值的创造。传统的价值理论不仅否定劳动整体创造价值，而且否认变态价值的创造。这种片面的认识在逻辑上是不能贯通的，只能是将抽象变成了主观臆断。因而，重新进行价值理论研究，既要坚持劳动整体创造价值，坚持无差别的劳动有用性与价值等义，更要特别强调军事劳动创造价值，要承认在常态社会常态劳动中有变态价值的存在。从理论上要分辨清楚，在变态劳动中，剥削劳动主体是不起创造价值作用的，所以是变态的，而军事劳动是以变态劳动的性质创造变态价值的。在一般性的价值认识中，没有必要标明变态价值的变态性质，只是在考察价值创造的劳动时才需确定其变态价值。对于劳动价值分析来说，分析变态价值的难度要大于正态价值。这是因为变态的军事劳动对于社会的服务具有整体性，社会是整体消费军事劳动成果，这其中包括战争，包括平时的战备与国防。所以，确切地测量变态价值在价值总量中的构成比重是比较困难的。但现在的问题是，过去的价值理论根本不包括这方面内容，[①] 重新认识价值理论，这是一个全新的认识领域。也就是说，关于军事劳动创造

---

① 传统理论将军事工业劳动纳入价值创造范围，并未揭示其变态性。

的变态价值，在理论基础的确定上和在理论体系之中的相互联接方面，还需要做大量的工作。政治经济学明确地将军事劳动纳入研究范围，承认变态价值是价值中的特殊存在，这在理论上是重大的推进。只有容纳变态价值的价值总量才能与国民经济运行中的经济总量相一致，所以，没有对军事变态价值的概括，价值理论是不能符合实际的。在过去的历史中，在今天的现实中，在未来的时间内，或者说在今后较长的一段时间里，人类的劳动是包括军事劳动的，不可想像能取消这种变态劳动，它是由人类劳动发展的总体水平决定的，现阶段的人不可违背这种客观的要求，对军事劳动创造的价值视而不见。在政治经济学创立时期，对于价值的本质认识不清，对于军事劳动的变态价值创造认识不清，是可以原谅的。但自那时至今，已经几个世纪过去了，如果再不能做出科学的价值认识就是不可原谅的事。现在需要认真地补课，使现时代的认识超越前人的局限，使原有理论中的不合逻辑的问题从根本上得到解决。可以说，目前完成这一补课任务的条件是具备的，任何人都没有理由再以片面的虚假的价值理论概括抵抗经济学认识的进步。

第二，价值的抽象要与劳动的伸展范围相一致，必须包括非物质生产领域，价值的总量概括的是有用劳动的总量，有用劳动是指一个国家所有的劳动领域中实现了劳动有用性的劳动。对于商品经济讲，有用劳动是实现了劳动成果交换的劳动。对于价值总量的认识也是一种抽象的确定，需要明确的是，价格不同于价值，不能直接用价格总量表示价值总量，只能说这两个总量概括的劳动范围必须一致。价值是通过商品交换实现的。但实现交换依据的是价格而不是价值。交换决定的是价格个量，价值个量是必须在价值总量确定之后才能确定。实现了价格，劳动才成为有用劳动，是有用劳动才能凝结为价值。重要的是，劳动产品的交换范围是价值的形成范围，非物质生产领域的劳动产品也是具有价值的，必须概括在价值总量之中，价值总量的概括不能超出劳动产品交换范围，也不能小于劳动产品的交换范围。超出劳动产品的交换范围，一是涉及非劳动产品的市场关系，二是概括不属于本经济圈的劳动中去，这都是不允许的，在理论上必须予以清楚地界定。小于劳动产品的交换范围，在过去主要是不承认非物质生产领域劳动创造价值，这本身就是与无差别劳动凝结为价值的定义相矛盾，这是理论初创时期幼稚的表现，否定传统的片面已是经济学界的共识。抽象必须有坚实的基础，不能因抽象而有随意性，有用劳动的范围限定了价值抽象的范围，超越这一范围抽象与不按这一范围周延地抽象确定的有用劳动总量，都是抽象认识价值总量的失误。

第三，价值抽象需要有相对应的时间段。既不能混淆不同时点的价值，也不能将时点定为某一瞬间。价值的抽象只能是静态的。即截取某一时点做抽象认识。但这一时点不能是某日某时，而必须是一个时间段。在这个时点中，其实是存在动态的，所以，价值的抽象也可称之为相对静态分析。尽管可能若干时点上的价值抽象大体相同，但不同时点的价值只能比较，不能混为一谈。从比较的意义上讲，若是不同范围内的价值比较，也大体应在同一时点上，不在同一时点上的价值比较是特殊的比较或历史的比较。就理论研究来看，可任意选取某一时点，或者说研究哪一时期的价值问题，就可以定哪一时期为抽象的时点。这只是一种理论上的许可，实际上研究价值问题还要受其他方面条件的限制。所以，一般地讲，按目前条件，抽象的价值分析只能与价格时点的确定相一致。价格是外在的，有具体的时间性，价值的抽象要以价格的具体为认识的基本条件。如果价格的时点确定是一个较大的时间段，那么相应地价值的时点确定也是这个较大的时间段。这与价格的个量的偶然性表现是不对应的，价值确定时点是有价值总量关系制约的，价值的个量不可脱离总量存在。除了表现价格与价值的时间确定需一致以外，我们所要明确的就是，对于价值的抽象认识，不论是价值总量，还是价值个量，都必定是真实的某一时点上的抽象，决不可能存在没有时间性限定的抽象的商品的价值。

以上3点是对价值抽象研究的基本要求。科学地研究价值，除了满足这3点基本要求，还需有系统性和逻辑性的一般制约。而更重要的问题是，价值是与价格紧密相关的范畴，价值理论研究必须关照与其联系紧密的价格理论，不能只是单纯的价值研究，更不能混淆价值与价格关系，或以价值理论取代价格理论，或以价格理论取代价值理论。从市场运动角度讲，价值揭示的是内在的联系，价格则反映的是外在的具体，理论的认识不仅要把握内在的联系，同时也要分析外在的具体。由深刻的抽象呼应现实的具体，从而构成系统性的完整认识，这是理论研究的需要。因而，在对价值运动做一般性的认识归纳之后，我们还要对价格运动做一定的概括性认识。

二 价格的现实关系

也许是现代的经济生活变得越来越复杂的缘故，即使是做经济工作的人，也往往会对一些基本的经济范畴犯常识性的错误。就价格范畴讲，有人提出卖方价格与买方价格的区分，有人将价格与价值相混，还有人完全脱离市场谈价格，等等，其实质都是对价格的基本定义没有准确的认识。可能是因为价格这一词使用的频率太多了，成年人没有人不懂得其含义，因而就是在这种都懂之间，却出现了认识的真空，使许多人只能以"价格就是价格"来对价格进行解释，难以认识到价格是有用劳动的市场实现。但进一步说，准确的定义只是对价格本质的确定，而不是对价格的具体解释，对于这一范畴，在定义之外，还需要有展开的全面认识。在现实的经济生活中，价格是有具体所指的，并不是任何人都与特定的价格发生联系，只要是一个具体的价格存在，那么直接与之相关的就是买卖双方，即使政府作为第三者介入，也不能破坏买方与卖方的基本关系，价格只是对于买卖双方而言才是存在的，这是一个表现为市场限定性而又具有对立双方的共同性的范畴。没有买卖双方，就没有价格。卖方标出的价格，是针对买方而言的，即只有卖方，没有买方，是没有价格出现的。买方开出价格，也是针对卖方而言的，即只有买方，没有卖方，也是没有价格出现的。如果买卖双方都不存在，那就从根本上谈不到交换关系，谈不到价格范畴。所以，价格是买方与卖方的市场关系，不存在单纯的买方价格，也不存在单纯的卖方价格，凡是价格，必定是表现买卖双方关系的。就卖者而言，价格是卖者所卖商品或劳务的价格，卖者必定对所卖物品拥有所有权（代理权可理解为是所有权的代理），即卖者不能卖不是自己的物品，若没有商品或劳务可卖，卖者即不成立，价格即不产生。在市场上，从来没有不确定的商品或劳务的价格，期货或远期交易也都是有交易物为对象才产生价格，即使是虚假的是欺骗的物品，也要有其被作为交易物看待的条件，才能有价格，市场不产生凭空的价格。或者说，价格关系不发生在没有卖者资格的经济活动之中。例如，做市场中介服务的资产评估，评估者对于评估资产不是所有者，没有所有权，评估者只是受资产的所有者委托对评估资产做出估值，评估者无权卖评估资产，也不介入到评估资产的买卖中去，所以，评估者对于评估资产做出的评估值不是资产的价格，不反映评估资产买卖双方的关系。从理论上说，资产评估之中，评估者只能评估资产的价值，不可能评估价格，没有价格评估这一范畴，① 价格是买卖双方的关系，评估者没有权力也没有需要取代资产买卖双方的关系，也不可能去评估买卖双方的交易价格。相反，资产的买卖双方是根据评估者做出的价值的估计值考虑价格如何确定，这二者之间不能混淆，即使价格等于评估值也不能认为评估值就是价格，必须要对评估值与价格明确地区分开。如果有人以为评估值就是价格，必须按价格管理的要求将资产评估者的业务管起来，那就是没有搞清楚价格只是对拥有所有权（包括代理权）的人才能有资格谈起，价格是买卖双方的市场关系，中介机构无权参与价格的制定，不能将价格关系的约束加在非卖者与非买者身上。就买者而言，价格是买者（包括代买者）要买之物的价格，买后，买者就成为这一商品或劳务的所有者或消费者，买贵买贱是买者的事情，不是买者不能参与其中。总之，价格是对买者和卖者而言的，只有买卖双方才有权讲价格，脱离买卖关系，没有价格存在。也就是说，价格是在"商品监护人必须作为有自己的意志体现在这些物中的人彼此发生关系"② 中才存在的。

价格是现实的，是直观可视的。这不同于价值的抽象性，价值是看不见的，不能具体化的。因而，价格没有潜在的，即没有潜在价格存在。如果说具有潜在性，那是指价值，不是价格。价格的现实性是价格的基本性质之一。有现实的买者，也有现实的卖者，才有现实的价格。将价格神秘化，也是不懂价格性质的表现。在现实性的市场制约下，买者对价格的要求同卖者对价格的要求一样，既受现实的环境约束，要考虑商品或劳务的价值，又具有能动性，终归是由买卖双方协商确定的。也可以说，在现实

---

① 在评估报告中，用货币形式量化评估值只是一种对价格形式的借用。
② 马克思：《资本论》，第 1 卷，人民出版社，1975，第 102 页。

生活中，不论是买者，还是卖者，都不能只按价值定价格，价值要求价格等同是一般性的本质要求，具体能否做到，要看具体情况。再说，买者与卖者对于价值是看不到的，只能大体估计，具体化的确定值只能是价格。价格与价值的不同就在于它是一种市场上的现实要求，是由买卖双方决定的。从根本上说，价格的相对独立性，就是价格的现实性。这一性质决定价格不光是在市场上现实形成的，而且可以有悖于价值实现。从市场的实际情况讲，非价值因素同样可以现实地影响价格，这种影响不占主流，但却是与价格的现实性相一致的。

价格具有现实性与可预测价格并不矛盾。价格是可预测的，预测的价格就是未来的实现价格。预测价格是一种社会的需要。价格是市场的复杂性的焦点，价格不断变化，各种因素影响价格，预测价格可以使生产与交换能更好地协调。就价格的预测讲，社会的价格总水平变化以及各类商品与劳务的一般价格水平变化，是价格预测的任务和目标。预测价格的工作就是根据现实市场中的价格特点和市场发展前景对价格的变化做出具体的分析，这既要考虑到价值规律的作用，又要注重价格运动的相对独立性。价格本身是一种市场导引，已有价格就是对未来价格的导引，而预测价格也可能成为未来市场的导引。一种商品或劳务的价格走势上扬，这种商品或劳务的生产投入就会增加，至少也会是稳定的，保持发展的势头。相反，一种商品或劳务的价格走势跌落，这方面的劳动投入就会相对萎缩，这方面的生产与交换将不景气。预测价格是分析价格走趋，测定价格是升还是降，升到什么程度，或降到什么程度，什么商品或劳务的价格变化大。要是价格预测准确，这对于社会经济发展是有贡献的，即可以避免掉一些不必要的损失，增强生产的自觉性。但做到准确预测是比较困难的，这必须对市场有全面的把握，对价格运动有深刻而确切的理解。对于价格总水平的预测，实际包含着对国家金融市场发展态势的预测，货币的数量与周转速度直接关系到全社会的价格水平。如果市场的各方面因素在预测期不会发生变化，那么就是说可预测价格走势稳定。但如果发生货币贬值，那么预测的价格就要随货币的变化而变化。在币值问题上，体现价格的货币表现关系，这是价格的又一种市场关系。相比买卖关系，价格的货币表现关系更难于把握。货币市场上的投机性比商品市场的投机性要强烈，涉及货币的变化，价格的预测能够做到准确更不容易，不过，在经济稳定时期，即在劳动技能水平没有太大变化的时期或经济体制没有大的变动的时期，一般的价格的变化性不是很大，预测价格是能够做到相对准确的，而且也比较容易做预测。只是在经济发展的起飞阶段，或在其他一些经济秩序不稳定时期，是很难做好价格预测的。就一般而言，价格总水平的预测比较难，因为不可控因素太多，而就某些具体商品或劳务的价格预测，相对要容易一些。关于价格预测，有专门的分析家做出的，也有市场的买者或卖者自己下力量预测的。不论是哪一层次的预测或哪一种类的预测，相对说来，都是对长期的价格走势测得比较粗略，而对短期的市场价格测得比较具体，只是其准确性都是或然的。

在现代社会，市场价格在某种程度上是受政府干预的。不论是哪一个国家，完全自由的市场价格都只是在名义上保持一部分存在，其余均为受政府控制的价格，只是各国政府对于价格的控制方式和控制程度不同。政府对价格管理的根据是，自由的市场交换存在一定的盲目性，政府采取相应措施控制这一类盲目行为有利于社会经济的稳定与发展，价格的盲目是市场盲目的焦点，有效地控制这一焦点是国民经济宏观调整的重要内容，能够让价格保持合理的延续是促使市场成熟的必要条件。在政治经济学创

立时期，当时的经济学家主张自由价格，即只由买卖双方定价，
政府不得干涉，但那时的经济活动总量不大，市场上的经济关系
也相对比较简单，金融市场则刚刚兴起，所以，那时实行自由价
格是有一定基础的。在《资本论》中，马克思讲到价值与价格
的关系时，所举的例子都是比较简单的，甚至一些例子直接讲的
就是中世纪的小商品生产中的交换关系，所以在马克思的确定
中，没有提到政府对价格的干预，只是将价格作为一个纯市场化
的范畴。而到了现时代，不管是不是看得见的手，反正市场中的
交换关系相当复杂了，不用说金融市场有多么复杂，甚至金融专
家也要分多少种类，就是商品市场与劳务市场的交换关系也已是
空前复杂的，决不是中世纪及资本主义社会发展初期的情况了。
在这样的形势下，如果市场比较成熟，商品交换有一定的良好的
秩序，市场的盲目性较低，那么一部分价格则可以是自由的，不
必由政府干预。而要是有些商品或劳务的交换在规模扩大之后很
难自发地保持程序，这时加入政府的干预，可以减少不必要的损
失。政府对价格的管理是有条件的，并非所有价格都控制，对这
种管理的必要性不能一概而论。一般说来，在市场秩序不稳定
时，政府的干预范围要大一些，力度要强一些，而在市场秩序稳
定下来后，政府干预的范围相对要缩小，要缩到最低限度，同时
干预的力度也要减轻。

　　商品与劳务的具体价格，是价格个量问题，这是市场参与者
们普遍接触的现实。价值个量是先确定价值总量后才能确定，相
比之下，价格个量是纯粹的个量确定。价格总量只是价格个量的
简单相加。对于价格个量，从一般性讲，可以归纳 4 种性质：①
交易性。价格个量是交易的结果，即商务谈判的结果。商店里标
明的价格，只要买者接受，就可视为经历了一个谈判成功的过
程。决定成交的，是买者和卖者两个方面。能否成交，关键在于

双方能否谈妥价格。也可以说，成功的交易是买者和卖者共同努力的结果。而没有交易的成功，就没有价格个量的实现。交易者即买卖双方为了交易成功，可能要寻求中介组织服务，但中介服务不能取代双方交易。交易永远是买卖双方的行为，价格个量是在具体的交易中产生的，交易双方是成交价格的决定者，买者与卖者在价格问题上形成对峙，最终实现的价格是双方都接受的结果。这种接受可能是双方主动接受，也可能是一方被迫接受。不管是怎样接受的，只要实现价格个量，就是双方共同接受的表现。交易中的主动性与被迫性，可能影响价格个量，但不影响交易成功与否。交易性决定了价格个量的市场性，这种性质是价格外在表现的基本特性。即使有政府干预存在，价格个量的实现也是交易双方决定的，不是政府决定的。在市场经济条件下，政府管理价格，主要是间接控制，很少能直接干预买卖双方关系。有些价格个量的实现比较容易，比如去商店买一双鞋，从挑选到付款，可能用不了多少时间，这样完成的交易过程，是完成了一个交易价格。但还有些交易需要很长时间，比如对于大型生产设备价格的谈判，有的要进行几天，有的要进行几个月，或更长的时间，这样的交易价格的实现就是很困难的。需要明确的是，交易时发生的价格关系，是看得见的价格个量关系，其中含有价值关系，但不能将价格关系等同于价值关系。②时间性。价格个量是具体的时间点的量。上午成交的价格可能就与下午成交的价格不一样，而其买卖的商品是一样的，甚至也可能是同一批货。对于紧俏的商品，买的时间越早，价格相对越便宜；而对于滞销的商品，买的时间越晚，价格相对越便宜。在时间上，价格与价格的差异是非常明显的。每一笔交易都有特定时间，过了这一时间，其价格就要另外谈判。特别是有些吃的或用的商品，时间性的要求非常突出。比如鲜花，过了一定时间，质量就大打折扣了，价格也就随之降下来，而实际上后卖的鲜花的成本比先卖的成本还要高。这种价格上的时间差异，是价值解释不了的，价值只能是统一计算，不能像价格那样，一时一变。在买者与卖者的关系中，一般交易都是要将时间因素考虑在内，买者什么时间付款，卖者什么时间付货，都关系到价格的不同，甚至付款方式的不同也是价格不同的原因。比如出版社要求译者翻译书稿，什么时间交译稿，出版社给予的稿酬是不一样的，快件的价格往往比慢件的价格高出一倍。在能加快也可放慢的服务选择中，价格是一个变量，邮政快件走的路程与邮政慢件一样，但就是时间快了，可能是飞机送达，不管运输工具如何，关键点在时间上，由于时间快，邮局理所当然地要高收费。这就是价格个量的时间性特点，研究价格，尤其是研究价格的个量，是一定要顾及时间性的。很多人讲时间就是金钱，其实落脚点也就是在价格上。但价格的时间性与价值的时间性不同，这是个量实现的准确的时间性，而且是不同时间可能出现不同价格表现的时间性。同样的劳动成果用更少的劳动投入完成，意味着价值减少，而这时的价格并不一定会随之减少，很可能还会更高。在时间上体现的商品价格，比之商品价格在市场上的站立，似乎能更确切地表明它是买卖双方的关系，而不是非买者与非卖者可以介入的领地。只有能够真实地在具体的时间内碰面的买者与卖者，才能就某项交易达成价格协议，现在这种碰面的机会已经由互联网做出了卓越的创造。现代的市场经济，社会生产的丰富内容远非落后的小生产时代所能比拟，各种商品与劳务的价格的时间性也相应地十分复杂，而且，市场中的佼佼者利用价格的时间性，也开创了市场发展与价格规范的新途径。期货市场的产生，包括金融衍生品的期货市场存在，是市场发展形式中当今的最高形式，在经济发达的前提下充分利用期货市场的市场功能，可以使现货市场的交易获得更顺当的条件，或者还可以说，期货市场的兴起与运行是很好地利用了价格的时间性要求，为买者与买者的商品与劳务的交易开创了复杂又成熟的市场条件。市场的投机性集中于期货市场，但是同时期货市场也具有套期保值和价格发现的作用，而价格发现的作用提前表现了市场的商品与劳务的远期价格，这对于社会生产结构与规模的安排和社会稳定市场秩序，具有重要的意义。期货交易的特点就表现在价格的时间性上，期货使不同时间的价格以市场投机为润滑而确定下来，这种确定使市场的作用对于生产更重要了，也使生产获得一定的市场保障，即这可在一定程度上使卖者无忧，使买者心明眼亮，市场可明确地区分为各个交易时点，每一时点有每一时点的价格。③变动性。价格个量的市场表现，不论是大型生产设备之类的商品，还是短时间内提供的生活服务，都是可以变动的，并非一经定下就一成不变了。随时都可能有变动，这是价格的特征，如果价格没有这种变动性，那么是不符合实际，也不符合逻辑的，没有变动等于说不具有现实属性了。但是，要明确的是，在这里讲到的价格的变动性，并不是指商场里的商品标价的改变，而是指买卖双方的实际成交价格的变动，即市场交易中对价格的协议已经确定之后的再改变。在中世纪时的小商品生产经济中，这种价格改变的情况就存在。假定那时一位鞋匠将他自己制作的一双鞋以 20 元的价格卖给了本村的铁匠，铁匠将鞋拿回家去，家人不满意，指责铁匠付给鞋匠的钱多了，让铁匠再去找鞋匠讲价，若鞋匠不能按铁匠家人的要求降价，铁匠的家人就不让铁匠买这双鞋。事情若到这种地步，鞋匠要是为了维护这笔交易，就完全可能同意铁匠家人的要求，降低价格，退还给铁匠一部分钱，仍然坚持将鞋卖给铁匠。在当今世界，不论发达国家，还是发展中国家，都还程度不同地存在一些小商品生产，所以这种鞋匠与铁匠关于价格变动的例子，实际是在我们生活的这个时代里还留存的，这种情况其实是很简单的，但是表现力很明确。在市场中，小商小贩与买主发生价格变动的事不足为奇，大宗货物改变价格也不罕见。尤其是成套的工业设备订货，很可能是定下来的价格一变再变，包括提供额外服务也属价格的变动。一批国外定购的设备运达口岸，拆箱检查一看不符合要求，或安装时发现问题，买家一般情况下会立时向发货商提出退货或价格重议问题。实际上，出现这种事，退货的少，大多数是重新定价，赔偿买方损失。有些交易，可能是从开始供货，双方便就价格重新谈判，直到货物供完后的很长时间，价格的谈判还可能结束不了。商务活动中的种种麻烦事情是集中体现在价格上的，比如说商品质量有了问题，而买方对这一商品又不能换，在不影响使用的前提下，可选择的办法就是降低价格，进行一定的赔偿，维护双方交易关系。有很多实例可以说明，在这种情况发生后，有的商家为了保持自己的信誉，稳住客户，甚至主动提出来退还一部分货款。这是价格的变动性在市场交易中的实际利用，通过价格变动可以使企业的销售市场保住，维持企业生产的继续。在良好合作的前提下，交易双方中可以有一方主动地提出变动价格，这是市场经营策略。但如果是商品确实有问题，那么是必须变动价格的，其降价只是体现按货论价的要求，是避免退货造成更大的社会损失，退一定的款是应该的，为此发生民事诉讼也是情理之中的。从另一方面来说，如果没有商品质量问题，购买方无从挑剔货物质量，供货商严格执行合同规定，确保产品达到各项规定的要求，货物的质量完全符合购货合同的标准，就在这种情况下，若供货商主动提出变动价格，降低一些售价，退还一些货款，以保持与购货方更好的业务关系，这就是市场经营策略的运用了。现代市场经济已不同以往，有意识地运用价格的变动性来达到灵活经营的目的已是许多交易者经常使用的一种经营策略手段。现今的各种工程招标，已成为国际惯例的是，低报价，高索赔，即承建方向发包方报出的工程施工造价较低，以低价夺标，而开工之后，承建方就日复一日、月复一月地不断地向发包方索赔，发包方作为建筑主管单位的星星点点过失都会成为承建方索赔的义正词严的理由而使承建方得到经济赔偿，实际上这种不断发生的索赔就是不断地改变原先定下来的工程承建价格。从买方的立场来讲，能够改变既定的价格，就能够得到更多的实惠，可降低自己的经营成本，提高资本运营效率，或者是，由于质量问题而得到应有赔偿，避免自己不应有的损失。就卖方的立场来讲，产生种种情况的价格变动，如果不是一种主动的经营策略的实施，那么就是遇到了市场中现实的无奈，或是因为自己的过失，或是因为被买方逼迫，而不得不做出些明智的让步。如果被法律强制变动价格，那么对于经营者来讲是很被动的。可以说，尽管卖家们都想给自己的货物卖上个好价钱，但是在现时代发达的市场上，卖家并不是一味地卖高阶，在价格问题上搞得灵活一点儿，实际就是将自己的市场开拓得范围更大一些儿，将自己在市场的根子扎得更深一些儿，更能让市场为自己的经营提供便利条件，所以，卖方主动实施或施展价格策略，有意让价于已成交对象，或为成交对象提供更好的售后服务，这对于树立长期战略经营目标的企业，是自身市场竞争力的一种培植。价格具有的现实属性即它是活跃在市场上的范畴决定了可能有同样的商品从上市销售开始时起就不断地变价，然后以中等价格保持其平均收益，但是，这种变价不同于已成交价格的变动，前者表现的是价格的不确定性，即价格是运动之中的由社会使用价值决定的量，本身可以采取多种量实现，或者说可以不断地变化实现量；后者表现的是价格的变动性，是指定下的价格还可以变的性质。虽然自古至今，商品市场的价格变动是一直存在的，而且到了经济高度发达的现时代，这种现象在市场上更普遍了，这一特性已被人们有限度地自觉利用了。但是，从市场实际来看，也并不是样样的商品或劳务都可发生价格变动，无论是买者，还是卖者，在既定的利益格局不变的情况下，可能不会支持可能造成较大负面影响的价格变动，至少对价格变化的范围要求不允许过大。④合法性。价格表现的是市场关系的核心，或者说，价格是市场中最重要的因素，所以，无论在什么时间和地点，市场本身都必须坚决地维护买卖双方交易的价格个量的合法性。这就是说，在现实的市场上，交易的价格必须是合法的，从社会秩序规定的角度讲，合法性是价格个量的一种显著的特征。简单地说，价格的合法性就是指各类市场的合法交易的价格不能与国家对价格的法律规范或政府对价格的行政管理规定相违背。如果价格个量的形成违背了合法性的要求，那么这就是一个应该被制止或被排斥的价格。目前，在发达国家的较为成熟的市场上，一般是不容易形成不具有合法性的价格，市场对于价格合法性的约束是很强的，也就是说，市场的规范不给价格违背合法性造成机会。价格的合法性在法律的表述中，其基本要求之一是任何交易的价格不能为零。零价格是被排斥被制止的，社会不允许出现这样的市场交易，交易的价格可正值也可负值，就是不能为零，不允许有零价格的交易是市场坚定不移的要求，仅就现代讲，其他的市场规则可以通融，只有这一条是不能改的，零价格的不能成立是市场重要原则，任何人都不得破坏这一市场原则。准确地讲，零价格不属于市场交易的范畴，政府根据市场本身的性质要求管理市场是不允许出现违背市场交易准则的行为。凡是交易，凡是市场行为，都必须有价格表现，即必须有不是零的数值表现价格，不能将零作为价格，价格到零位等于是说没有价格。认识价格的合法性要求，就要正视零价格的被排斥，这是市场经济的一般性规定。各个国家的法律都对这一点特别强调。而就此原则讲，人们为了避开违背合法性的做法，想出了各种各样的对应办法，尽管这些办法的应用目的性很明确，就是为了不出现零价格，但这是无可指责的，市场既然有不允许零价格出现的规矩，就肯定要有变通办法的产生。所以，从实际生活中，我们可以经常看到某人或某企业用1元钱买下一座工厂的消息，这个价格低得近乎跟没有价格一样，但不是零价格，1元钱就是真实的合法的价格，这是一种价格象征，是回避了零价格的合法交易要求实现的。再者，价格的合法性要求买卖双方成交的价格若属于政府管制的范围，就不能违反政府关于这些价格管理的规定。也就是说，凡是政府管制的商品或劳务的价格都不能超越政府的管制线。市场上存在的价格中，大量的是由交易双方自主决定的价格，即不受政府直接干预，但也有不少价格是由政府控制的。对于政府控制的价格，政府是怎么定的，买卖双方就要怎样执行，不折不扣，不能自行其是，以为双方认可的价格就能生效。如果双方谈妥的价格，与政府管制的价格要求相抵触，此价格就不具有存在的合法性了，必须在法律的规制下加以修订或解除。比如，政府规定某商品售价的最高线是100元，那么卖者就不能按100元以上的价格出售这种商品，买者也不能按100元以上的价格购买这种商品，双方自愿提高价格是不允许的，因为政府限价的意义和作用就在于不让这种商品的价格升起来，如果交易双方不听从政府的价格管制，那么将会受到有关的处罚，处罚的力度大约应以能够制止这种抬价行为为准。在政府做出了商品售价的最低线时，道理也是同样，交易双方必须严格遵守政府规定，不得自行将价格降到控制线以下。此外，在价格的合法性上，还有一项要求是，价格不能歧视。不论何种商品或劳务，在买卖之间的成交中，价格必须一视同仁。作为规范的市场中的一位卖者，卖给甲顾客的商品，与卖给乙顾客的同样商品，在同一时间段内，价格不能有差别，若出现了两种价格，这就是形成了价格歧视。比如说，某学校向社会招生，对同一专业受同等教育的学生必须同一标准收费，不能存在男生一种学费价格，女生又一种学费价格，更不能发生白种人生员与黑种人生员的收费不一致。在现代发达的市场经济中，价格歧视是严重违法的。即使是好心好意地给予某些困难的人以价格的优惠，这也是不允许的，除非制定这种价格差别的人能向司法机关做出有说服力的解释。价格歧视是违反市场公平原则的，市场秩序是要建立在公平原则基础之上的，所以，为了有效地维护保障社会经济正常发展的市场秩序，在目前阶段，必须有效地制止价格歧视行为。现在，一些发展中国家对价格歧视的问题还没有给予应有的重视，这是需要尽快改变的。更应明确的是，对于价格合法性来说，任何价格之中不得含有欺骗。在市场上，作为交易的双方，不论是买者，还是卖者，都不能利用价格欺骗对方。买方愿以高价成交，意在引诱卖方上当，这是典型的犯罪行为。卖方以次充好，高价格低质量，坑骗买方，也是规范的市场经济决不允许的。买卖双方的价格一旦带有某种欺骗性，其交易关系就演变成为扰乱市场秩序的重要因素。尽管目前各个国家还无法完全杜绝欺骗性价格，但是从市场的实际情况看，基本上都能做到对于所发现的这种价格犯罪行为均给予当事者严厉的制裁。

总之，价格的现实性或具体性是与价值的潜在性或抽象性不同的，在市场的研究中，不能以价值的抽象去认识价格的现实，也不能用价格的现实去替代价值的抽象，对这两个经济学的基本范畴必须有联系又有区别地考察，按其各自的性质加以分折认识，这样，系统的价值理论研究才能具有深刻性和准确性。而且，认识价格的市场运动，远比认识价值运动要丰富和复杂得多。就一般性而言，经济生活之中处处有价格，时时有价格变化，不仅货币表现价格，而且相互交换的商品与劳务之间也是相互的价格表现。价格的市场特征与市场形成条件，是经济学研究的重要内容，是理性地认识市场的核心。从种种生动活跃的价格表现来看，分析价格要充分地重视市场的偶然性或偶然因素的影响，这与对价值本质的稳定的必然的揭示是决不相同的。需要特别分辨清楚的是，在理论上抽象，价值是一个表示投入劳动的概念，即价值表示的是生产商品或劳务的有用劳动的投入量的作用凝结，是一个生产范畴，是对生产中已消耗的物质量作用的计量；而价格则是一个评价劳动成果的概念，劳动成果无疑是以投入劳动的量为基础的，但又是具有市场现实性的，并不完全以投入劳动为成交准则，即不是按投入劳动形成现实的价格，价格的形成所受到的影响是多方面的，实际形成的价格必然是表现市场当时接受能力，所以与价格直接相联的不是生产而是交换，现在市场的发展已使这种劳动交换关系的表现具有相当高程度的独立性，尤其是活跃在证券期货市场上的价格更是如此。价格不是潜在性的，价格都是现实的，价格可直观，有现实的市场交易，就有现实的价格，期货性质的交易，也具有产生现实价格的能力，仍不是属于潜在性的，事实就是，交易不可潜在，价格也不可潜在。从市场的构成关系来看，价格同价值一样，表现的对象物都是进入交换的商品与劳务，没有商品与劳务的交换，就没有交换价格出现，而这是价格与价值不同之处。价格是表现在商品经济之中的，是表现在具体的商品与劳务上的，这种现实的具体的表现是市场关系之中最一般的关系表现。而从商品与劳务的所有权的权属来看，价格是买卖双方的关系表现，不是某一商品或劳务的卖者或买者，与该商品的价格是无关的，即在商品或劳务的买者与买者之外，不论是谁，都不能对价格的具体形成拥有决定的权力。政治经济学的基础研究表明，价格在市场上既是一种劳动交换值的表现，又是有交易关系的买卖双方的权力决定的现实，政府可对价格实行必要的管理，但决不是以此取消价格的市场现实性，政府的有效管理应保持价格的独立运动的活力，使其在受价值规律约束的同时，依然能够实现促进市场繁荣与发展的旺盛的生命力。

第四篇

价值存在与社会发展

第十七章 价值积累

当我们对劳动成果进行量化分析时，可以抽象地讲某一劳动成果大体具有多少价值，即它的价值个量是怎样的，也可以具体地讲某一劳动成果的价格是多少，这种价格是怎样在特定的市场条件下形成的。做这种抽象的量化是价值研究的需要，同样，做具体的量化是价格研究的需要，也就是说，抽象地量化研究与具体的量化研究是价值范畴研究与价格范畴研究的显著而重要的区别，它们之间的研究一致性只是表现在量化的要求上。但严格地来认识，价值可表示劳动成果本身，即它可作为劳动成果抽象存在的一种表示，这也是财富的本身表示，而价格却不能用做劳动成果本身的表示，价格只是劳动成果的市场交换值的标志，即价格不是表现财富实体的概念。人们只可讲某劳动成果的价格是多少，不能说拥有这一劳动成果的人拥有多少价格。因而，历代的或现实的劳动成果的积累，即人类创造的财富的积累，可抽象地概括为是价值的积累，不论这种积累是实物的，还是知识性的，决不能讲这些积累是价格的积累。只是在对已积累的价值又要有市场交换值的考察，才可谈得到这些积累的财富的价格问题。也就是说，在劳动成果的积累问题上，价值范畴与价格范畴的用法是有区别的，或者说，抽象地认识和表示财富及财富积累的范畴是价值，价格作为具体的财富的量化标志不与财富本身的积累直接相关，讲到积累就是指价值的积累，价值是劳动成果或人类财富的抽象表示，对于积累问题的抽象研究就是研究价值积累。

一 积累与不积累

积累价值与不积累价值具有不同的意义与作用。积累的价值是生产并实现的价值与消费掉的价值之间的差额。生产的劳动成果实现的价值越多，而随后消费掉后的价值越少，价值的积累量就越大。不论是在生产中，还是在生活中，实际消费使用后剩下的价值，都是积累下来的价值。生产出来的劳动成果，随即被消费掉，就不存在价值积累。在商品经济中，有价值积累，就是有交换的实现，没有交换的实现，就谈不到价值，谈不到价值积累的。并且，由于社会不可能消费尚未生产出来的财富，所以，就某一时刻的生产与消费的关系讲，负值的价值积累是不存在的。只是在社会经济生活的连续运动过程中，因某一时期的消费超过了生产能力而动用了前时期的积累，在这种特定的情况下，负值的价值积累才能成立，但这也是不可能长期存在的。不积累价值的含义就是消费价值，这包括有用的消费和无益的消费，甚至在这一意义上，也包括浪费。也就是说，不积累意义上的价值消费是广义的消费，涵盖生活消费领域，也囊括生产消费内容，泛指一切对劳动成果的使用，这与只指生活消费的狭义消费不同，是在全社会的生存意义上认识劳动成果的使用与留存的。积累价值并不等于说不使用劳动成果，而只是说劳动成果生产出来实现价值以后没有被使用掉，因为凡是有用劳动的成果都应该是被使用的。实现了价值的劳动成果最终没有付诸使用就消失了有用性，是对劳动的浪费，而不是价值的积累。

价值的不积累是人类社会生存与发展的基本前提条件，每一时期，人类劳动创造的价值都是要用于当时的社会消费，即当时的消费是主要的，积累价值并不是首当紧要的。不论各个时期的社会的人是怎样消费价值，是公平地消费，还是不公平地消费，是合理地消费，还是不合理地消费，总之是要有足够量的价值消费才能保持社会的存在，才能使财富的创造者们继续创造财富。在传统的农业生产与农产品消费的关系上，价值不积累的要求是最为明显的，每一年生产的粮食主要用于下一年的口粮、牲畜粮和种子粮，一年的粮食发生欠收，下一年的生活就要受到影响，若遇大灾，下一年农民的日子就很苦，甚至会饿死许许多多的人。从根本上说，劳动成果的价值存在意义就是为了用于消费，早消费、晚消费，都是要消费的，有了消费，社会才有生存的动力，才有发展的延续，消费的意义来自于价值创造的意义，消费的水平取决于价值创造的水平。就此而言，社会的存在与社会的消费是等同的。这实际上是自然的驱使，既然人的胃在 5 个小时内就可以将吃下去的粮食消化，那么社会的消费就永远要伴随着社会的存在，不能休止。很自然，尤其是在生产发展水平很低的状态下，对于价值积累与价值不积累，社会首先要考虑的是不积累，而不能是积累。如果社会的生产不能满足当时社会消费的要求，这就会使当时的社会产生严重的问题，萎缩、动乱乃至相互残杀。而在社会的生产能够满足当时的消费的前提下，仍然是要先消费，后积累的。也许到了未来社会，这一秩序正好改过来，是积累在先，消费在后，但那不是历史，也不是现在。在社会有能力做出积累时，就显出一种良性循环的征兆。价值的积累可以不是每日每时的，也可以不是每年都有的，但只要是能有一些积累，就是可取的，社会生产的更大的动力就在于价值的积累之中。相比之下，价值积累是一个长期的过程，也可能是在过程之中断断续续地表现的，而价值的不积累却是每日每时都要发生的，一日一时也不可少，人们一日要有三餐，社会的生产每天要进行，巨大的价值创造必然相伴于巨大的价值消费，不积累是正常的，是大量的，是必不可少的。

　　而另一方面，价值的积累又是人类社会发展的必要条件。生存与发展是直接相关的，有生存才能有发展，有发展才能更好地生存。作为社会发展的必要条件，在特定的意义上，价值积累的贡献是高于价值不积累的。价值的不积累是价值积累的基础，价值积累是价值不积累的超出。实现价值的积累需要相应的条件，只有在价值的不积累允许的基础上才有价值积累的可能性，这不是一种主观随意的事，而是受客观因素限制，受社会对价值不积累的要求的限制。在远古自然经济时代，人类劳动的生产能力很低，当时的劳动成果创造都用于即期消费，也只能满足很低水平的生活要求，在那时，做出不多一点儿的积累都需要将本来已很低的生活水平再压低才能实现，而且，即使社会民众极愿意做出牺牲，不怕生活水平降低，由于受总的生产能力限制，能做出的价值积累也不会有多少。[①] 到了商品经济时代，其运行的特征是劳动成果必须经过交换才能实现价值，不能实现交换的劳动产品不具有价值，也就不具有价值积累意义，积累是发生在交换之后的。交换之后的经济运行若保持价值实现量与价值消费量的对等，那么也就没有价值积累。若价值消费量是既定的，那么要想得到价值积累，就必须使价值实现量超过价值消费量。假如原先价值实现量正好等于价值消费量，没有价值积累。那么，要实现价值积累，就必须创造并实现比原先更多的价值，同时还要保持价值消费量的不变。在有了一定的价值积累之后，社会的生产能力提高将会更容易实现。社会的价值积累越多，尤其是生产资料的积累越多，社会才能进行长期的投入或基础性的投入，才能扩大工程建设规模。同自然经济时代一样，商品经济时代的价值积累也是全社会的福音，但是任何价值积累的实际做出，都是需要付出代价的，问题只在于社会是一部分人还是全体成员承受代价。代价是积累的条件，不论价值积累发生在社会的哪些组织或个人手中。在政治经济学的价值理论研究中，积累与不积累都是从全社会的角度考察的，即凡是价值积累都是具有社会意义的积累，积累的存在表示社会创造价值的能力的提高。

社会的文明程度体现在社会对于价值积累的重视程度上。因为价值积累表示价值存在，社会除去随时消费掉价值外，还有一定价值存在，是社会的生存与发展的保障。这种保障条件是社会文明的表现，其保障条件越好，社会文明程度就越高，而重视这

---

① 但从某种意义上讲，价值的积累是人类社会的开始，有价值积累才有人类的存在。

种保障条件的实现，是社会文明的必然要求。从远古，人们就基本懂得积累的道理，年年省吃俭用留有尽可能多的储备。而在现代社会，价值积累是由社会经济体制保障的，世界各个国家对此都有强制性的要求。但如果仅从生活保障的角度来认识价值积累的作用，还是不能说明价值积累的重要性和对人类生存的重要影响。社会的发展需要社会做更大的投入，这种更大的投入要求必须实现价值积累，因而，没有价值积累，很难有社会的发展，经济的运行只能是原水平的循坏。至于人类的生存，那是要依靠社会的发展来保证的，不断地发展，才能有生存的延续。而且，将来的发展必须是要为人类打开更大的生存空间。现在的发展是将来发展的必经之路，不论现在与将来，由价值积累决定的社会发展都关系到人类的生存。就现实来讲，一个重视价值积累的国家，相比一个不重视价值积累的国家，其社会经济的发展要快得多，这是不以社会制度的区别为转移的。就是同一个国家，哪一时期的价值积累有成效，哪一时期的社会经济发展要相对快一些，当然，这种价值积累的实现及其作用的发挥是指合理量的积累，即是价值不积累所能允许发生的价值积累。对于企业经营者来说，有了一些积累，才敢于做一些大胆的试验，或者说才能做技术改进方面的试验。在工业革命之后，机器的改进，是经过反复的试验才成熟的。有积累，才能支持这种改进试验，而试验成功了，生产能力就进一步提高了。现在，一些发达国家已经将积累用于探索宇宙空间，这一方面是为全人类进行的科学探索，代表了人类的劳动能力正在向地球之外延展，另一方面也积极地推动了这些国家的现代科学技术与经济的发展。

价值与使用价值是不可分的，有价值就有使用价值，有价值的积累也就有使用价值的积累，即劳动成果的积累一方面抽象为价值的积累，另一方面又表现为使用价值的积累。从社会发展的意义上看价值积累，不能理解为单纯的货币积累。货币只是价值符号，符号可以表现积累，但符号不是积累。价值的积累必须有实实在在的内容，必须有相等的使用价值伴随着。从历史的实际来看，在相当长的时期内，社会中的积累，即价值与使用价值的积累，主要是粮食的积累。古代农业社会，国家要储备粮食，各家各户也要储备粮食，谁家的粮食多，谁家就是最富有的。从当时社会看，由于生产能力低，能储下粮食是很不容易的，粮食的生产往往赶不上人口增长对粮食的需求。而且，储备粮食还有一个难题，就是保管困难，保管粮食的成本很大，费用很多，并且有很大的损耗。而在现代社会，尤其是在发达国家，粮食产量高，储备多，有先进的储备设施。现在虽然价值积累不以粮食为主，但粮食仍然是国家重要的储备。从发达的社会生活水平来要求，除了粮食要储备，其他生活必需品也在储备之列，如燃料、棉花、食盐，等等。但就人类社会发展的特征而言，最重要的价值积累形式是脑力劳动成果的存在，即知识的价值存在，这是存在长久的。人类社会从低级形态发展到高级形态实质是建立在一代又一代人的知识创造与积累上的，在某种意义上，社会的进步就是知识的进步，缺少知识价值的积累，社会的发展是不可能的。在社会积累下来的知识中，包括自然料学知识和社会科学知识，物质劳动的技能技巧都属于自然科学知识，而精神劳动的思想成果则属于社会科学知识，这两个方面的积累都重要。相比而言，自然科学的知识价值的积累比较容易一些，近几十年来的新技术成果的不断涌现即可证实这一点，而社会科学的知识积累相对不容易，有些时期基本是停滞的，向前推进新的认识是很难的。所有的知识价值的积累，都体现脑力劳动价值创造的特点，其劳动成果不同于实物型的产品，也不同于体力性的非实物劳动产品。在历史的长河奔流之中，有些知识是要被淘汰的，而有些知识长久地存在价值，无情的岁月磨蚀不掉它们与生俱来的光彩。知识产品同其他产品一样，在商品经济条件下，也要经过交换才能实现价值，但与其他产品不同之处就在于有用知识可长期使用，其价值存在就是社会的基本的财富。这些知识不必再交换就能使用，而是直接提供给全社会的，只需使用者付出学习成本就可以为其所用。对于新的知识创造，在现代社会，受知识产权的法律保护，在保护期内，使用是有偿的，过了一定期限，就不再具有对其创造者收益的保护了。此后，知识转为社会成员的可利用的共同财富。因而，在积累的价值中，概括地讲，是分为两大类的，一类是仍只归有所有权的人使用的价值，另一类是供社会成员无偿使用的价值。从价值积累的这种区分中，不难看出，能够长久存在供社会无偿使用的价值积累是最珍贵的，是对社会的存在与发展起关键作用和主要作用的，而这一类的积累只能是知识价值。

就有偿使用的价值积累讲，存在积累实体的替换问题。比如粮食，一年打下的粮食可以存留一部分，但作为储备的粮食不能存放过久，一般存一年或二年就要用于消费，再换一批新粮食存起来，存粮的价值量可以不变，存粮的品种、质量也可以是一样的，只是粮食的生产年份不一样了，不再是陈粮食，而是用新粮替换下了原先的价值积累，保持着积累的连续性，同时又变换了积累的实体。如果价值积累的替换是同等价值的替换，就是说积累的量没有增加也没有减少。比如粮食，国家的储备量是一定的，不能过多，也不能过少，要保持稳定，将保管成本和损耗限制在最低点。凡是作为价值积累存在的实物型的产品，在保证有用性不变的前提下，过一段时间，都要考虑替换问题，即只维护原来留存下的价值量，而对于价值与使用价值都要改换，用新的劳动成果取代原先的劳动成果作为积累品存在。价值积累量的保持与价值替换并不矛盾，有了替换才有新的积累，才有积累量的保持，而需要保持价值积累量，才需要不断地替换价值，用新的价值取代旧的价值，维护积累的稳定。除了储备的原料、材料、燃料等物资外，对于坚固耐用的大型设备，也存在替换问题，只不过替换的周期时间长，而且替代品可能有一定的变化，比如技术性能更好了，功能作用更齐全了，等等。所以，价值虽然抽象，让人看不见、摸不着，但价值积累的物品存在却是具体的，有使用日期的限制，在需要替换时，必须替换下来。

在常态社会里，在以往的历史中，一些国家做出相当多的价值积累是为发动战争准备的。扩大军事劳动变态，穷兵黩武需要有物质的积累为基础。凡是打起仗来，就打乱了社会正常的生产秩序，难以有满足大量军事需求的物资生产供应，所以打仗之前必须先做好物资的储备。军备竞争是这种特殊的价值积累的现代表现。如果社会不积累军用物资，生产出来的价值全部消费掉或留做别用，也就是说没有做军事截留，那么想要发动侵略战争或反击侵略战争几乎是不可能的。从这个意义上讲，价值积累或者说相对足够的价值积累的实现是发动侵略战争或反击侵略战争的一个必要的先决条件。打仗是需要经济能力支持的，军人的吃穿、住以及他们家人的生活安排都要考虑，军队的武器准备要花费许多劳动才能生产出来，尤其是古代，生产能力低，造兵器是相当消耗社会劳动的事情，积累足够的军备往往要好几年时间。打仗的实质是军事变态劳动的对抗，是社会经济实力的对抗，强者才能胜利，个别人的战时智慧实际是不起决定作用的。军界无论多么狂妄，离开经济基础，也是纸上谈兵，打不了仗的。因而，对于战争胜负的分析，不在正义与否，也不在军事技巧或军事指挥员的才能上，与纯军事因素相比，更重要的是看作战双方的价值积累如何，质和量又如何。一个国家如果突然加大军事物资方面的价值积累，而且不断地在想方设法提高军备质量，那么随着时间的推移，爆发战事就不可避免了。对于想发动战争而又真的将战争之火点燃的国家，如果他们实际做了大量的军备积累，而又宣称自己国家不愿打仗，打仗是被迫无奈的事情，可以说任何人都不会相信的，因为这种军事价值积累增长的本身就是激化战争的因素。历史告诉我们，自古以来，为了保持自己的国家存在，或者说不搞侵略的国家也要做好反侵略的准备，也要相应做必要的军事价值积累。也就是说，价值积累作用中的一个重要的方面是保持军备，不论是想发动战争，还是想防御外来侵略，都需要有足够的军事价值积累，这是常态社会正常生活的基本要求。在20世纪下半叶的冷战时期，对峙的双方阵营为了在军备上压过对手，都对变态的积累给予了高度的重视，大量的财富被用于军备，其他方面的生产不得不受到影响，军工生产在这些国家那时是重要产业，使变态价值的生产创造超过了历史上的任何时期，这种冷战实际上比热战消耗的物资都多，只是人员的伤亡极少。

现在，冷战时代已经结束，昔日的过度军备对一些国家经济发展的影响至今尚未完全消除。但这些国家还是从往日的不堪重负的军事竞争中解脱出来。正常的日用消费品的生产正在这些国家逐步恢复。只不过，人们要记住，人类现在还面临着战争的威胁，在消灭战争的过程之中还要防止战争，必要的军事价值积累还不能不给予重视，变态积累仍是社会积累中的一个部分，一个不能被取消的部分，研究价值积累也就相应要研究变态的军事价值的积累。

二　非均衡积累

价值积累是现代社会的有意识的行为，与古代自发的无意识形成价值积累不同，这种积累已经有法律的保证和正规的途径。

但从另一个角度认识，不论是古代的价值积累，还是现代的价值
积累，在时间上，都是表现为非均衡积累，有的时期有相当多的
积累，有的时期则积累很少，还有的时期没有积累或是吃以前的
积累。就某一特定时期而言，能否实现价值积累，取决于当时
的社会经济发展状况以及经济主体的意愿。在经济发生困难时
期，实物型的劳动成果的积累很难实现，只是不排除非实物型
的智力劳动成果的积累。而在智力劳动成果缺少的情况下，如
果经济形势较好，也未必能产生价值积累，因为市场的繁荣可
能导致过量的消费，使积累无法出现。不能均匀地积累是价值
积累的基本特点，有的时候即使经济状况没有变化，积累也会
发生变化，社会经济生活之中是充满不确定性的，价值积累始
终是非均衡的。而且，这种非均衡性既表现在时间的纵向上，
也表现在地域的横向上，在各个国家或各个地区，价值积累都
是不均衡的。

就某一时点进行比较，各个国家会显示出不同的价值积累量
和价值积累比例，这是静态反映出的不均衡的价值积累。每个国
家的价值积累都是相对独立实现的，各自的经济发展状况以及社
会状况都是形成不同积累的环境差异，每个国家有自己的历史做
法和传统习惯，对于价值的积累与不积累，他们自己做出选择，
并且自己承担后果。各个国家的绝对量的价值积累不可能一致，
相对的积累比例也是不能划一的，只能是大体上比例比较接近。
不仅仅是积累和积累量的问题，还有怎样积累以及积累什么的问
题，都是各个国家与地区需要考虑的，都是会有不同的认识的。
从人类社会的整体来看，各国不同的价值积累反映各国不同的经
济发展水平以及不同的经济生活风貌，这是一种活跃的多样性反
映，其中有成功的典范，也有失误的教训，不均衡的价值积累之
中包括欢乐与痛苦，包含着不平静的历史发展过程。

在不均衡的价值积累之中，一般讲，目前经济发展水平相对低的国家，应有意识地努力提高自己的价值积累比例，这需要痛下决心和采取有效措施。这些国家不能同发达国家比，要灵活地实现自己的积累方略，一方面要保持消费水平，逐步加大积累比例，另一方面要想方设法引进发达国家已可免费使用的智力劳动成果。高的价值积累是这些国家经济发展起来的一个必要的前提条件。如果不重视这一条件，使自身的积累能力丧失，那么这些国家与发达国家的经济发展差距将会越来越大。虽然各国之间经济发展的不平衡的根本原因不是价值积累的不均衡，但是价值积累不足也是造成许多国家经济发展落后的一个重要原因，这是需要明确的。

在各国之内，也存在不均衡的价值积累。各个地区有相对独立的经济利益，就可能产生不均衡的价值积累。国内的这种不均衡有别于国与国之间的不均衡。一般说，在国内不能有地区间太大的发展差距，因而价值积累的差别也不应太大，这与国际之间的差别很大是有区别的。就地区产生的价值积累差别而言，主要是在智力劳动价值方面，有些地区缺乏这方面的创造，谈不到积累问题。在过去，各地之间的通讯不方便，信息不流通或很少流通，这就造成了先进的知识在某种程度上的不扩散，即这种积累的使用范围是有限的，在地区之间存在明显区别。知识的积累不够是落后地区赶不上先进地区的一个关键性的原因。一代人若缺乏必要知识，下一代人就要受到影响，一代一代下去，结果就落后了，赶不上先进地区的发展了。如果只是一代人落后，这是比较容易解决的，但一代接一代地落后，改变是很困难的。落后往往就是愚昧的积累，而先进则是知识的积累，同发展相对落后的国家一样，发展相对落后的地区在本国之内也要高度重视价值积累问题，特别是要积极地想办法付出努力将别的地区甚至别的国家的知识价值无偿地吸收到本地发挥作用，使之也成为本地区的价值积累中的一部分，一个重要的部分。如果落后地区的人们能够真正认识到价值积累对于本地经济发展的重要性，并且能够采取有效措施将认识到的问题转变为实际的行动，那么这些地区的落后就不会再延续下去了。也就是说，制止了愚昧，也就制止了落后。历史的经验可以证明，在国内消除各地的经济发展不平衡问题相对容易，国家利益的一致性决定国家有责任帮助落后地区发展，而国家的帮助首先要体现在重视这些需要帮助的地区的价值积累上，要依靠国内已有的知识价值积累尽可能地去带动落后地区发展。除了专利等知识产权以外，国内不应有已成为价值积累的知识封锁。只要政府下定决心。从重视落后地区的价值积累起步，拉近落后地区与先进地区的差距，是不会用很长时间的，即落后地区获得足够的知识价值之后，不会几十年没有变化。问题的关键就是要抓住有价值的知识，依靠知识的力量改变落后地区的面貌。国与国之间的事情目前还不是很好办的，像欧元的统一经过了漫长的磨合过程，而国内的事相对容易解决，解决好地区发展差距问题是国家治理的重要内容。各个国家都要实现国内各地区发展基本同步的目标。在这一前提下，地区的价值积累问题是要求给予保障的，虽然是非均衡地积累，但不能有太大的差距，应大体是一个发展水平的不均衡积累的实现。

从劳动者的角度讲，对于价值积累的贡献是不同的，或者说，价值积累在劳动者之中的实现也是非均衡的。并不是人人都可为价值积累做出贡献。而且，能做出贡献的劳动者也不是普遍性的。在各个国家里都一样，不分国家的大小，也不分国家的强弱，许许多多的人一生创造的价值仅仅够自己一生消费，甚至有一些人一生创造的价值不够自己一生的消费，对于这些人是谈不上在自己的时代为社会做出价值积累贡献的。生与死是分界点，就每一个人来说，他应该自己养活自己，上一代对他的抚养与他对下一代的抚养是相抵的，他如果创造的价值还不够自己消费，就只能由别人的劳动创造补足他不够的那部分消费需要，或是亲友，或是社会。没有价值的创造，就没有价值的消费，个人可以创造不足，但社会范围内是必须先有创造。原则上讲，一个人不应让别人创造价值供自己消费，一个人的价值创造应大于自己一生的消费，但实现这一原则，对于个人是一种挑战，这需要个人有较强的生存能力，即劳动创造能力，能够创造或者说经过参与价值创造得到足够自己消费的价值。能够使自己创造的价值大于自己消费的价值，不管大于的部分在哪里，是什么物品，他都是有价值积累贡献的人，哪怕他是将自己的贡献留给了自己的子女。社会需要这样的人，这样的人是常态社会中的强者，这样的人多了，社会就强盛，反之若一个国家中很少有这样的人，那么这个国家是很虚弱的。能直接为社会做贡献，是社会需要的人，尤其是做出知识价值创造的，是人类社会发展的支柱。一方面，社会的强者之中，包括变态劳动者，另一方面，能够成为强者的，在现代社会，已很少是体力劳动者了，为社会做贡献的主要是脑力劳动者，单纯的体力劳动已经不可能有较大的价值创造力。一位卓越的脑力劳动者可能个人没有多少财产，但他可有知识创造奉献于世，这些知识的价值长久存在，可以无偿地供全社会使用，一代又一代受益，他的贡献就不是一般人所能比的，他就是对社会的发展起到推动作用的人。在发达国家，目前教育的发展已开始有意识地塑造这样的人才，这方面的教育投资是最大效益地造福社会的。能够成为这种贡献者，对于任何人，都是荣幸的。社会的进步也就体现在人们越来越多地实现这种人生追求上。可以肯定地说，在科学技术研究领域，对社会做出贡献的人多于其他领域。从现在社会发展的水平来看，实现高度文明，消灭野蛮、贫困，在全世界的范围内更好地协调人与自然的关系，已经不是十分遥远的事情了，但即使到了那个时代，价值积累的非均衡性在劳动者的贡献之中还是存在的，因为人与人之间存在能力上的差异，到任何时候人们对于社会的价值积累的贡献也不会是完全等同的。

就劳动成果讲，其价值积累也是非均衡的。在人类劳动形成的所有成果中，有些成果是能够大量积累的，有些成果是能够长期保持价值存在的，有些成果是只能有限期地保存，有些成果是只能少量地积累，还有一些成果是不能用做积累的，或者说是不能积累下来的，只能随时创造，随时消费。如粮食的积累是有限期的，要不断地替换，用新的粮食换下以前积累的陈粮，决不能将粮食一保存就是 10 年。再如水果，几乎是不可保存的，加上保鲜技术，也不过放几个月，一定要当年生产当年消费，陈年的果子是没有价值的。最典型的不能保存或是说不能积累的劳动成果，是体力型劳务服务成果，如商业服务，旅游服务，餐饮服务，宾馆服务，等等。这方面的劳动成果是随生随灭的，一经提供必须马上享用，提供完即消费完，这样是没有任何价值留存的。在古代和近代社会，在经济不发达的国家，这种劳务型劳动成果占社会总劳动成果的比重较低，那时大部分劳务是停留在家庭劳动中尚未社会化，所以那时这方面劳动不能积累，对国家整体经济的影响是不大的，社会主要依靠知识型和实物型劳动成果积累。到了现时代，社会仍然要进行实物型劳动成果积累，但重点则是知识价值的积累。

变态价值的积累是又一种非均衡积累。有些国家一个劲地制造枪炮子弹，在不打仗不使用的情况下，这些劳动成果就成为了国家价值积累中的变态价值积累。在打仗不能成为现实的日子里，这些军用品是不动用的，为的是将来打起仗来有备无患，而战争与战争的间隔期越长，这种为战争而准备的价值积累的量就越大。这种积累的非均衡含义就是指有的国家积累量大，有的国家积累量小，而且积累的质量也不一样。从经济条件讲，发达国家会相对多地做这方面积累，而落后的国家想多做积累也是不可能的，是受经济实力限制的。从历史角度区分，一些惯常发动战争的国家重视这方面的积累，愿意将自己国家相当多的生产能力用于军用品制造，以保持国家辉煌的武力传统，而大部分国家，在传统的约束下，是将积累军用品限制在最低程度上。非均衡的军事变态价值积累出现在各个国家是必然的，国家之间相比，军事实力是有高低差别的，这一点根据各国的社会、经济、政治等条件是不可改变的。不论是多积累，还是少积累，在现阶段，每一个国家都必须付出这种代价。至于每个国家每日每时的军队保卫作用，是不能积累的，这方面变态价值创造，是一边创造，一边消费，随着时间的推移，凡创造的价值都起了作用，都不再存在了。只是军事思想及军事科技成果，作为变态的知识价值，可长期留存，在各个国家发挥作用，不过，各个国家保有这方面的价值也是不均衡的。

三　价值继承

积累跨越一代，就形成价值继承关系，并且是一代接一代继承的。从社会存在的角度讲，自原始社会起，在人类生活的土地上，价值的积累从未停止过，一直是延续下来的，而价值的继承基本上是每一代人都承受。但同价值的积累分为有权属的积累与无权属的积累一样，价值的继承也分为有权属的继承与无权属的继承。有权属的价值继承是指继承的价值有明确的所有权，价值是由一个所有者转到另一个所有者手中，这种所有权的转移不是交换，而是移交出让所有权的人已完成或即将完成自己的生命历程，要离开这个他为之奋斗过的世界，他创造的或他继承的价值还要再传给下一代。无权属的价值继承是指继承的价值在上一代就是社会成员共享的，只有价值存在的社会意义，没有个人或社会组织拥有所有权的确定，任何人在任何地方都可继续使用，没有付酬的要求。需要说明的是有权属的价值继承的权属人可以是组织。而无权属的价值继承是一种社会性继承，具有造福全人类的崇高意义，其价值的作用既长久又有效益，是社会文明的基础，是一代又一代人的享受。正因为对人类社会发展起作用最大的是价值的无权属积累，所以相对而言最有意义的继承是无权属价值继承。只要某种价值被继承下来在社会上还发挥作用，即它的使用价值是存在的并被社会承认的，那么这种继承就是有意义的，而当这种继承价值的所有权已经被它的所有者放弃了，这种继承价值就成为社会继承的财富，不再有任何个人或组织包括国家对它有权属要求，它将无偿地供全人类使用。凡是这种继承价值，实质都是人类创造性劳动的成果，这其中有创造性的知识，也有创造性的技艺，还有其他创造性的劳动成果的延续。与有权属的继承价值相比，无权属的继承价值是社会无形的财富，也是社会最重要的财富。人类拥有这一类财富越多，人类就越有生存保障。在人类文明发展的今天，无论在哪一个国家，都十分地重视对于这一类财富的发掘与利用。这种继承与利用是不分国界的。但是，这些无形的财富对于各个国家的继承者的作用是不同的，有的国家实际利用的多，有的国家实际利用的少，有的国家利用这些财富施行军国主义的扩张，有的国家利用这些财富进行现代化建设。而个人从这种继承中得到的效益也是不同的，有的人热心学习而受益匪浅，有的人热心玩乐而一无所知，人与人的不同，从实际讲，就存在这种继承的不同，不学习不掌握就谈不上继承，能够继承得很好的人都是社会上很优秀的人，相反，不去主动继承学习的人是进不了优秀行列的。也许有的国家及有的个人没有继承这种财富的良好条件，缺乏必要的学习教育基础。可事实上这种继承并没有苛刻的条件，只是由于这种继承与生存质量的关系还没有被许多人领悟，还没有被所有的国家高度重视，才致使这方面的价值继承在较大的社会范围内尚缺乏自觉性。作为一个国家，若不能以社会组织的力量有效地实现这种继承，那么定然是要使本国的发展处于落后的边缘。也就是说，人们必须清楚，在商品经济高度发达的时代，也并非所有的有价值的东西都有权属要求，都必须有偿使用，事实上可无偿使用的继承价值很多，而且无偿使用的价值的作用是很大的，这是人类共同拥有的宝贵财富，用不用在于自己的努力，能很好地利用这方面财富的人可以获得很好的发展条件，不能很好地利用这方面的财富，无论对谁，都是一种损失。价值理论的研究需要强调这一点，以提高人们利用这种财富的自觉性，尽快地使现在还贫困的国家走向富强。

与无权属的继承价值的关系不同，有权属的价值继承的情况是比较复杂的。有些价值的继承权属于国家，有些价值的继承权属于各种社会组织机构，还有一些价值的继承权属于家庭或个人。国家继承的价值属于本国人民共享的财富，这与全人类共享的财富有区别，可能不给别国用或别国人必须有偿使用，这种财富以国家的名义保存，本国公民共享，但本国任何一位公民不能分走价值的一份，其所有权只属于国家，不属于任何个人，也不是个人权力的组合。以国家名义继承的财富可以是有形的，比如国家财产，是一代一代人以国家的名义继承的，这是国家作为个人生存整体屏障的物质基础。严格地讲，价值继承与权力继承有所不同，就财富的存在而言，是先有价值继承，才有权力的继承，所谓继承权是体现在价值上的，没有价值的继承，其权力不存在。我们要清楚，与社会生活密切相关的政治权力是只有权力继承，没有价值继承，尽管政治权力的继承对于经济领域的运行有重大影响。每一个国家都必须认真地维护本国应有的价值继承权力。对于国家继承的价值范围，各国规定可能不同，但大体上是一致的。

一般说来，出土文物和历代保留下来的有重大影响的物品，其继承权即拥有权属于国家。国家要保护这方面的财富。每一个国家都有自己的国宝，这些物品价值连城。每一代人对这些国宝既有继承权，又有被继承权。除了要保证继承以外，即国家不能轻易丧失自己拥有的国宝，国家还应利用这些不灭的价值起到凝聚民众的作用。

继承价值的权力有的是属于一些组织机构。一旦权属区分明确某种价值积累归某组织机构继承，该组织就依法取得这种价值积累的所有权。现代有些个人生前积累了较多的资产财富，他们去世后，除了留给家庭继承的部分之外，有相当一部分财富被他们指定由某组织机构继承。一般情况下，教育机构和慈善组织较多地获得这种继承权，这样的继承带有捐赠的性质。就这种继承关系讲，个人做出的价值积累造福于后代社会，使后代社会的一些基础工作获得更好的活动条件，这是很可贵的。这种捐赠是自觉的，是个人有意识有目地为社会做好事，在各个国家，都对这种做法给予鼓励。

价值从积累角度讲更具有社会意义，而从继承角度讲，实际涉及的具体是家庭或个人的情况多。社会存在意义上的价值，明确其权属，大多归于各个家庭或个人。因此，各个国家都制定有继承法，用法律手段调整这种经济关系，规范人们继承与被继承的关系。一个家庭能够继承上辈人留给他们的大量遗产，对于这个家庭的生活的影响是很大的，这些价值可为这个家庭的每一个成员提供更好的生活条件和发展条件。社会保护并规范这种价值继承，对于保护生存资料使之延续地发挥作用，是至关重要的。这样的继承关系，前提是私有制的确立，不仅是生活资料要保护私有，而且生产资料也要私有制，没有对私有财产的保护，价值的个人或家庭继承没有任何意义。私有财产在现阶段是不可取消的，继承个人财产是私有财产的产权变化方式之一。现代社会必须在法律上承认这种产权的转移，必须明确这种继承关系的存在是稳定社会的需要，保证继承是必要的法律工作。这不仅仅是维护个人的利益，更重要的是保持整个社会经济发展的活力。毫无疑问，在人类常态社会发展阶段，最大限度地维护个人生存的权力，就是要具体地落实在对生产资料和生活资料的个人占有权力的认定和保护上。只有保护好个人的生存，整个社会的存在与发展才有保障。个人的存在是社会存在的基础，在任何时代，社会都必须维护自身的这一基础，只不过在不同时代有不同的维护方法，继承法的法律实施就是现时代的维护方法之一。在这种价值的继承之中，当然存在着大量情感因素，但更重要的是血缘关系纽带。有上一代对下一代的直接经济关系，才形成家庭或个人的继承。这是实际的利益关系，所以，继承有时候很麻烦，在继承者之间可能产生严重的财产纠纷，使亲缘关系变得暗淡无光，毫无亲情可言。由此记仇的也不是少数，从生存条件来考虑，对这种经济纠纷还是能够理解的。也正因为如此，社会重视继承是有深刻道理的。

现在发达国家对于个人继承做出法律上的重大调整。一般规定继承者必须交税，用较大的税率，限制继承的价值，将一定的继承所得归国家所有。这样做，是为了让每一代人都努力奋进，不吃上一代人的老本，保持公平生存的权力，更好地促进社会经济整体的发展。不让财富在个人名下有一代比一代更多的积累，这对于社会的进步是有积极意义的。这种收税不仅可直接为社会为公众提供可运营的财富，便于社会集中财力建设基础设施，发展教育事业，而且更重要的是促使人们积极工作，不依赖遗产生活，使每一代都保持自身的劳动创造性。允许个人继承是对社会生产活力的一种保护，控制个人的继承也是对社会生产活力的一种保护，二者之间并不矛盾。首先，社会以财产私有为基础，经济生活中的各项活动都要服从这一基础要求，价值的继承必须尊重这一私有基础，因此必须保护个人继承。其次，这种对价值继承的个人要求合理，是一般的准则体现，但合理必须保持在一定的范围之内，不能过分，过分了就起不到保护作用，会使继承者懒惰，而且也会使社会的财富占有更加不平等，因此，控制继承数量，让个人的遗产更多地奉献社会，是合理调节，是更有意义的。

有积累才有继承，积累在先，继承在后。不论是有权属的价值继承，还是无权属的价值继承，都需要先有积累。而所有的积累，与所有的价值不积累一样，都来自人类劳动的创造，尤其是无权属的继承，是创造性劳动的成果。而就创造性劳动中的劳动者来说，在他的一生中，除去成年前的时期，再除去退休后的日子，真正的创造就在他工作的时期，这是一个人最有收获的时期。不论是知识的创造，还是技艺的创造，只要是有所作为的，都能为后代留下不可磨灭的价值，千秋万代地造福于全人类。这种创造的产生和由此而来的价值继承，对于人类社会的存在与发展是至关重要的，这种积累与继承越多，表明人类劳动的发展水平越高。在有权属的价值继承中，国家更重视以国家名义得到的价值继承，并要积极地发挥这方面的继承作用。对于个人继承讲，现在已经不是家庭内部的事情，已有法律专门调整和规范，发达国家开征遗产税和继承税具有重要意义，一方面保护价值积累的延续，另一方面又集中了国家的财力，可办更多的有益于社会公众的事情。依靠价值继承，国家或个人家庭都会获得较好的发展条件，懂得这一道理，就会极为珍重继承关系，而不是产生财产纠纷，就可积极地利用这一条件走在别人的前面。社会的文明进步也很大程度上体现在价值继承的关系及其法律的调整与规范上。

四 积累的持续性

在价值继承中，许多财富并非是刚刚创造的劳动成果，而且也并非是没有使用过的劳动成果，继承的实际物品是复杂的，生产出来后长期未使用的价值，或者正在使用中的价值，以及使用过后价值没有耗尽还可使用的价值，都可作为价值积累，成为逝者留给社会的财富。对于正在使用中的价值及使用过了但还可用的物品，从积累的角度讲，是余值积累或残值积累。余值积累是指具体的物品除去已消耗的价值还剩下的价值作为积累。比如一个人生前建造了一座房屋，自己使用了10年就离世了，而这座房屋至少还能用40年，在他没有留下债务的情况下，这座房屋的余值就成为他留在世上的价值积累，这是整个社会价值积累中的一部分，但具体是他个人的积累，是他留下的物品的余值形成的积累，当年这座房屋建造的全部价值已被他本人消费了一部分。再有，如果积累物所剩余值很小，比如折旧报废的设备，老房子等，就可称之为残值积累，即表示余值太小已经意义不大了。残值积累是余值积累中的特殊情况，由于积累的作用可能很小，所以很容易被丢弃。就个人积累讲，除去货币化的积累，在具体的留存物品上，大都是余值积累或残值积累。在经济比较发达的时代，人们对于余值积累物品的重视程度下降，下一代人对上一代人留下的物品，如果不是新的，不是特别需要的，兴趣不大，甚至断然拒绝接受。这就使得相当多的残值，本来可利用的，都被统统废弃。从整个社会看，这是一笔巨大的损失，或者说这是富裕的人们对于资源的浪费，不珍惜这一类余值或残值，是生活水平提高以后人们的坏毛病。尤其是，在旧的物品中，深深地包含着上一代的情感，睹物思情，意味深远，这不仅仅是价值积累的延续使用，而且是情感的继承和人生的品味，对于继承者是很有感化意义的。而抛弃余值，割断亲情，人生的意义就难得深厚了，这种精神上的损失大于物质的损失。这是值得现代人认真思考的问题。这种情况很少发生在贫困地区或贫困时代，在人们生活困苦的时候，对于任何余值都是珍惜并且感谢的，人们重视这种积累的继承，这种继承联结着两代人之间的情与爱。现代科技发达了，这种继承只在贫困的人口中间还保持着，即依靠高科技的力量富裕的人们不再重视余值的保护了，这不是富裕了就可以不珍惜资源的问题，而是一个应当怎样对待人类生存与发展的问题，怎样对待劳动创造成果的问题，怎样与自然界相处的问题。从余值的积累与继承的关系上，我们应当将问题看得深透一些，看到生存的压力。

从现代社会的发展水平讲，作为一代人，或个人，或社会，留下一定的积累是应当的，即使是余值积累，也应有一些，这是人生的要求。而且自己的积累要超过自己对于上一代的继承，才有实际意义，因为只有这样，才体现积累的持续，没有这种持续性，社会就萎缩了。当一代的积累小于继承的时候，就说明积累实际上没有在这一代发生，已有的价值积累是上一代留下的，并且上一代留下的积累还未能得到完全的补充，这一代人不过是将上一代人残缺的积累传给自己的下一代人，完成了一个接续的工作，却没有自己这一代人的价值积累贡献。这种无积累时代是存在的,① 这种无积累比较明显地衬托出积累的作用。社会经济的发展不是一帆风顺的,历史总是不断反复的,发展就是在反复中实现的,一些年代没有积累,并不是说积累不能继续了,而只是表现了一种暂时的停顿,积累同发展一样是断断续续地延伸的。在战争年代,正态的生产受到影响,而变态的创造却层出不穷,这也有一些推进作用,或者说也起一定的联接作用,有些变态成果在战后很快转为民用,或为民用品的生产开辟了新路。所以,在常态社会,积累的持续也表现出强烈的常态性。

也有一些时期,社会是有意控制积累的。如果发生大的灾害,这时就不能搞积累,要先忙于救灾,甚至还可能动用原先的积累,通过减少原先的积累来保证灾后的生产和生活的恢复。再有,在高速发展时期,为了防止盲目建设,也要有意识地控制积累,不能使积累过高,造成当时消费的不足,影响发展。但在市场经济条件下,对于积累问题,是分散决策的,除了政府的决策之外,企业与个人要自己做出决策,积累与不积累,积累多少,是由企业与个人根据自己的需要而定的。

除去特殊时期,如果每一代人都既继承上一代人的积累,又为下一代人也做出一些积累,那么一代接一代地持续下去,国家就会越来越富强,社会发展的水平就会逐步提高。对于国家来说,国库充实,经济发展有后劲,直接得益于持续积累的实现。所以,每一个国家都要鼓励人民多积累,保持本国积累的持续性,增强国家发展的实力。这需要由政府倡导,建立良好的社会风气,不能在本国人民中间流行及时行乐的思想,不能使人们有太大的惰性,缺乏进取精神。特别是在生产技术的创新方面,在基础科学理论的研究方面,一个国家越有成就,其经济实力就越

---

① 这里只指有形财富的积累。

强，这体现出经济发展及市场竞争的核心力量，也是人类为生存而奋斗的集中体现，这在精神上对于国家的发展是有巨大的推动力的。凡是能为此做出突出贡献的国家，都是政治上和经济上的强国。国家，尤其是大国，不能没有持续的价值积累，即使遇到困难，暂时不能积累，过后也要迅速恢复积累，让国家得以有充足的积累条件保证经济发展。在价值的积累之中，持续性最主要应体现在知识的创造上，其次才是必要的生产和生活物资的积累。一个国家惟有能为全人类的进步多做贡献，才能使本国经济强盛。国家如何积累，如何保持积累的持续，是一个大问题，这实际是比保持国家经济运行正常的问题更重要。社会经济的发展并不直接决定于价值积累状况，但价值积累状况却是社会经济发展水平的直接标志。

经济组织与个人同样也要重视持续的价值积累。比如一家企业，年年有盈余，年年扩大生产资料总值，这是兴旺发达的标志，而年年保持原有的生产资料不增加，企业等于没有发展。企业的经营者必须把握住这一点，在有利的形势下，加大积累，加快企业发展步伐。企业不能吃老本，一旦不能加大积累，反而要减少原来的生产资料，就可能面临生存困境了。企业能否做到持续积累，是企业发展能力的检验。优秀的企业会适度地实现持续积累，不断地壮大自己。对于家庭与个人讲，能否持续积累，也是家道是否兴旺的标志。殷实的人家基本上代代都能做出积累，家业越来越兴旺，这需要家庭里有相当能干的人，依靠这样的人创造财富的能力，使家庭收入大于支出，从而实现一代又一代的积累，成为生存条件较好的家庭。

在持续积累的过程中，直观可见的是实物型财富要不断地替换，然而，在直观看不到的方面，实际上无形的财富积累也存在一定程度的替换问题。但这不同于实物型产品的替换，比如粮食的替换，玉米还是玉米，小麦还换小麦，无形财富的替换是不同品质的替换，是超出原有的认识能力的替换，即无形财富的替换是知识的更替，是新知识取代旧知识。这种持续积累中的更替对于社会的发展更重要。知识的更替与社会的发展是同步的。只是，有更替的知识，也有不更替的知识，自古至今，有大量的知识保存下来，至今仍有价值。如果不尊重自古延续至今的知识，以为只有现代的知识先进，是十分可笑的幼稚，现代有现代知识的先进之处，而古代知识能够延续至今，更说明它是非常有用的，否则就会被替换掉了。其中，有一些常识性的知识，是现代人普遍应该知道的，但这些知识在古代是古人花费辛勤劳动才认识到的，并将其流传下来，现在的人们不能因为这些知识简单而对古人的创造性劳动不以为然。越是简单的和基础的，就越是常用的，对于这些价值，不在于它们简单不简单，而在于它们有用没有用，凡是有用的，就必须要尊重。在持续的积累中，对于知识价值，即对于无形财富的积累，需要替换的只是已经失去有用性的知识。

第十八章　价值变态的消失

　　价值的积累中包括变态价值积累，这是常态社会的积累特点，在常态社会缺乏变态价值积累是不可思议的。变态价值及变态价值积累的存在是国家存在的特殊需要，国家与军事变态劳动是直接相联的。进行持续的变态价值积累是国家持续地巩固国防的需要。在政治经济学创立初期，有关军事劳动存在及其作用的问题就进入这一学科的研究领域，早期的政治经济学研究者们给予军事与经济的关系以高度的重视。只是，长期以来，政治经济学的研究对于劳动未做态势划分，对于价值没有变态的界定，这使得价值理论在经济理论体系之中难以贯通。我们的研究揭示了变态劳动及变态价值的性质，分析了变态价值的历史存在原因和客观的社会作用，阐述了常态价值向正态价值转化的发展趋势。在此，我们将在已有认识的基础上，进一步分析变态价值的产生与演变，从劳动创造的整体性上解释正态价值与变态价值的构成关系以及价值变态的中止条件与意义。

一　变态价值的历史性

　　变态军事劳动的价值创造取决于人类生存的需要，这是从变态劳动产生的根由上认识的。对具体的军事劳动的目标设立要做具体的分析，即具体的分析与从历史角度对变态价值范畴做出的考察是不一样的。从古代历史研究的结果看，最初产生军事变态劳动是动物行为的延续，是原始人为了各自的生存而导致的相互的残杀与吞食，这是极为惨烈的和血腥的，同时也与动物的行为一样无可非议，对此不仅不能用正态人生的理想标准衡量，就是以今天的社会准则来评判也是不妥的，尊重历史就要正视当时的生存条件，从当时的社会发展阶段出发认识问题。虽然年代久远，但我们仍可肯定地讲，在原始社会的初期，那漫长的岁月中，从外表看以及从生活的习性看，原始人与动物并无多么大的区别，原始人的理性是十分微弱的，而且这些有限的理性并不主要体现在军事搏斗上。从动物界带到原始人类社会的血腥气味一直影响着常态社会的发展。早期的政治经济学家亚当·斯密曾用较多笔墨描述古代人的军事劳动作用，他写道："就比较进步的游牧民族的社会状态，如鞑靼人和阿拉伯人的社会状态说，情况也大抵相同。在那种社会，各个人是游牧者，同时也是战士。他们通常在篷幕中，或在一种容易移动的有篷马车中生活，没有一定住所。整个部落或整个民族，每年因季节不同，或因其他偶发事故，时时迁移。当他们的畜群，把一个地方的牧草吃尽了，他们便移往另一地方，又从那地方移往第三地方。他们在干燥季节，迁往河岸；在阴湿季节，又退回高地。当他们奔赴战场时，并不把牲畜交给老人妇女儿童看护，也不把老人妇女儿童抛在后边，而不予以保护和供养。他们全民族在平时就过惯了流浪的生活，所以一当战争，人人都很容易变为战士。不管作为军队进军时，或作为游牧民游牧时，他们的生活方式，总大抵一样，虽然目的有不同。战争起来，他们一同作战，所以每个人都尽其所能来动作。鞑靼妇女参加战争，那是我们时常听到的。他们如果战胜了，敌方全种族所有的一切，都成了他们的胜利报酬；如果战败了，就一切都完蛋，自己的牲畜乃至妇女儿童，全都成了战胜者的战利品。连大部分没有战死的战士，也不得不为得到当前的生活资料而服从征服者。其余的一部分人，通常被逐四散，四处逃亡。"① 从亚当·斯密的描述中，我们可以知道，当最初的最野蛮的同动物几乎没有区别的原始人的战争搏斗过去之后，直接以对方肉体为食的战争目的转变为抢掠对方的财物和人口，而其实这种抢掠性战争仍是动物性行为。从原始战争，到部落战争，特别是游牧部落之间的战争，我们可以看到，其经济背景主要是自然经济而不是商品经济，在游牧部落打仗的时候，当时的商品经济还没有在他们的生活中占较大比重，他们还在很大程度上过着自然经济的生活，因此，他们的战争带有自然经济的特点，与原始战争的自然经济特点是大体接近的。从价值创造的角度认识，那时的军事劳动创造的变态价值是针对创造者自身生存需要的，且这种创造之中没有社会分工的介入，是劳动者本身的正态劳动与变态劳动的结合，是典型的常态劳动独立体。在当时，所有的成年男子都是战士，这便将社会不发达时期的战争特点高度概括了。在那种状态下，战争不是为了维护其他人的利益，而就是为了保护参与战争的人或部落的生存。因而，当时自然经济条件下的军事变态劳动的价值创造就是毁坏对方的财富存在及人身存在，并最大限度地满足自己的要求，以对方的毁灭实现自己军事劳动的价值，或以对方的变态价值实现造成自己的毁灭。若不毁灭对方，他们付出的军事劳动就没有实际意义了。这是血腥拼搏的价值创造，或者说是直接为了生存的价值创造，是以毁灭对方为自己的劳动成果的，是变态性的集中体现。这种变态价值时

---

① 亚当·斯密：《国民财富的物质和原因的研究》，下卷，商务印书馆，1988，第 255 页。

至今日在地球上并未绝迹，但毕竟时代已经过去了，这种变态不是现代的变态而主要是体现在远古时期。这种变态的价值创造与当时的不变态的自然经济中的价值创造的作用是一致的，是直接满足创造者生存需要的。在这种表现出原始野蛮性的价值创造中，动物性几乎是赤裸裸的，是直接的抢掠和肉体的消灭，是存在打败对方的生存快感的，亦有无法自持的自我人生摧残的无奈。

随着人类社会常态劳动整体发展水平的不断提高，军事变态劳动出现重大变化，进入社会分工领域，成为各个国家的商品经济劳动中的一个必不可少的组成部分。常备军承担保卫国家的职责，军事变态价值的创造由职业军人承担下来，以及专门的军工生产也成为军事劳动中的重要组成部分。在这发展后的阶段，不同于变态价值直接满足创造者生存需要的阶段，军人们创造的变态价值是在本国的商品经济圈内承认的，即价值变态的实现也是分工后交换劳动的结果，而不再是表现为战场上你死我活的关系，不再是靠毁灭对方来实现自己的价值。进入社会分工的变态价值创造的劳动关系与商品经济的整体性密切相关，这不再是由军事劳动本身的作用性质来解释的。也就是说，对于职业军人的劳动行为，要纳入社会经济的总体运行中分析。有人认为："军人'应该怎样行为'和军人'实际上在怎样行为'是两类不同的问题。显然，仅有前者的研究是远远不够的。只有首先对军人的行为进行'实证性'研究，我们才能更加准确地把握军人行为的基本规律和解决现实存在的各种矛盾，从而对他们的行为做出更为科学的'规范'和'引导'。"[①] 这表示军人行为在商品经济中的复杂性。与商品交换和社会分工相连接的军事劳动，其

① 陈俨、杨建军：《关于军人行为的经济学分析及若干政策启示》，《经济研究》，1996年第2期。

价值的创造不在战斗之中，而在军人们的职责尽守之中，在平日
与战时的一切工作和行动之中，社会的分工使军事劳动成为专门
的创造变态价值的劳动。变态价值的产生就是军事劳动的社会分
工存在。不打仗时，军人们照样创造自己的劳动变态价值。或者
换句话说，现在的社会分工决定，军队打不打仗与变态价值的创
造没有直接的关系，价值的实现是变态的，变态的价值创造只要
求有军队存在，即使军队打了败仗也不否定他们本身的由本国承
认的价值创造。社会分工下的变态价值创造充分体现商品经济的
特点，体现社会的发展对于军队的需要已经改换了形式。这也
是社会分工发展的结果，也是由国家作为人民生存的整体屏障
的需要决定的。根据社会分工的需要，从事军队劳动并不一定
直接表现在战场上，军队的存在及其担负的保卫责任是直接的
社会需要，因而军事劳动才能与非军事劳动相交换，各得其所，
军事劳动是通过社会交换才实现价值的，这与非军事劳动通过
社会交换即市场交换才实现价值过程是一致的。军队的作用是
打仗，但真正打过仗的军队在国家的历史上是少数，而现在绝
大多数职业军人可能一生都未上过战场，他们同样有价值创造，
并依靠他们创造的价值生活，他们的生活不能次于其他行业的
劳动者，甚至应该更好一些。当然，正常的生活对于军人来说，
是发生在和平年代。打起仗来，军人的生活发生剧烈变化，但
是这并不意味着他们创造的变态价值大量增加，不意味着每一位
军人能够创造更多的价值，如果变态价值增多，那也只是本国军
事劳动总量的投入增加了。军事劳动与非军事劳动之间的社会交
换，无论在平时，还是在战时，道理是相同的，即打仗的军队与
不打仗的军队，得到社会的承认，其出发点是一致的。从某种意
义上讲，军队存在的本身就是国家的财富。军队是本国的需要，
与本国其他劳动相交换，军队不是为别国服务的，一般是不与其

他国家的劳动相交换。①

在军事劳动的价值创造归由国内社会分工的需要而实现的历史阶段，军事变态的疯狂也走向了顶点。在和平的日子里，军队安然无事，保持日常训练。但到了战争时期，军队就亢奋起来，不论是侵略一方，还是反侵略一方，概莫能外。自古以来，战争的参与者，绝对是以取胜为目的，加入道德的评判并不会对战争的目的有任何影响，而取胜，在军事实力的准备之下，就是惨烈的血腥搏斗。狭路相逢勇者胜，换句话说就是，势均力敌时狠者胜，哪一方更狠，哪一方就能占据战场优势，为自己准备更多的战胜对方的条件。

而军队凶狠不凶狠，不论哪一方，都与变态价值的创造没有直接的关系，不凶狠也创造价值，因为变态价值的创造是国内社会总劳动中的安排，不以战场的行为而改变。凶狠是表现在军队的价值创造之外的，其作用是要夺取胜利，为了胜利不惜破坏一切。在这种军事破坏之中，除了消灭对方的肉体，还包括抢夺、夺对方的装备和粮食，夺对方的金银财宝，以暴力改变物品的所有权，将对方的财物掠过来为自己所有。这些破坏不增加变态价值，只增加变态价值的社会作用。在这样的价值释放中，军事劳动者是十分凶残的。这就是价值创造的变态后果，即打起仗来彼此都回到了动物的原生态，你死我活，你不惜一切，我也不惜一切，没有哪一方讲仁慈，这样的战场实践使人变得更像野兽，凡是经过激烈的战场洗礼的人无一不是接受了一次灵魂的洗礼，亲眼目睹活生生的人死去，自己不是怯懦就是升腾起复仇和拼命的疯狂，然而，我们要强调的是，战争的血腥程度与变态的价值创造并不成正比关系，价值只是有用劳动的抽象，不是血腥的抽

---

① 联合国军的设立，开创了国际之间的军事劳动交换。

象，虽然在变态价值的疑结之中包含着血流成河。价值的认定是从社会劳动整体出发的，这是一个整体之中的既定量，所以必须分清变态价值的创造与变态价值的创造者的具体活动。变态的疯狂属于创造变态价值的军事劳动者的具体活动，在变态价值不变的前提下，这种具体的疯狂可能是多样的，而总的趋势是越来越疯狂。在战场与非战场上，最初的疯狂就是杀人，现在又表现出以高科技的手段杀人。这种疯狂的作用走向极端的开始，是原子武器的研制和使用。

在战场上，肉搏的疯狂是有限的，其破坏性不会超过动物多少，因为人的生理决定着体力作用的有限性。然而，一旦人类的智慧的高度发展被用于战争的疯狂研究，那情况就完全不同了。军事高科技体现的智力的疯狂不是军人体力上和常规武器使用的疯狂所能相比的，智力的疯狂是战争的完全疯狂，这将导致人类自身的毁灭，而不仅仅是作战一方的毁灭。这就是说，在高科技进入战争之前，战争的疯狂与战争的目的是一致的，是消灭敌人，保存自己，而在有了高科技武装之后，战争的结果很可能是作战双方同归于尽。所以，到了这种极限，也就到达了战争的极限，到达了战争疯狂的极限。这就值得人类的理性对于战争的存在重新加以思考了。

现在，除了原子武器，人类还研制了生物武器及化学武器，这都是无以伦比的杀伤力极强并给被杀伤者造成极大痛苦的武器。然而，这还不够，高科技的发展又为武器的研制提供了新思路，这就是电磁武器的尝试。人们拟运用这种武器改变磁场而使敌人全部死亡，但这还处于理论探索之中。从实践来看，新的武器发展是微波武器。据有关专家介绍，具有高功率的微波武器是利用微波发生器产生高功率快速脉冲波束的定向能武器，它像微波炉一样，以高能微波辐射穿透敌方武器平台的电子设备，在其内部骤然加热，熔化或烧毁电子元件。已有实验证明，在目标区内，当微波束能量密度达到 10～100 瓦/平方厘米时，可烧毁任何工作波段的电子元件，在这个密度内人员也会被杀死。微波武器若用于战场，可使对方雷达致盲、通讯中断、电脑毁坏、战车熄火、飞机失控、导弹迷途。而且，高功效的照射，还可使尖端的隐形武器失去作用。目前，各个军事大国都在开始这一武器的应用研究。俄罗斯已研制出一种由雷达车、电源车和发射车组成的防空系统。美国已投资将这项技术广泛地应用于军舰和飞机上。英国正在考虑研制一种适用的微波炸弹。

重要的问题是，在高科技进入军事变态劳动之后，变态的疯狂就与变态的价值成正比关系了。因为这时的疯狂并不直接体现在战场的肉搏上，不体现在装备既定的战士的勇敢上，而是体现在实验室和实验场上，体现在智力的穷思极虑的武器研究上，这些高科技的军事研究需要大批的劳动投入，构成前所未有的高价值创造。1987 年，全世界的军费支出是 1.3 万亿美元，为历史最高水平。如果不加以控制，军事劳动的价值增长将严重影响社会经济发展，同时更进一步地将人类推向自我毁灭的边缘。与以往正相反的变化在于，军事上的竞争使得疯狂性达到了高峰，而同时变态价值的创造也达到了高峰，而不是疯狂与价值无关，疯狂不影响价值。这种变化是将战场上的肉搏变为高科技的智力搏斗了，这种由体力的拼搏向智力的拼搏的转化，需要大量的物质条件投入，从总体上扩大了军事劳动量。一方面是更疯狂地将战争变态升级，让全人类都处于战争毁灭的恐怖之中；另一方面是更疯狂的投入，将宝贵的资源大量地用于制造变态价值；这就是现阶段价值变态的历史特点。当今的军事劳动已不讲数量，而主要看其高科技发展的水平。这样持续下去，不用说走到最后的毁灭，就是竞争一段时间也是愚蠢之极的事情，现在我们付出的代价已经是不少的了。古代战争的愚昧是用血肉代价来平衡的，古人们不得不打仗，不得不流血牺牲。近代的战争无奈已付出了千万百万人的生命，而且极大地扩展了战争的领域。现代的战争实质上是更愚蠢的表现，在血与火之上，更是堆起了物质的擂台，拼资源和消耗，比智力和科技，这样做，到底有多少必要性，科学还没有认真地探讨过。这里还是政治家和军事家们表现才干的天地。从现在的劳动发展水平看，人类不打仗了是否可以生存得更好，这个问题是现代文明社会的每一个人都应该考虑的。历史已经走到了这一步，走到了人们应该正视自己的无奈与愚蠢的这一步，走到了人们应该改变自己的疯狂心理的这一步。现代的变态疯狂引起的价值剧增是人类社会不能承受的。这决不是肉搏的疯狂所能相比的愚蠢行为，高科技并不意味着行为合理，无缘的浪费是现代人类的耻辱。应该认识到，刺激价值增长的变态的疯狂只是最后的军事疯狂，优秀的人士们已经认识到这一点，并正在着手改变疯狂的动力源，从思想与社会的现实出发，制止军事放任。若没有制止战争疯狂的力量，这就与现时代人类理性的发展水平不符了，问题的提出实际已包含在问题的解决之中了。事实上，在这方面，各国都在艰难地进行工作，力图减少军费，减少军事人员。就中国来说，近几年一再裁军，减少武装部队，而且军费支出，相比其他大国，是最少的。现在，世界上各个国家的军费削减是显著的，这始于冷战的结束。1994 年全世界的军费总支出为 8400 亿美元，比最高点的 1987 年大约减少了 35%。但总的来说，这种削减军费的行为是自发的，还缺少足够的自觉意识，这可以成为压缩军事变态价值的历史开端，却不能起到制止战争爆发的作用，战争的危险在军费的减少之中依然存在。目前，在世界各地，局部战争从来没有停止过，每年为此死伤的人数仍是成千上万，这既保持了战争的恶性延续，又为爆发大的战争埋下了隐患。人类的理性需要从历史的角度认识战争，从压低变态价值开始制止战争的疯狂，理论的研究决不是没有责任的，如果现时代社会仍然继续变态的疯狂，那么对这种蠢事发生最先应该承担责任的就是理论界，为此，现今时代要求理论界必须有勇气且明智，作为时代的先觉者，在消灭战争消灭变态价值上做出最先的努力。为防止人类自我毁灭而奋斗，这是每一位理论工作者义不容辞的责任，是理论界要目标一致的头等大事。需要明确的只是，我们所研究的军事劳动及其创造的变态价值，均指各个国家合法存在的劳动，非法的军事劳动不算在内，那些非法的军事变态存在，不是社会的需要，不创造价值，是各国早都明令要取缔的。

二 常态价值的整体变化

现在的社会教育，仍然是包括军事教育在内的，国防意识是每个国家每个公民都必须具有的。取消军事劳动，即将价值的创造都归于正态，不是从现在起短时期内能做到的。但从现在起，我们一方面要教育后代加强国防建设，实现国防现代化，一方面又应教育后代要为取消军事劳动做出不懈的努力。这看似很矛盾，但却都是很现实的，现实的社会就是这样矛盾的。不搞国防教育与不做国防准备，是绝对不行的。在有国家存在的今天，国家有责任保障军事开支，尽管要尽可能减少军费，但无论哪一个国家，除特殊情况外，都要重视国防建设。取消军事劳动是一个全球性的问题，不是哪一个国家可以单独行动的问题。尽可能减少军事劳动，降低变态价值的比重，不搞扩张，是从国家角度讲可以做到的事。军事劳动的变态价值能否取消，不是单纯的军事劳动问题，而是常态人类劳动整体发展的要求，没有整体的发展到位，军事劳动的变态价值是不会退出历史的。所以，在整体的劳动演变过程中，各国的国防教育和国防建设还都要受到本国政府高度的重视。

现在，在变态价值剧增的同时，军火交易还是世界市场的一个组成部分，一些大国均参与军火交易，中国改革之后也进入了这一市场。1997 年 10 月 22 日，中国颁布了《中华人民共和国军品出口管理条例》，规定：中华人民共和国国家军品贸易管理委员会在国务院和中央军事委员会的领导下，主管全国的军品出口工作。这一条例的颁布使中国的军火出口实现了制度规范管理。但世界军火市场的发展趋势是注定要被取消的，只是时间早晚问题。对于变态价值增长的控制，在世界范围内，毫无疑问，应当首先制约军火市场，这应当与各国的裁军行动同步进行。取消世界军火交易，这要在各国之间达成共识，而且应该将此看做是比裁军更重要的问题，这要求军火出口大国必须自制。任何一个国家都没理由去发展军火市场，在今天看来，无奈的决策至多是维持现状，不能让这一市场再火红了，哪一个国家也不能利用这一市场为本国的军事工业找出路，但改变需要一步一步地进行，既要为各国的产业调整留出时间，又要为此排除战乱国各个方面的干扰。其实，军火与毒品一样，应是在全世界范围内严格禁止的，毒品还有一定的有用性，可做医疗药品使用，军火则是完全只有破坏作用，是比毒品还要恶毒的劳动成果。既然现在全世界能够一致禁毒，相应，全世界就更应该一致禁军火交易。只要理性的工作开展起来，这一目标是肯定能够实现的。当然，禁止了公开的军火市场交易之后，地下的军火市场还会存在一段时间，如同现在的毒品走私一样，会出现严重的军火走私，但军火走私与军火公开交易是不同的，在禁止军火交易后，可以严厉打击军火走私，直至最终取缔。而制止军火交易的最关键点，则是如何消除世界各地的暴力者对军火的需求。越是打仗打得欢，越是需要军火，而越是有军火，越是能打，这个怪圈要先从军火出口国破除，从禁止军火交易开始破除，以断绝军火，迫使好战者停止打仗。

在现代，战争已是人类社会的沉重负担。一场海湾战争下来，多国部队的军费支出几百亿美元，伊拉克要向科威特的赔偿高达上千亿美元，本来经济就困难的伊拉克自知承受不了。在受到严厉的经济制裁的前提下，伊拉克是很难恢复经济，偿还债务，支付战争赔款的。现在的战争已经不能给交战国带来任何财富，战败国如此，战胜国也是如此。有些国家只是依靠军事实力来保持市场竞争力，作为战胜国不一定有直接的效益，也许只存在一定的间接效益。问题在于，这些国家不通过战争，同样可以保持市场竞争力，同样可以取得良好的经济效益。战争不是提高国家实力的惟一选择，更不是最好的选择。有人断言，如果抗日战争胜利之后，中国像日本当年在甲午战争胜利得到赔偿那样要求日本做出战争赔偿，那么战后的日本经济将会一蹶不振，不可能那样快地起飞，而中国也不会像现在这样困难。中国历史上遭受的战火太多了，且20世纪50年代的战火平息之后。又选择了一条不要战争赔偿的自力更生之路，这无疑对于恢复经济建设是一条十分艰难的路。现代战争已不同于过去的战争，过去仅仅是生命的损失，现在则损失大量经济条件，不要战争赔偿，对于遭受战争摧残的战胜国来讲无法弥补损失。

对本来可以制止的战争，却制止不住，这是现代文明人类的尴尬。在今后一个相当长的时期内，人类还要容忍战争，从根本上讲，这是劳动的不完善。当人类的精神劳动发展长期处于疲软或扭曲时，解释战争的历史性和取消战争的必然性都可能是苍白无力的，无法抵抗现实的压力。而精神劳动的高度发展，必将为人类消灭战争提供强大的动力。这也就是说，精神劳动对于人类生活不是可有可无的，精神劳动创造价值的意义重大，精神劳动开启社会的心灵，对于人类最终消灭战争是必不可少的创造性劳动。现在，就其普遍性而言，不论是发达国家还是欠发达国家，都还没有意识到，现代化的社会必须要伴有现代化的精神劳动存在，没有精神劳动的作用，人类在发展物质生活的同时是无法把握自身存在整体的。消灭战争就是人类整体发展的一个根本性需要，但这必须是自觉能动地实现，并不是一个自发的过程，精神劳动的作用就体现在这里，精神劳动的思想创造要为人类开启这种自觉做出贡献。在人类社会的思想意识达不到应有的高度时，是无法为取消战争做出自觉努力的。就劳动整体的发展过程看，人类物质劳动总是在前发展，而人类精神劳动是发展在后的，精神劳动的发展需要物质劳动先导，物质劳动的发展是精神劳动发展的基础，精神劳动的发展是物质劳动发展的航标。在没有物质劳动高度发展的条件下，精神劳动取得突破性的认识是不可能的，而当物质劳动高度发展之后，精神劳动未必随之发展，精神劳动的发展有自身的独立性。历史的事实说明，自工业革命之后，又经过新技术革命，物质劳动大大发展了，而就在这一阶段，精神劳动的发展相对落后，对于社会和对于人自身生存的认识，仍处于十分茫然的地步，特别是在人们普遍使用电子计算机之后，人类对于自身的历史演变的认识还不清楚，这表现在现阶段对于战争和对于军事劳动存在的认识上。常态价值为什么必然要向正态价值转化，常态价值怎样才能实现向正态价值转化，这是物质劳动高度发展之后的精神劳动的发展要回答的问题。然而，现在的情况不是精神劳动的创造性思维不能回答这一问题，而是从世界的角度讲人们还没有普遍地意识到要听从精神劳动的优秀成果对这一问题的回答。所以，就目前讲，精神劳动的价值创造及精神劳动成果的传播，具有重要意义。现在，要使越来越多的国家懂得，劳动的整体发展必然要使常态价值向正态价值转化，眼下的裁军和削减军费就是为将来取消军事劳动做准备，高度的文明发展必然要拒绝战争的疯狂，人类要在更高的水平上生存与发展。所以，不是物质劳动的高度发展不重要，而是精神劳动的发展相比之下更重要。重视精神劳动的发展，为精神劳动的发展创造更好的条件，努力传播精神劳动的科学成果，是对现代发达社会的基本要求。有了这样的社会基础，才能有今后的具体的消灭战争的步骤实施，从理性的角度认识变态价值的取消问题，是现实社会的重要任务，这需要做艰苦的长期的工作，需要依靠精神劳动的发展得到民众的理解与支持。

物质劳动的发展除了直接成为精神劳动发展的基础以外，自身也要为取消变态价值而努力。这就是说，高科技的力量是用于发展军事劳动，还是用于取消军事劳动，这是应该认真对待的问题。在原始社会，人们为了抢夺生活资料或为了吃对方的肉体，相互残杀，战争不可避免。在奴隶社会，人们为了奴役别人，也不断地挑起战端。在封建社会，人们为了抢占土地，更是拼得你死我活，使战火频仍。到了近代和现代社会，为了抢市场，得暴利，又发动了多少次战争，也可以说是难免的。但是，在高科技发达之后，人们应该看到，全世界已联为一体，世界上的每一个角落都不再是封闭的，人类不拼杀可以生存得更好，用高科技去发展战争是现代文明的悖论。人类发展到今天，虽然仍是在大自然的约束之下生存，但是和平的环境有利于劳动的发展，有利于社会经济的发展，高科技已经开创了人类生活的新时代，这是人类以前的历史时代无法比拟的，充分认识这一点，并将高科技用于制止战争，就能充分地认识到取消变态价值的客观性，而不再使人类科学的智力陷入野蛮暴力的盲从，不再使人类的生存行为继续动物的生存方式。所以，取消变态价值不仅仅是精神劳动者的工作，这一工作是全球性的，是全人类性的，是包括物质劳动尤其是高科技的努力在内的。这一工作的进展客观上是慢速的，但重要的是不能停下来，更不能开倒车，一定要从一点一滴做起，用自觉的意识逐步地消除暴力观念，用科学的思想教育后代，将裁军、削减军费，取消世界军火市场等有效措施坚持下去，渐进地创造取消变态价值的一切条件。

事实上，如果我们不过于苛求标准的话，取消变态价值的工作在 20 世纪后期已经展开了。在 21 世纪，这一工作会取得比较明显的进展。总的说来，取消军事变态是在取消剥削变态之后，而不是在取消剥削变态之前。剥削变态是寄生性的较文明的变态，是在军事变态长久存在之后产生的变态，相比抢掠性的军事变态，剥削变态是文明社会的创造，而不同于军事变态那样是从动物界直接延续过来的。因而，军事变态根深蒂固，不到人类彻底脱离动物界的阶段，不会断绝。也就是说，人类劳动最终实现常态劳动向正态劳动的转化是以取消军事劳动为标志的。剥削变态的衰落将直接源于劳动客体作用在劳动整体作用中的相对下降，当劳动内部的主导作用与主要作用在智力因素作用上体现为合一时，剥削变态存在的客观基础就消失了。而且，剥削变态具寄生性，本身不产生变态价值，这与军事变态也是不同的。在失去客观存在基础之后，本来就从来没有变态价值产生的剥削劳动是可以较早地退出历史舞台的。待到剥削变态取消之后，取消军事劳动就是单一目标了。但这并不是说取消剥削变态是取消军事变态的先决条件，而只是说剥削变态的取消与军事变态的取消有先后顺序，剥削变态的取消相对容易，是在前被取消的，军事变态的取消，相对复杂，是在后取消的。我们可以设想，当剥削变态取消之后，那时的社会经济是高度发达的，只是不同国家之间还保留着高度警惕，也就是说还有相当的利益划分没有了结。那是既定的带有历史印记的利益划分，协调各国之间的利益的前提是必须有能力保护历史上已形成的利益格局。不是人们主观上想打仗，到那时并不存在杀人狂或战争狂人，但是却有利益区分的存在，即国家之间的利益有差别，是利益需要保护决定军事劳动还得保留。但社会发展到那时，可以推断的逻辑是，人们都生活在比较稳定和丰裕的环境中，让哪一些人去打仗牺牲都是于情于理讲不通的，利益的保护是存在的，只是暴力使用的必要性几乎没有，军事劳动的存在只有象征性意义，在如此社会状态下，人类会变得更为理智，军事劳动的残存就时间而言被取消可能为期不远了。

现在，军事变态价值不断地被大量地创造出来，在较长的时期内还难以取消，其社会基础是国家的存在。有国家，才有社会对变态价值的需要，一旦国家没有了，就不需要变态价值了。在这个意义上，取消变态价值与取消国家是同等要求的。这就是说，正态社会是没有国家存在的社会，变态价值是国家的产物，取消变态价值的基础是取消国家。可以推定，从现阶段的社会发展水平看，取消国家还是相对遥远的事情，需要有漫长的过程，且这一过程将是十分复杂的，不仅是国家政治问题，还包括民族问题及宗教问题。但取消国家是人类社会发展的必然趋势，在人们已不需要国家作为个人生存的整体屏障的社会发展阶段，国家就退出历史了。全球经济与政治真正实现了一体化，即人类的世界完全统一了，那时国家就不存在了。也许，国家的取消过程是一个国家数量逐渐减少的过程。虽然，在这一过程中，可能一方面有国家合并，一方面又有国家分裂，但总的趋势必然是合并而不是分裂。国家数量的不断减少，才能最终导致国家取消，这是一个可以预见的社会发展过程。可以说，每一次发生的国家合并，都是向着国家取消的目标靠近一步。在一些国家实现合并之

前，可能会存在相当长时期的国家与国家之间的合作关系，这种
合作可以发展到统一货币的密切程度，像已出现的欧盟组织那
样，通过密切合作，逐步弱化国家界限，最终达到国家合并的境
界。在非暴力下实施的国家合并，是一个复杂、困难但却美好的
过程。这不同以往暴力征服的合并，那是血腥的和痛苦的。从现
在来看，在国家走向灭亡的过程中，用暴力合并国家的可能性已
经是很小了，主要的合并方式大约就是由国家合作开始转向合
并。在这种转变之中，各国之间的利益差别是一点点调整过来
的，使得既得的统一利益范围可以扩大到国家合并的范围。从现
实性讲，国家间的合作多一些，紧密程度高一些，这些国家的军
队就可以少一些，军队的作用就降低一些。这样，变态价值的创
造就可在全世界范围内大量地减少，慢慢地少下去，变态价值的
前景就同国家存在的前景一样是被逐步取消的。现在人们保持强
烈的国家意识是正常的，各国努力保持国家的实力也是正常的，
但同时能认识到这种保持的历史性是更为重要的，能不能实现这
种理智的清醒的认识实质是社会发展程度的测量剂，达到这种认
识高度是现代文明的标志。裁军与合作是紧密相关的，各国裁
军，多国合作，减少总的国家数量，减少全世界的军事劳动数
量，是现时代所能做到的具体工作。国家是现代人还需要的，每
一个人现在都要有国家，但现代人对于自己需要的国家应有新的
理解和要求，这就是指人们应认识到国家合作的必要性，以及国
家合作之后利益趋向统一的国家合并的必要性。在未来的世界
上，数量大为减少的国家之间可以保持较好的稳定关系乃至可以
展开更高级的合作关系，战争爆发的危险会降至历史从未有过的
最低点。

目前，世界正在走向一体化，这是取消变态价值和取消国家
的最好的推动力。现实的一体化是在国家的作用不减低的前提下

产生的，是以国家为基本单位结成的一体化。虽然这种一体化不表现为取消国家的一体化，但这种一体化的发展肯定是有助于国家取消的一体化实现的。人们已经看到，这种一体化的工作已经在许多方面开展起来。比如南极的考察与开发，就形成了国际一体化工作的趋势，现在的人们将南极作为全人类的科学考察对象，不允许任何一个国家对南极行使特权，所有进入南极的人都要求具有自觉的意识去保护这块人类共同享有的净地，全世界都在努力，不让南极受到现代生产方式带来的环境污染。南极是全人类的宝地，人们已经取得了共识，不让南极成为各个国家争夺的对象，这表明，人类极度野蛮的时代已经过去了，虽然人类今天拥有凶狠而恐怖的核武器，拥有比核武器还要可怕的诸类新式武器，但是，现在这些变态价值的创造还是远离南极的，南极拒绝军事变态劳动，拒绝正态价值以外的价值，不接受历史和现实社会中无奈存在的变态的洪水猛兽。在常态社会里，人们不能不感叹存在南极这样一块纯净可贵的开发地。在人类现已达到的文明意识的保护下。南极的开发利用展现了人类社会发展走向未来的美好前景，这是科学的发展为人类开创的美好前景，冰天雪地的南极最先进入人类美好社会的境界。

世界贸易组织也是人类社会走向一体化的象征。从关贸总协定的谈判开始进展到世界贸易组织成立，标志着现代的人类社会对于这种一体化组织的高度赞赏。这表明，在国家存在的前提下，可以通过一些一体化的世界性组织将世界上的各个国家在统一利益的要求下更紧密地联接起来。世界贸易组织已经成功地为消除各国之间的贸易往来障碍做出了贡献，有了这种一体化的组织存在，世界贸易的发展将更为活跃和更加有序。现在，各个国家都在积极地申请加入世界贸易组织，只是有些国家自身还不具备进入这种一体化组织的条件。社会是进步的和发展的，要跟上一体化的进程，这对于各个国家的现实要求是很高的，能不能达到一体化组织要求，这要看各个国家自身的努力。一体化带来的是共同的发展和全球的效益，是从人类社会角度看的生产与交换的优化，所以，必然各种有效的一体化组织能为现时代的各国人民接受，只是，许多人并没有意识到，这种一体化组织的影响对于未来取消国家和取消变态价值的作用是有更深远意义的。

相信高科技的力量融入推进国家取消的运动之后，世界将逐步显现新的变化。现在高度发达的科学技术已经将全世界各国人民的生活联在了一起，今后这种联系将更为紧密。高山峻岭已经阻碍不了当今人类的沟通，汪洋大海更是早就不能成为人类分割的障碍，信息的广度与密度都在高速度下迅猛发展，各国的利益将在高科技的努力下走向大体一致。无疑，当人类有意识地运用高科技的力量推进一体化进程之后，世界将无封闭淤塞而言，这对于增进各国人民之间的感情，加强各国人民之间的友谊，统一全人类的利益要求，取消变态价值的创造，将是十分有利的。高科技的发展及其运用，可使享受其力量的各国逐步紧密相联，可使全人类逐步消除民族差异及地域差异，在人生的命运上追求一致的目标，这将为价值实现完全的正态创造奠定物质技术基础和社会基础。

三　归附正态的价值创造

在人类社会的进步之中，取消军事劳动变态价值创造的过程就是使人类劳动的价值创造均归附于正态的过程。就价值总量而言，在其不变的条件下，变态价值的减少就意味着正态价值的增加，而这种增加的结果是直接地有效地提高人民的生活水平。变态价值的存在实际上是对现代人类生活水平提高的一种制约，各国人民消费变态价值只是为了求得安全，并不构成衣、食、住、行的内容，因而在过多地消费变态价值的时候，不仅生活水平不能随价值总量的增长而提高，相反很可能还造成一定时期的生活水平的下降。在冷战时期，一些国家过度地发展军工生产，将大量的财富投向尖端军事武器的研制开发，大搞军备竞争，结果自然影响了国内人民生活水平的提高，由此引起人民的强烈不满。这一历史的教训应当深刻地记取。我们从人类劳动发展的趋势讲，在劳动内部智力因素作用已经越来越强劲地表现为主要作用的前提下，再要突出军事变态劳动的社会作用已经是与劳动内部矛盾发展的要求不符了。在短期之内，各国还可以保留原来的发展格局。从长期看，各国的军事劳动必须大大缩减。也就是说，社会已经进步到了减少变态价值创造的历史阶段，任何国家的顺利发展都不能从根本上违背社会发展的这一历史必然趋势。

现实地改变价值创造构成是国民经济运行之中的重大调整。在人们有意识地减少变态价值的创造的同时，必须要合理地安排新的正态劳动的投入。在这种调整的过程中，不能出现失误的空隙，减掉一些变态价值，就要相应增加正态价值，只减不增，国民经济的运行以及一部分原来的军事劳动者的家庭生活就要出现问题。若有这种情况发生，社会就可能出现不安定因素，政治上产生动荡也是难免的。军队的作用是创造社会安全的条件，但当社会不需要那么多的军队来保障国家安全时，即社会安全有保障了，只是军队要减少，社会的经济生活中必须创造出新的需求，这才能将军队减下来，不然是不能轻举妄动的。减少军队，就要安排新的生产，要将人力和财力都投入到社会生产的新领域中去。这种衔接工作的重要性，在经济学的研究中必须给予高度重视。抽象的理论认识准确是具体工作顺利展开的前提，在有意识地减少变态价值创造的过程中，要完成国民经济中价值构成相应的调整，主要责任不在军队，而是在理论研究部门和国家经济管理部门。市场上的导引是表面的，深层次的调整在现代复杂经济条件下不能只靠市场表面的自发作用，政府必须要有经济全局调整的自觉性和达到市场调整目的的运作能力。如果在 21 世纪人们还迷恋于自发的市场功能，将经济现代化的实现看成是一种自发的市场努力的结果，那么是必定做不好经济发展工作的，也是做不好变态价值向正态价值转化的经济调整工作的。现代化的市场经济要求市场的参与者以及政府必须要有一定的自觉性，能够把握经济发展的大趋势，能够更好地避免盲目行为，以此保证市场秩序和市场效率。也就是说，市场经济是一个发展概念，在市场经济产生的初期，其经济结构和运行机理都是简单的，而到了现代，情况已经变得十分复杂了，所以不能用过去的认识观念一成不变地对待现代的市场经济，不能以历史上市场自发作用的成功否认现代市场经济自觉调控的必要性，不能在针对变态价值创造的减少而需做出的经济调整中缺乏自觉的努力。凡事都要有一定的提前量，突然做出减少变态价值的决定是市场承受不了的，市场的调整需要过程，需要时间，没有安排好接替就突然运作，会造成较大损失和留有大量不安定因素的。各国的调整要力求避免出现这种情况。在提前策划安排好正态价值的生产接替的情况下，变态价值创造的减少将会顺利进行，或者说会将调整的损失降低到最小的程度，能够更积极地加快军事劳动的取消进程。在实际的工作中，这种社会价值构成的调整转换关系到千家万户，靠什么价值生存对于每一位劳动者都是大问题，他们不仅要养活自己，而且还要尽到家庭责任。他们不从事军事劳动，也要从事其他劳动，不可能不劳动。慎重地处理劳动的转换可避免引起社会波动，能使众多的劳动者在自觉的调整中取得新的价值依存。在这种形势演变下，慢慢地后代们对于军人或军工职业的追求会逐渐降低热度，社会排斥变态价值增长的机制会在就业领域有效地建立。

在减少变态价值的初期，仍然需要加强国防建设。高精尖的武器研制与装备是军事大国必须给予重视的。残酷的炮火还可能响起。同样是母亲乳汁养大的人们还可能要相互残杀。在 20 世纪末，非洲还出现了童子军，一些年龄小到 12 岁的儿童也被人雇佣从军，简直是人间悲剧，文明的耻辱，教育的罪过，这一切不能都推向客观，确实是有邪恶的主观因素在起作用。正是在这种情况下，各国的国防还需要加强，减少变态价值并不等于不加强国防。发达的国家要加强国防，不发达国家也要加强国防，在武器的研制方面，都要向高标准看齐，因为现代战争比的就是武器的性能，武器落后等于烧火棍，浪费军费，毫无用处。所以，不发达国家的经济可以不发达，但军备上不能不发达，其国防一定要尽快实现现代化。这是要付出代价的，即使这样，不发达国家也要在限制变态价值增长的同时保持军备的性能优良。

在今后相当长的时期内，军事劳动还会发挥一定的暴力作用。到底还能施展暴力多长时间，这是不易测定的。因为在历史发展的长河中，是由偶然性决定事物存在的具体表现的，几百年也许只是一瞬间，或长或短并不重要，重要的是必然有一个过程存在，在这一过程之后，变态价值的存在会失去实质作用。这也就是说，到了一定的程度，变态价值的存在就不至于产生战争的危险了，那时是常态价值向正态价值过渡的后期。而在此之前，变态价值的存在还意味着有暴力的存在。各国的情况不同，但是都应该在这一时期尽可能少发挥军事劳动的暴力作用，这样就能将变态价值存在的破坏作用降低。而很重要的一点是，从现在起，人类就应有意识地制止渲染暴力，不能再盲目吹捧乱世英雄，将古人暴力的功绩一再美化，宣传军人血染的风采，号召树立暴力英雄观。现在必须明智，暴力时代已经过去了，残余的暴力行为现代社会还能容忍，但不能作为主流看待，不能再以使用暴力为荣。社会的教育要从崇尚暴力改变过来，明确过去是武力打天下，将来是消灭武力，一定要使后代能够树立起反暴力的社会观。

只要各国都能自觉地减少变态价值，那么从现在起，人们就能感受到裁军或削减军费给社会生活带来的变化。军费开支是各个国家财政支出的重要项目，所有军人的生活和工作所需经费统统要由财政拨款支付。美国的年军费开支曾高达 3000 亿美元，相当于一个发展中国家全年创造的国民生产总值，如此高额费用形成的变态价值，换取的只是国家安全，而美国这一时期的存在其实是很安全的，但每一位美国纳税人都要为此付出一大笔钱，他们得到的只是本来就存在的安全，而总军费的支出却相当于 26065 万人口（1994）的美国人，每人要一年拿出 1000 多美元交换军队为他们创造的变态价值。这 1000 多美元是一笔不小的费用，在 1994 年，世界上有不少国家，包括中国在内，人均创国民生产总值还不到 500 美元，对比之下，很能说明当年美国的军费开支之庞大及与其他国家存在的反差。并且，更进一步地说，在军事劳动领域，自古以来就占用了许多的高级优秀人才，这些人的智力创造一直是变态的，虽然有一部分军用品的研究成果可以转为民用或为民用服务，但那毕竟是间接的，是没有发挥出优秀人才的正态价值创造作用的。这是由于军事变态劳动存在的必要性而影响了人才使用。我们知道，社会的发展从根本上说取决于人与自然的交流能力的提高，人才的力量要尽可能地融于这种提高，而这种提高主要是依靠正态价值的创造，相比之下，变态价值创造是人才的社会历史性的浪费，这对于社会的发展形成一种制约。如果那些军事智力劳动能转过来用在正态价值的创造上，其成果会更有效地推进人类劳动整体水平的提高，从而为社会创造更多的财富。所以，只要自觉地开始裁军或有意识地减少军事劳动的配置量，可以提高人类劳动整体水平的高智力劳动就会在正态劳动方面发挥更大的作用，社会进步的文明步伐会走得更快更稳。这将释放出巨大的推动社会正态进步的能量，改变人类社会残留的野蛮面貌，将硝烟和战火逐步地减少。这是新的调整将带来的必然变化。再者，现在的每一次战争，死伤的主体都是青年人，是社会成员中最具有创造力和活力的人，他们因战争而早逝或残疾，对于社会的进步与发展是不可弥补的损失，可以说，减少一次战争，减少一次青年人的大量死亡，社会文明的发展就会更快地向前推进一步。战争是变态的疯狂，是人类以文明的损失为代价承受的愚昧，是人类在还不能自觉把握自身命运时不得不做出的无奈的损失。战争与文明是相对立的，人类走向完全的文明，就必须消灭战争。而在开始消灭战争的过程中，无论在哪里，人们都能感受到更多文明涌现的幸福。

在漫长的消灭变态价值的历史道路上，各个国家的努力是先一步一步地减少军事劳动的投入，在国际范围内尽可能通过协商解决利益争端，尽量少使用暴力，同时将最优秀的人才更多地安排在正态价值创造的岗位上，在正态的高科技发展中发挥作用，使本国劳动的贡献能够更直接地用于发展社会文明，直至努力到国家存在的客观基础消亡而促使最后的变态价值消失。

第十九章　生存决定的价值意义

　　创造并实现价值就是投入劳动并实现有用劳动。人类的生存与发展，不仅是需要劳动，更重要的是需要有用劳动。价值存在的意义就是由此而决定的。人类的有用劳动与无用劳动相比，从总体上讲，是占绝大多数，是占主要部分的，而在少数的次要部分上，即在无用劳动的部分，针对社会的局部，便失去了支持生存的意义，成为劳动人生中与社会发展中的遗憾与损失。经济学尤其是政治经济学研究价值，与其他学科的研究不同，特别是与应用学科的研究不同，不能不讲到根本性的生存意义，不能不从为人类生存服务的有用劳动与无用劳动的分界来阐释社会经济运行的实质内容。价值一直受到社会的尊崇，就是因为这一范畴代表了有用劳动的存在，代表了人类生存需要的支撑，无论在何时，都是社会存在乃至发展延续的根本条件。我们的研究表明，没有虚幻的财富，用价值代表财富就是说劳动得到了有用的成果，财富是与劳动联系在一起的，财富的存在是劳动的创造，价值的实现表示财富成为社会的需要。对于价值范畴，如果不讲到生存意义，那么就失去政治经济学研究在整个经济学体系中的作用，就无法解释各种各样的简单的与复杂的经济活动的统一性。生存永远是第一位的，对于人来讲，不管是常态的人，还是正态

的人，都要依靠有用劳动求得生存，抽象地讲也就是要依靠价值
的创造来生存，因而，重视价值的产生与存在，无疑就是重视人
类自身的生存。价值等义于财富，等义于有用劳动，然而，作为
抽象范畴存在，其可以符号化地表示为钱，为货币，有的人爱钱
如命，从根本的生存意义上讲，这是有一定道理的，命就是生
存，钱就是社会化了的人的生存的条件，很简单，钱的多少即价
值的多少，表示的是生存的条件的优劣。当人们不得不为生存而
竭尽全力奋斗时，以价值的创造为内涵的钱，即货币，近乎概括
人的生活的全部内容，在这种时候，求生存是无可非议的，就此
而言，这时的人还未能脱离动物式的无奈。只有当人们对于基本
生存的条件有了一定的把握之后，即有了一定的生活保障之后，
再有的价值创造，才可以使人们进入生存享受和生存发展的空
间。也就是说，人们对于价值的需要，对于钱的需要，最低的要
求是为了基本生存，只有满足了基本生存，才能谈到这一基础之
上的事情，才能讲求生存的质量。在常态社会，仅就人类的基本
生存条件讲，也不是容易满足的。现在，虽然许多国家实现了现
代化，许多人过上了富裕生活，而且还有少数人的生活极为奢侈
豪华，但同时在全世界的范围内，还存在数以亿计的吃不饱穿不
暖的贫困人口，包括中国在内，至今仍有数千万人尚未脱贫。而
且，自然灾害始终在威胁着人类的生存，物种的保持与自然的抗
衡是极为艰难的，人类是靠着一点一点增长起来的智慧才得以延
续生存的，即使这样，若遇大的自然变故，恐怕还是难免灭顶之
灾。所以，由自然的生存艰难，转为社会的生活利益，经济学研
究的权属界定及其作用才能获得社会的需要。而价值理论研究是
抽象地认识人类的生存条件和人们经济生活利益区分的基础，劳
动价值论的科学发展是将这一基础的创造归结于劳动主体与劳动
客体统一的具有整体性的有用劳动，即概括维系人类生存及其利

益划分的劳动成果为价值，从本质上对人类社会的经济运行关系做出了整体性的认识，这是具有统一性与基础性的学术意义的。

人类的生存是以每个人的生存为基础的，没有一个个活生生的人，没有一代又一代的生命种的延续，整个人类是无从存在的。但是，整体的生存关系或者说条件对于人类的延续更为重要。物种的存在必须有一定的群体基数，缺少必要的基数会走向灭亡。所以，个人的存在是人类社会存在的客观基础，而社会整体利益的维护是个人存在的必要条件。就实质来讲，社会的整体反映了劳动的整体，是人类劳动整体的发展水平决定了人类社会的发展水平。而就人类劳动的整体构成讲，其中每一个人的劳动或每一次劳动又具有整体性，这就是指劳动主体与劳动客体统一的整体性，这是一种内在的整体性，也是具体的劳动构成性。看不到这种内在构成的要求，或者说没有从这种整体性出发，没有坚持劳动主客体的统一，是使传统的劳动价值论不能达到科学彼岸的认识障碍，同时也是人类生存意义的价值界定的误区。劳动内在构成的整体性表明的是人与自然的交流关系，能够保持这种交流，才能够保持人类的生存，生存必须以交流为前提，然而，传统的劳动价值论对于劳动价值创造的认识否定了这种交流，割裂了劳动主体与劳动客体的统一性，是一种片面性的认识，从而将传统的政治经济学的基础理论认识纳入了一个不符合实际的体系之中，以不辨前提真假展开自身的逻辑分析，不是按经济运行的本来状况做出反映，而是用对事实把握不准确的认识解释经济的运行。这样进行研究，虽然以社会经济运行为认识对象没有错，但实际上主观的认识是难与客观的存在相统一的。也许，人们都承认，传统的劳动价值论没有对于劳动和对于价值做出科学的认识，其原因可能是多方面的，也可以归于历史的局限性和学科的初创，但是从根本上讲，这是抛开了生存问题认识价值，使人成为与自然没有交流的孤立的存在，使政治经济学的抽象研究失去了严肃性，就像一艘驶向冰山的舰船那样盲目，偏离科学认识的航道。在这方面，科学的态度是尊重社会与自然的联系，承认社会经济运行离不开自然基础，从自然的内在决定性来看待劳动以及劳动的价值创造。凡是不能从自然出发来认识社会的，凡是无视劳动的整体性，都决不可能正确认识价值范畴及价值关系。从生存来认识自然，从自然来认识劳动，承认劳动是劳动主体与劳动客体的统一体，劳动具有整体性，这种整体性是客观的，就决不会将价值的创造只归于劳动主体作用，使经济学对于价值的认识与经济运行的实际相矛盾。传统的理论实质上是将价值主体化，使其成为没有自然客体支撑的范畴。我们的研究表明的是，科学的价值范畴必然要符合客观基本的事实，即必然要反映劳动整体作用，以自然为基础，以人与自然的交流为前提，以有用劳动为反映对象，以抽象的有用劳动的凝结为自身存在的概括。

从人类的生存出发认识价值，对传统的价值理论的根本突破在于明确区分价值创造与价值归属的不同；阐明了价值创造表示价值具有，是劳动整体作用创造价值，劳动主体与劳动客体都在价值的创造中起作用；价值归属表示价值占有，只有劳动主体占有价值，价值不归属劳动客体。这样界定价值创造与价值归属的关系，是客观自然的反映，是政治经济学认识的深化和科学化，说明将价值创造与价值归属等同或混同是错误的。在价值理论研究的历史中，传统的劳动价值论是以价值归属代替价值创造，而所有的非劳动价值论则都是以价值创造代替价值归属，因而不论哪一方面均没有准确地认识价值的基本性质。新的认识推进的重大意义在于，当价值创造与价值归属的区分问题解决之后，科学界定的体现劳动整体作用的价值范畴就可成为经济学各个流派研究共同承认的基础范畴，从而为经济学建立统一的基础，将由此而生发的各种分支的研究协调一致，使经济学的研究成为一个完整的体系。也就是说，解决了劳动整体创造价值与价值只向劳动主体归属的问题之后，以价值理论研究的突破为起点，政治经济学和经济学即可着手建立科学的统一的学科体系，不再使经济学和政治经济学游离于科学之外。这是 20 世纪以来经济学的学术思想中的重要转变，是对人与自然关系的广泛而贴近的认识，这不仅是一个价值范畴的认识问题，而且是整个经济学认识的基础问题。传统的劳动价值论在不能正确认识价值创造与价值归属的关系之中，实际存在认为劳动客体只对创造使用价值起作用而对创造价值不起作用的错误推理。因为在原有的理论界定中，价值与使用价值是统一的，对劳动成果的具体认识是使用价值，对劳动成果的抽象认识是价值，实际对象是同一体，都是人类有用劳动成果，因此毫无疑问对使用价值创造起作用的劳动客体不可能对价值的创造不起作用。抽象与具体的认识分界不能成为对于价值创造起不起作用的区分。传统的劳动价值论在这一问题上是无论如何也解释不通的，却又从不往下深究，实际是遇到了不可回避的逻辑障碍，使科学的研究转变为脱离事实的主观论断，完全失去了推理认识的作用与意义。过去很长的时间内，没有正视这一错误，不能不说后果是严重的，这导致了政治经济学研究体系的陷落，成为了一种僵化的理论阻力，不仅有碍于当时研究的推进，而且长期地拖住了价值理论研究的进展。正是由于存在这种错误的普遍认识，价值理论实际上被悬空了，价值范畴成了完全形式化的没有实质内容的东西，不具有客观性，因此，在后来的经济学研究中，竟然出现价值理论研究中断的现象，经济学家们不仅不再有热情，而且纷纷回避价值研究，基础的价值研究长期地被价格研究取代，尽管人人都知道价值与价格是两个有联系但却决不相同的范畴。对于一门学科来说，如果一个基础范畴被扭曲了，失去了应有的作用，甚至被具体的应用研究完全抛开，那么情况是很严峻的，而事实上这样严峻的形势早就存在，并不是人们无能为力，而是人们都麻木了，失去了进取的活力，所以在这种状态下无论如何也无法将以往的经济学称为是一门科学。现在，打破这种麻木，先让人们活跃起来，还经济研究的基础理论的科学性，将价值与使用价值的创造统一起来，将价值创造与价值归属区别开来，无疑具有推进政治经济学和经济学学科建设的重大意义。

除了不承认劳动客体在劳动整体中的创造价值作用之外，在传统的劳动价值论中，明显地与社会经济生活的基本事实不符的地方还在于，传统理论不承认直接的物质生产之外的劳动创造价值。不论是商业劳动、服务劳动、社会公务劳动，还是精神劳动、军事劳动，传统的劳动价值论统统不承认是创造价值的劳动。这是在逻辑上很矛盾的表现，是在肯定劳动创造价值的大前提下，又将创造价值的劳动局限在一个很窄的范围内，虽然不像重农学派和重商学派那样认定的领域单一而狭隘，但确实是错误的。在思想禁锢的时代，在盲目的迷信的世风下，这种明显与事实不符的认识被想方设法地做修补性的解释，将传统理论认为不创造价值的劳动说成是实现价值的劳动或转移价值的劳动，要不然就干脆不讲这码事，将这些不创造价值的劳动排除在经济研究之外，因为这样狭窄地认定价值创造的范围实在是无法解释市场运行的实际。如此武断的结果使传统的劳动价值论只能是活劳动价值论、劳动主体价值论、物质劳动价值论。市场关系被这种片面认识扭曲了，主观的错误认识顶替了基本的客观事实，混淆了商品交换的实质内容。传统的劳动价值论在这方面犯的错误太明显了，所以，一旦思想环境宽松，理论界纠正传统的认识错误就是从这里开始的。这种纠错虽然也遇到阻力，也有反复与曲折，但还是比较容易实现的，现在，经过努力之后，经济学界基本上在这个问题上取得了共识，不再以传统的劳动价值论划定的劳动为创造价值的劳动范围，而是一般地将创造价值的劳动由物质生产领域扩大到非物质生产领域，做出了一些新的解释，展开了前所未有的各种讨论。只是，在这一基础上，理论的批判还是很难再深入的，人们基本上除此之外不触及劳动价值论中其他方面的传统认识的悖理。其实，仅就价值创造的劳动范围问题来讲，理论的推进也还没有变为普及的知识，至今还有许多人沉湎于传统的观念，认为知识分子的劳动是不创造价值的，创造价值的只有工人与农民，这种荒谬的认识还在一定的社会范围内延续。

在没有达到生存意识的高度下，传统的价值理论还没有能够区分价值的有益性与价值的无益性，即没有明确认识有益价值与无益价值这一对范畴。单讲价值范畴是中性的，价值不含褒义与贬义，价值就是抽象的有用劳动，价值就是财富，但是，有用性在价值范畴中的统一并不表示价值没有有益性与无益性的区别，即从理论上不能将价值的有用性与有益性相混淆，价值都是具有有用性的，无用劳动不凝结为价值，价值却并不一定都具有有益性，有的价值的社会作用是无益的，无益价值是人类经济生活中的客观存在。这种价值的有益与无益的划分也是从生存角度认识的。事实上，人类劳动创造的价值并不都是对自身生存有益的，人类永远也不可能只创造有益价值。是否有益，就历史与现实讲，是针对常态社会而言的。人类本身存在惰性，有这种性质，就有满足其要求的无益价值存在，社会文明的高低只在于人的惰性的大小上，而不在惰性的有无上。我们的研究指出，无益价值是非生产劳动创造的价值，而非生产劳动的范围并不是非物质生产劳动。这是长期困扰政治经济学研究的一个难点问题。传统的理论是将非生产劳动一律排除在创造价值的劳动范围之外，这分得很清，但不符合事实，因此只是将问题搞得越来越复杂了，根本无法解决问题。我们的认识终于解决了这一问题，阐明生产劳动与非生产劳动之分界，不在于是否创造价值，而在于是否创造有益价值，只要能成为有用劳动，不论是生产劳动，还是非生产劳动，都创造价值，但只是有用的生产劳动创造有益价值，有用的非生产劳动创造的是无益价值。做出有益价值与无益价值的区分，是发展乃至完善价值理论的一个重要方面。这一研究的进展表明，在无差别的人类劳动的凝结之中对于人类生存的影响还是有区别的，人的生存有惰性表现，价值之中就肯定存在无益作用，即有些财富就是滋长和满足人类惰性的消费条件。因此，在严格的理论研究的意义上，对于价值不能一视同仁，即对于价值所起的各种不同的社会作用，一定要分辨清楚，既要分辨物质劳动价值与精神劳动价值，更要分辨有益价值与无益价值。根据政治经济学价值理论的这一高度概括，在人类社会经济实践中，应注重区别劳动配置的作用，要尽可能地抑制非生产劳动的增长，使其绝对量增长的同时能够实现相对量的下降，即要尽可能地减少惰性消费，增加对人类生存有积极作用的消费，增加社会经济生活的理性程度。政治经济学对于有益价值与无益价值的区分界定，表现了价值理论的研究历经坎坷之后即将步入坦途。

对于变态价值的界定是价值理论发展创新的更重要的方面。从生存出发，从人类起源的原生态出发，才能科学地深刻地认识军事劳动创造的变态价值。变态价值不同于无益价值，在变态价值中也存在有益价值与无益价值的划分，即存在变态的有益价值与变态的无益价值，因此不能将变态价值等同或混同于无益价值。变态价值表示的是有用的军事劳动的创造成果。在常态社会中，军事劳动的创造对于社会是有用的，即这就是指常态的有用性。人类不可能脱离动物界后很快就达到高度理性，实际上在人类劳动能力整体有限的发展阶段，人与人之间的争斗表现为群体与群体之间发生战争是无奈的，是不可避免的。在必然地存在军事劳动的社会必然存在变态价值，这种价值具有不同于正态价值的暴力的力量。使用暴力，或者说，生存要依靠一定暴力，这是原始的野蛮，也是今天的现实，在这一点上，人类社会历经数百万年，也尚未改变。只是到了20世纪中叶之后，在高科技发展的前提下，人类对于战争才有了一定的理性克制。因而，迄今为止，变态价值的存在还是许多人及其家庭得以生活的依靠。创造变态价值的人，在常态社会，可以自豪地享受经过价值交换而得到的各种生活条件。变态价值在社会实现的价值总量中只能占一定的比重，变态价值只表现社会对安全的需要，除此之外，社会还要满足人口的衣、食、住、行的需要。现在，允许变态价值存在，是常态社会的客观需要。将来，取消变态价值，是人类社会走向正态的必要条件。在政治经济学的研究中，只有充分地认识人与自然的关系，认识到常态劳动的历史性质，才能科学地提出变态价值范畴。由于有了变态价值的介入，价值理论体系才达到应有的复杂程度和完整性的要求。军事劳动者是为社会的安全而工作，由此获得价值创造，并以此与社会的其他劳动者交换价值。只有确认军事劳动创造变态价值，才能使价值理论的运用通达市场及社会的每一角落，使价值交换关系真正在经济学理论中得到无矛盾的贯彻。在现时代，社会的经济生活中还不能排斥变态价值，只是，从现在起，各个国家都应有意识地减少变态价值，为取消变态价值努力工作。价值理论的研究进展到变态价值研究，表现了认识的大跨度提高，是常态劳动的价值理论基础的落成。

更深刻的是，从生存出发，我们客观地分析了常态社会经济中的有剥削劳动主体介入的复杂的价值归属问题。价值创造是整体作用的结果，是劳动主体与劳动客体共同作用的结果，作为一种寄生性的变态，剥削劳动主体不对价值创造起作用，剥削劳动的价值创造完全取决于被剥削劳动的整体作用。但在价值归属之中，剥削劳动主体作为一种劳动主体存在，以寄生的变态现实介入实现价值的归属之中，攫取一定的价值，与被剥削劳动主体共同分享劳动成果。按照价值理论抽象的严格界定，在这种变态的归属中，剥削劳动主体不是占有被剥削劳动主体在劳动整体创造价值中的作用，而是要求将被剥削劳动客体在劳动整体创造价值中的作用相应的劳动成果归属于它，使其也成为享受价值归属的劳动主体。未参与价值的创造，却要得到归属的价值，这就是剥削劳动主体的寄生性表现。从实质上讲，在以往的价值理论研究中，经济学家们并没有注意到剥削劳动主体是这样一种变态的占有关系，总是在认识的模糊之中将剥削劳动主体占有被剥削劳动客体的作用与被剥削劳动客体在劳动整体创造价值中的作用等同，即将人占有物的作用与物本身在价值创造中的作用相混淆，形成的是一种逻辑上讲不通的与实际不相符的理论，使得政治经济学的研究在基础理论上的探索走了一大段的弯路。这也就是说，过去传统的理论将价值创造直接等同价值归属，① 以为有创造就有归属，其实是贬低了劳动主体在劳动整体中的主导作用，同时又忽略了物不可能得到价值，对物的创造价值的作用的肯定并不意味着人对物的占有作用与其是等同的。而将价值归属等同价值创造的理论，又是忽略了物在价值创造中的作用。这就是说，在政治经济学的早期研究中，否认劳动价值论的学者将物的

①　这主要是指非劳动价值论的认识，这一类学者几乎都没有想到物有作用但不归属价值，都犯有将人对物的占有作用当成物的作用的逻辑错误。

作用直接等同于人对物的占有作用，承认劳动价值论的学者又是以人的作用代替物的作用即不承认物有创造价值作用，不论是哪一方面，都不可能合乎逻辑地解释常态社会的经济实际，都不可能形成全部贯通的价值理论。我们的研究阐明，资本主义剥削劳动主体是通过占有生产资料（拥有这些劳动客体的所有权）进而占有了生产资料在劳动创造价值过程中的作用而占有劳动成果的，并不是剥削者直接占有被剥削劳动主体作用形成剥削，价值也并不都是劳动主体创造的。而在无剥削的情况下，劳动客体的价值创造作用直接归属与之在劳动过程中结合的劳动主体，没有寄生性的归属占有要求存在。认识的关键在于，要承认常态社会，承认剥削劳动主体的寄生性归属价值是常态社会的生存必然，是常态社会的市场准则，是具有客观存在意义的。也就是说，对此是不能简单地取消的，暴力的运用不可能解决剥削变态的问题。这是因为剥削劳动的存在是人类社会发展特定阶段的需要，这种需要从根本意义上讲是整体的生存的需要，这是由人类劳动发展整体水平决定的，是由劳动内部矛盾发展的状况决定的，即在特定的社会发展阶段，这是一种人类整体的生存保护。所以，剥削的存在，在人类社会的特定的发展阶段，是客观的，是不可能取消的，也是需要人类自觉保护的。只是，剥削不能转向疯狂，剥削不能推动暴力的增长，更不能依靠暴力发展，暴力是比剥削更丑恶的和更野蛮的，暴力的变态更需要受到抑制，在社会的发展之中，暴力与剥削都是要消灭的，现在特定条件下的允许与保持存在，与将来要消灭一切变态并不矛盾。我们的价值理论研究从常态劳动出发，从生存的根基出发，揭示剥削存在及剥削劳动主体参与价值归属的内在机理，表明政治经济学的研究已经能够全面地辩证地认识并阐释常态社会经济运行之中的核心的价值关系问题。

　　从市场交换讲，价值并不是一个直接应用的范畴。在现实的市场中，人们实际讲的都是价格而不是价值，这是任何有市场经验的人都清楚的。从经济学的研究讲，价格与价值是有联系又有区别的，价格只能作为商品的市场交换量的标志，而价值既可表示量又可直接表述为财富本身。在讨论市场交换的具体关系时，不能以价值表示，即在此价值范畴用不上，因而，传统的劳动价值论认为市场运行的等价交换指等价值交换是错误的。实际上，从事实出发，任何人都会承认市场的交换是等价格交换。在市场的交换中，需要处处讲价格，价值对于价格的约束并不直接体现在市场的交易行为中。我们认为，价格的运动有相对独立性，价格不仅仅是价值的货币表现，也不仅仅是表现价值，价格是有用劳动的市场实观，价格形成的依据是社会使用价值。双方按价格交换表示双方的交换物具有一致的价格，这时双方的交换物的价值很可能不一致，但价值的不一致并不影响现实的交换。

　　不可具体量化的价值是伴随着每一个人的生存存在的。人的生存依赖于劳动，常态人的生存依赖于常态劳动。价值是人类无差别的有用劳动的凝结，常态价值是常态社会人类无差别的常态有用劳动的凝结。劳动创造财富，价值是劳动的抽象，也是财富的抽象。抽象的价值不能具体地量化，但却是真实地存在，即有财富的存在，就有价值的存在，但价值不是交换的依据，只是交换的基础，具体的交换不以抽象的价值作为等量的尺度，抽象的价值只是不同量或同量地体现在具体的交换物之中。劳动不断地创造价值，社会不断地积累价值，劳动与人类的内在关系，在维持生存的概括之上，即体现为价值与人的关系，与每一个人相关，人的生存需要价值创造，亦需要价值积累。相比价值，劳动是更基础的范畴，劳动的研究范围更广阔，蕴意更深远，价值的研究是包含在劳动研究之内的，是抽象劳动研究的概括性分析，价值的研究是劳动研究的一个方面的展开，也是劳动与人类生存关系研究之中的抽象的视点。劳动的研究需要先于价值的研究，在不能对劳动做出科学的辩证的认识之前，不可能科学地进行价值的研究，人类常态劳动发展的历史过程是抽象地进行价值分析的不可缺少的历史背景，忽视劳动研究而重视价值研究是传统理论的研究顺序上的失误。劳动是人的本质，劳动的研究实质是人的研究，在这一实质确定的前提下，对于劳动的研究是价值研究的基础，劳动是经济学研究的最基础的范畴。经济学的研究是从人的生存需要出发进行研究，其起点就是研究劳动，其整个研究体系贯穿的都是劳动研究。而价值的研究是对经济学研究的最基础范畴的抽象，是经济学研究从最基础范畴展开的抽象研究。抽象的价值研究本身具有的理论意义在于，这一层次展开的是生存的基本利益关系的分析，价值的研究可确切地揭示劳动对于人的切身利益所在。

价值研究是高度抽象的，在抽象的过程中，需要始终把握住抽象的科学性。倘若抽象不具有科学性，则抽象性不仅毫无意义，而且起误导作用。对此，需要强调抽象的高度，抽象的全面，抽象的准确。抽象高度是要求终极抽象，将价值抽象为劳动的凝结并不终极，将价值抽象为人类无差别的劳动凝结也不终极，必须将价值抽象为人类无差别的有用劳动的凝结才达到终极的要求。在这个层次上，抽象的有用劳动等同于价值，价值与劳动的关系得到真正体现本质含义的概括。抽象的全面是要求对创造价值的要素作全面的认识，对价值创造后的利益划分作全面的认识，对价值运动以及价值在社会经济生活中的作用作全面的认识，对价值的社会性作全面的认识。在全面认识的基础上，抽象的价值与抽象的有用劳动的同一反映才能符合最基本的事实。抽象的准确要求贯彻抽象的全面性和达到应有的抽象高度，准确地揭示价值的本质以及价值范畴与其他经济范畴的严格的区别。传统的价值研究失误明显地体现在所谓认识的片面的深刻性上。初期的政治经济学强调认识的深刻性，并欣赏深刻的片面，由此使认识走偏。这种传统的思维观念是必须抛弃的，片面只能导致偏激，而偏激距离科学的目标是差之太远的，政治经济学的研究若不走出偏激，就迈不开科学发展的步伐。

改变传统的认识是困难的，但错误的传统认识是必须改变的。科学排斥虚假，当人们还没有认识到传统的价值观虚假时，也只能接受。而一旦人们认识到传统观念的虚假，从认识者的角度讲，是不可能再接受传统的价值观的。对于理论研究来说，重要的是揭示虚假的价值观是怎样从认真思考的经济学家的推论中产生的。

不同于传统的价值观的研究意义体现在对经济生活的整体性把握上。这是经济学研究很重要的一个方面。整体性思想是劳动价值论创新的基本思想，劳动价值论创新的经济思想亦是认识经济整体运动的思想，即科学地认识价值就能从全局上抓住社会经济生活的主脉。

劳动是人类生存之本。

价值是对有用劳动的抽象认识。

劳动不是单纯的主体行为，价值也不单纯是劳动主体创造的。

自然界给予人类的恩赐在于，自然（劳动客体）参与价值创造，但并不要求价值归属。劳动整体创造的价值只归属于劳动主体（人）。

常态社会劳动存在的复杂性在价值运动之中同时体现，价值创造之中有正态价值与变态价值之分，价值归属之中亦有正态归属与变态归属（价值向剥削劳动主体归属）。

　　价值的研究是政治经济学的基础研究，其抽象的作用贯穿整个经济学研究领域。

　　从人类生存的基本需要和发展需要出发，以劳动的整体性为自然基础，坚持历史的和现实的劳动的常态观，这是确立经济学研究共同的科学的价值范畴的认识前提，也是创立与传统的价值理论截然不同的科学的劳动价值论的思想精髓。

跋

　　1993 年 7 月，我于中国社会科学院研究生院毕业后，即到中国社会科学院经济研究所政治经济学研究室工作，从那时起，我就开始了劳动价值论的研究。

　　研究政治经济学，我拟定的顺序是，先研究劳动，再研究价值，然后研究使用价值。也就是说，研究的方式是先从具体到抽象，然后再从抽象到具体。站在现时代的高度审视社会经济，以新的视角展开系统研究，不同于以往的商品分析法和阶级分析法，我创立了劳动分析法，即劳动辩证分析法，将此作为政治经济学研究的基本方法。我所做的劳动整体性研究，劳动价值研究，乃至即将展开的劳动的使用价值研究，都是劳动分析法的运用。科学的发展必将证明，劳动分析法是认识人类社会经济发展历程的锁钥，也是解析人类社会经济运行机理的基本方法。已出版的《劳动论》概括了我对劳动的整体性和常态性的研究成果，在政治经济学研究史上最先将人类劳动作为一个常态整体研究，用劳动内部矛盾的变化阐明劳动整体的发展。这为价值理论的发展创新奠定了认识基础。创立科学的劳动价值论，是这本书的研究目的。我以确认劳动的整体性为前提，论证了劳动整体创造价值与价值只归属劳动主体的联系与区别，说明了常态劳动下价值运动的特征，重新认识了价值规律及其作用。关于使用价值的研究，也就是对劳动效用的研究，是结束本书研究之后随即开始的研究，是针对市场现实的研究，也是揭示经济运行规律的研究。届时全部完成了上述 3 个方面的以劳动为基础范畴的研究，将重塑政治经济学体系基础。

在本书之前，价值理论的研究已历经数世纪。劳动价值论并不起自马克思主义政治经济学，马克思是继承了前人的劳动价值论的基本观点。而今，劳动价值论的科学阐释也并不为马克思主义政治经济学独断，推进理论的责任在整个经济学界。要成为一门科学学科，经济学必须要有能取得共识的价值基础理论。然而，长期以来，劳动价值论不能做出符合实际的解释，非劳动价值论亦不能自圆其说，学术上的讨论陷入僵局。于是，后来众多的从事经济理论研究工作的人不愿深究价值理论，不愿涉足这一研究领域。本书的研究没有对经济学界已有的观点做出更多的分析评论，这是因为我对劳动的界定与传统的观念有根本的不同，这使得在逻辑上再就没有必要对过去的观点展开分析了。我认为，研究劳动价值论，最重要的是科学地认识劳动范畴，如果这一点不能立住，那么所有的关于劳动价值论的讨论都如东流之水。所以，在本书中，我继续《劳动论》的研究，从科学的劳动范畴出发，重新阐释劳动价值，由此价值范畴得到科学的界定，能够成为整个经济学研究的共同的基础范畴。

完成这一阶段研究，使我感受最深的是，在科学的探索中，必须要认准方向，这样，道路再险，坚持前进，最终是会取得正确认识的。否则，方向不对，绕来绕去，付出极大，也不可能解决问题。而劳动价值论的发展方向就是劳动的整体性和常态性的确认，由此合乎逻辑地讨论下去，尽管有些细节问题一时解决不了，有些个别问题可能还存在认识上的偏差，但是总的认识不会错，科学的劳动价值论就是依此建立的。

研究价值理论是学术问题，不是政治问题。这一问题是长期存在的，由于历史的原因，至今变得十分复杂。因此，解决这一问题的过程是相应复杂的，解决这一问题需要倾注执著和勇气。但是，由此问题的解决，即科学的劳动价值论的建立，可能牵涉到许多学术研究之外的事情，是学者们不能回答也不必回答的，即那不属于经济学理论研究的领域，怎样处理当由社会其他方面去解决，或是说由其他学科去分析认识。

推动社会进步的，从根本上说，不是人与人的斗争，而是人与自然的对抗，即人在自然之中的抗争，人与自然之间顽强地不懈地交流。劳动的研究证明了这一原理，本书的劳动价值论研究也是在这一原理的基础上展开的，我将继续的劳动效用论的研究仍然要运用这一原理。已有的研究表明，揭示并坚持运用这一原理，改变传统的对人类与社会的认识观念，是马克思主义政治经济学科学发展的起点。

就工作的环境与条件讲，这几年研究价值理论，可能是我的研究生涯中最困难的时期。但相比为了科学研究而付出鲜血乃至生命的人，我所遇到的困难终究还是不值得一提的。在最困难的时候，包括在精神上和物质上，我得到了与我相熟的和不相熟的友人的支持与鼓励，帮我渡过难关。他们只是敬重学术，并不在意科学的劳动价值论的建立意味着什么。我深信，这一经历中的每一点滴，都已化为我的珍贵的记忆了。

钱　津
1998 年 4 月 12 日于北京

图书在版编目（CIP）数据

劳动价值论／钱津著. -- 北京：社会科学文献出
版社，2001.7（2025.4 重印）
ISBN 978 - 7 - 80149 - 540 - 2

Ⅰ.①劳…　Ⅱ.①钱…　Ⅲ.①劳动价值论　Ⅳ.
①F014.31

中国国家版本馆 CIP 数据核字（2023）第 058310 号

劳动价值论
——《劳动论》续集

著　者／钱　津

出 版 人／冀祥德
组稿编辑／周　丽
责任编辑／叶灼新　屠敏珠　张丽丽
责任印制／岳　阳

出　版／社会科学文献出版社·生态文明分社（010）59367143
　　　　　地址：北京市北三环中路甲 29 号院华龙大厦　邮编：100029
　　　　　网址：www. ssap. com. cn
发　行／社会科学文献出版社（010）59367028
印　装／三河市尚艺印装有限公司

规　格／开本：889mm × 1194mm　1/32
　　　　　印 张：13.25　字 数：311 千字
版　次／2001 年 7 月第 1 版　2025 年 4 月第 5 次印刷
书　号／ISBN 978 - 7 - 80149 - 540 - 2
定　价／98.00 元

读者服务电话：4008918866